THE SIGMA FORCE SERIES ⑨

ダーウィンの警告

［下］

ジェームズ・ロリンズ

桑田 健［訳］

The 6th Extinction

James Rollins

シグマフォース シリーズ⑨

竹書房文庫

目次

下巻

第三部　地獄岬

17　10
18　35
19　61
20　86
21　116
22　123
23　151
24　180

第四部　文明退化

25　208
26　236
27　254
28　276
29　289
30　309
31　322
32　337
33　360
34　381

エピローグ　399

著者から読者へ　401
改めて歴史を振り返って　418
謝辞　420
訳者あとがき　422

主な登場人物

グレイソン（グレイ）・ピアース……米国国防総省の秘密特殊部隊シグマの隊員
ペインター・クロウ……シグマの司令官
モンク・コッカリス……シグマの隊員
キャスリン（キャット）・ブライアント……シグマの隊員。モンクの妻
ジョー・コワルスキ……シグマの隊員
ジェイソン・カーター……シグマの隊員
リサ・カミングズ……米国の医師。ペインターの婚約者
ジェナ・ベック……米国のパークレンジャー
ニッコ……シベリアンハスキー。ジェナの相棒
ケンドール・ヘス……米国の生物学者
サミュエル・ドレイク……米国の海兵隊員
アレックス・ハリントン……イギリスの生物学者
ジョッシュ・カミングズ……米国の登山家。リサの弟
ステラ・ハリントン……アレックスの娘
カッター・エルウェス……イギリスの環境保護論者
ジョリ・エルウェス……カッターの息子
ディラン・ライト……イギリス軍の元少佐
エドムンド・デント……米国のウイルス学者
レイモンド・リンダール……米軍開発試験コマンドの局長

ダーウィンの警告　下

シグマフォース シリーズ ⑨

南極大陸

南極海
ドローニング・モード・ランド
東南極
南極横断山脈
ヴォストーク湖
インド洋
ウィルクスランド・
クレーター
W
S
N
E

南大西洋
ブラント棚氷
南アメリカ大陸
ウェッデル海
ティエラ・
デル・
フエゴ
ハリー研究基地
（英）
南極半島
ロゼラ研究基地
（英）
ベリングスハウゼン海
南極点
西南極
南太平洋
アムンゼン海
ロス棚氷
マクマード基地
（米）
ロス海

第三部　地獄岬

17

四月三十日　グリニッジ標準時午前十時三十四分
南極大陸　ドローニング・モード・ランド

「太陽はどこに行っちまったんだよ？」コワルスキがうめいた。

グレイも大男のいらだちを理解できた。キャタピラ式の巨大な車両の操縦室に立ち、背の高い窓の先の地形を見つめる。午前中も半ばを過ぎているにもかかわらず、外はまだ真っ暗だ。すでに月は沈み、雲一つない空に満天の星が冷たく輝いている。時折、エメラルドや深紅の色合いの中にまばゆい青を散りばめたえも言われぬ光の波が、星空を漂う。「南極光」とも呼ばれるこの大規模なオーロラが、夜を徹して凍結したドローニング・モード・ランド上を移動するグレイたちのことをずっと見守っている。光のショーの壮大さは、南極各地で衛星通信が支障を来たす原因となっている太陽嵐の激しさに比例する。オーロラが夜空を華麗に彩るたびに、自分たちが世界の果てにいるという事実を痛感させられる。

グレイは周囲の地形を観察しながら、どこに向かっているのかの手がかりを探そうとした。唯一残存しているハリー研究基地のモジュールにカレンやほかの研究者を残して、グレイたちは大型車両で雪と氷の平原を横断しながら東に向かっている途中だ。運転席の上の自動位置保持システム（ＤＰＳ）に表示された地図によると、遠くの海岸線と平行した進路を取っている。けれども、窓の外には湾や海の気配すらなく、白と青の氷の世界が広がっているだけだ。単調な景色の中で唯一の目につく地形は、南の方角にある。白一面の世界から列を成して突き出ている黒っぽい岩肌は、氷に埋もれた山脈の山頂部分に当たる。鋭くとがった岩が連なる様はまるで牙のようで、北欧神話に登場するオオカミの怪物からその名を取って「フェンリルの口」と呼ばれている。

話し声を耳にして、グレイは背後の運転席に注意を戻した。そこにはこれから会う予定になっている気難しそうな教授の娘、ステラ・ハリントンがいる。

「このＣＡＡＴはＤＡＲＰＡの試作品をモデルに設計したのよ」ステラが熱心な生徒に説明している。

運転席のステラの隣に立つジェイソンは、この奇妙な乗り物の設計図を眺めていた。一風変わった輸送手段の情報を、何とかして引き出そうとしている。

あるいは、引き出そうとしているのは女性教師の情報かもしれない。

二十代前半のステラはジェイソンと同年代で、ピクシーカットのブロンドの髪に、吸い込まれるような緑色の瞳をしている。厚手のウールのセーターと極地用のズボンの上からでも、スタイルのよさをうかがい知ることができる。頭脳もかなり明晰で、植物学と進化生物学の両方で博士号を取得しており、シグマでコンピューターの天才と評されるジェイソンといい勝負だ。

「ＤＡＲＰＡの試作品はビデオで見た覚えがある」ジェイソンは返した。「あれはこの五分の一の大きさだったはずだ。こんな大きな乗り物でも水上を走行できるのかい？」

「ＣＡＡＴは『フロート付き水陸両用車』の意味なんだから、当たり前でしょ」ステラは相手をからかうかのように目を見開いた。「空気が充満したキャタピラの各履板は浮力があるから、陸上でも水上でも走行可能。ここではその点が重要なのよ」

ジェイソンは顔をしかめながら、外の氷の世界に目を向けた。「どうしてこんなところで『水陸両用』の必要があるのかな？」

「なぜなら、私たちは主にこのＣＡＡＴを――」ステラは突然口ごもった。必要以上の内容にまで踏み込みそうになったことに気づいたのだろう。

グレイたちがＣＡＡＴに乗り込んで以来、ずっとこの調子だった。会話をしても途切れたり、沈黙しか返ってこなかったり。父親がどんなトラブルに巻き込まれているのかすら話そうとせず、助けが必要だと繰り返すばかりだ。

ステラは目をそらし、どこか後ろめたそうに声を落とした。「そのうちわかるわ」

ジェイソンはそれ以上追及しなかった。

「でも、ＣＡＡＴは氷上を走行する際にも役立つのよ」ステラは元の口調に戻して続けた。「平地では時速百二十キロ出せるし、車体が長いから狭いクレバスくらいなら渡ることもできるわ」

ジェイソンは設計図を凝視している。「この乗り物を見ていると、バード海軍少将のスノークルーザーを思い出すな。第二次世界大戦直後に建造された極地用の大型車のことさ。君も知っているだろう？」

グレイは小型機も搭載可能だったという全長十七メートルの巨大な車両の写真を思い返した。ＤＡＲＰＡのサーバーから回収されたハリントン教授のファイルの中にあった写真だ。

「ええ……そうね」ステラはためらいがちに、まるで氷の上を注意しながら歩いているかのような口調で答えた。「父はＣＡＡＴも同じような役割を果たせると考えていたわ」

ジェイソンはうなずいた。「そうだろうね」

そう言いながら、若者はさりげなくグレイに視線を送った。不意にグレイは、ジェイソンが教授のファイルから得た情報を利用して、ステラがどこまで正直に明かすかを密かに試していることに気づいた。

どうやら美人にのぼせていたわけではなかったようだ。

「このCAATは何人乗りなの？」ジェイソンは訊ねた。

「操縦室の乗員も含めて、十二人のチームが乗り込めるように設計されているわ。でも、非常の場合にはもう六、七人くらい乗れるけど」

カレンたちをモジュールに残してきたのはそれが理由だった。操縦室の下には狭いスペースしかない。エンジンなどの装置が大部分を占めているからだ。乗組員用の空間は小さな食堂と寝室だけしかなく、しかも何らかの問題の発生を予期して、ステラには定員いっぱいの武装したイギリス人兵士が同行していた。CAATにカレンをはじめとする十数名の研究者を収容するのは無理な相談だった。

けれども、たとえ余裕があったとしても、そのように事が運ぶことはなかっただろう。

ハリントン教授からの指示で、ドローニング・モード・ランドを横断して秘密の基地まで輸送可能なのはグレイと二人の仲間だけだと、ステラは明言していた。襲撃の知らせを受け、教授の被害妄想はさらに高まっているようだ。破壊された基地から脱出した後にグレイが送った無線を受信した時、ステラはすでにヘリコプターで基地に向かっている途中だった。彼女は即座に引き返し、氷上で別の任務に就いていたCAATと連絡を取った。その後、緊急着陸し、CAATを新たな救援任務に振り向けたというわけだ。

カレンたちのためには、移動するモジュールの居場所が敵に突き止められた場合に備えて、二人のイギリス人兵士と、ロケットランチャーなどの重火器を残してくれた。この状況下ではそれが精いっぱいの譲歩だったと言えるだろう。

　グレイは運転席の横にいるジェイソンに並んだ。「目的地まであとどのくらいかかるんだ？」

　ステラは頭上にあるＤＰＳの地図に視線を向けた。すぐには答えようとしない。どこまで明かすべきか、秤にかけているところなのだろう。

　ジェイソンが無邪気さを装った口調で割り込んだ。「僕たちが誰かに情報を流せるわけじゃないし」

　ステラは地図を凝視し続けていたが、グレイは彼女の口元にかすかな笑みが浮かんだことに気づいた。「確かにそうね」ステラはＤＰＳの画面を指差した。「半月のような形をした小さな半島がわかる？　ここから約三十キロの地点。あそこがヘルズケープよ」

「ヘルスケープ……『地獄の風景』ってこと？」ジェイソンは不気味な名称に眉をひそめながら訊ねた。

　ステラの笑みが大きくなる。「そうじゃないわ。ヘルスケープじゃなくて、ヘ、ヘ、ヘルズケープ。『地獄岬』という意味」

「大差ないじゃないか」同じく操縦室内にいるコワルスキが不機嫌な声でつぶやいた。「そんな名前じゃ観光客が集まらないぜ」

「私たちが命名したわけじゃないわ」

「じゃあ、誰が命名したんだ?」グレイは訊ねた。

ステラは躊躇したが、覚悟を決めたのか答えを明かした。「チャールズ・ダーウィンよ。一八三二年のこと」

驚きから来る沈黙を挟んで、グレイは当然の疑問を投げかけた。「どうして彼は地獄岬なんていう名前をつけたんだ?」

ステラは地図を見つめていたが、やがてかぶりを振った。さっきまでと同じような、曖昧な答えが返ってくる。ただし、その声からは恐怖がありありと感じられた。

「そのうちわかるわ」

午前十時五十五分

〈地獄という名前ほど悪い場所でもなさそうだけど〉

ジェイソンはCAATの車内から、南極海に突き出した氷の岬までの最後の一キロの景色を眺めていた。目が暗闇に慣れてきたし、夜空に輝く星明かりやオーロラの光もあるおかげで、地形を確認することができる。

前方に海岸線の曲線が見え、青白い氷と黒い岩の断崖の向こうには小さな湾がある。断崖の下にある岩がちの浜辺には波が打ち寄せている。ここは南極大陸でも海岸線が氷に覆われていない数少ない地域の一つだ。

「ところで、基地とやらはどこにあるんだ？」コワルスキが訊ねた。

もっともな疑問だ。

運転席の隊員の後ろに立つステラが、身を乗り出しながら耳元に何かをささやいた。海岸線に近づくと、ＣＡＡＴの速度が人の歩く程度の速さにまで落ちる。巨大なキャタピラが断崖の端に達し――

――そのまま進んで外にはみ出した。

「何かにつかまって」ステラが警告を発した。

ジェイソンは壁沿いの手すりを握り、グレイとコワルスキは海図用の机の端をつかんだ。

ＣＡＡＴはなおもゆっくりと前進を続け、キャタピラの半分が断崖の端から突き出た形になった。車体の先端が前方に傾き、落下を始める。ジェイソンは岩場に向かって真っ逆さまに落ちると覚悟し、手すりを握り締めた。だが、前のキャタピラが断崖の陰に隠れていた斜面をとらえた。ＣＡＡＴの車体の後部が浮き上がる。ＣＡＡＴは傾いたまま緩い石から成る急斜面をキャタピラで下り、下に見える岩がちの浜辺に向かって進み始めた。

ジェイソンは手すりを離し、前にいるステラの隣に並んだ。

斜面は人の手によるものらしく、浜辺の石を集めて重機か何かでならしたのだろうと思われる。しかし、岬の曲線の陰になっていることもあり、注意して目を向けていなければこの構造物には気がつかないだろう。

斜面の下まで達すると、ＣＡＡＴは浜辺に進入し、キャタピラで小石や砂を踏みしめながら見上げるような高さの断崖沿いに進んだ。前方に現れた広い洞窟の入口は、氷に縁取られた巨岩を斧で真っ二つに叩き割ったかのような形をしている。ＣＡＡＴは速度を落とし、方向転換すると、その真っ暗な入口に向かった。二灯のヘッドライトが暗闇を照らし出す。トンネルの長さは三十メートルもなく、青みを帯びた冷たい鋼鉄製の壁が行く手をふさいでいた。壁の高さは五階建ての建物に匹敵し、幅は百メートル近くある。端の部分に目を向けると、壁と岩の隙間がコンクリートでふさがれているように見える。

ＣＡＡＴが洞窟内に入ると、その壁に埋め込まれた巨大な両開きの扉が左右に動き始めた。中から明るい光があふれ、ＣＡＡＴを包み込む。何時間も暗闇を移動してきた後なので、目もくらむようなまぶしさに感じられる。

「地獄岬へようこそ」ステラが言った。

壁の向こう側にも広々とした洞窟が延びており、床は鋼鉄製だが、両側の壁は自然の岩をそのまま利用している。航空母艦の甲板上に世界最大級の格納庫が設置されたかのような雰囲気だ。片側の壁沿いに大型のＣＡＡＴがもう一台と、半分ほどの大きさの小型のＣＡＡＴが六台ある。反対側の壁の近くには二機のフロート付きのプロペラ機も見える。三台のフォークリフトが木箱を運んでいる一方で、天井部分に取り付けられたケーブルと滑車が大きなコンテナを牽引(けんいん)している。

運転手がＣＡＡＴをにぎやかな倉庫内に乗り入れ、同型車の隣に並べている間に、背後の巨大な扉が閉じた。ディーゼルエンジンが大きなため息にも似た音を吐くと同時に、ＣＡＡＴは停車した。

車両が停止するとすぐ、ステラは下に通じる階段を指差した。「降りて。父はあなたたちに会うのを待ちかねているから」

ステラはジェイソンたちを引き連れて操縦室を下り、車体後部のスロープから車外に出た。空気は思いのほか温かく、油と化学洗浄剤のにおいがする。ジェイソンはこの施設の途方もない大きさに唖然(あぜん)とするばかりだった。

痩(や)せたイギリス人兵士が一人、息を切らしながら不安そうな面持ちで駆け寄ってくる。ステラは兵士と話をした後、洞窟の先を指差した。「父はあの展望台の上にいるわ」

広大な格納庫の向かい側に目を移すと、洞窟の奥の全面が巨大な鋼鉄製の構造物で覆われていた。八階建てのビルと同じくらいの高さがあり、それぞれのフロアが階段や橋で結ばれている。最上階に当たる部分には高いガラス窓が並んでいた。

ジェイソンはこの造りに何となく見覚えがあった。

グレイもそのことに気づいたようだ。「あれは軍艦の上部構造じゃないのか？」

ステラがうなずいた。「退役になったイギリスの駆逐艦。分解してこの中に運び込んでから、再び組み立てたのよ」

外に通じる扉と同じく、転用された駆逐艦の上部構造と岩の境目も、窓枠の隙間をふさぐかのようにコンクリートで密閉されていた。

「ついてきて」そう言うと、ステラは背を向けた。「あまり離れないように」

言われた通りにしたものの、ジェイソンはステラの腰の曲線が気になって仕方がなかった。

コワルスキが目ざとくそれに気づき、ジェイソンの脇腹を肘で小突いた。「ちゃんと前を見て歩けよ、坊や。触ったりしたら国際問題になるぞ」

頬が赤くなるのを意識しながら、ジェイソンはステラの後ろ姿以外を見ようと努めた。

一行は位置を少しずつずらして並べられた土嚢(どのう)の間を通り抜けた。土嚢は腰の高さくらいにまで積み上げられていて、その途中に設けられた三台の機関銃用の銃架には、外の扉の方に銃口を向けたアメリカ製のブローニングＭ２が固定されている。

頭上に目を移すと、天井部分の軌道をコンテナが移動し、奥の構造物の中に吸い込まれていく。その時初めて、ジェイソンはコンテナに厚みのある窓が付いていることに気づいた。装甲を施されたスキーのゴンドラのように見える。コンテナ下部の突起物はどう見ても砲塔だ。

ジェイソンはほかの三人から遅れないように足を速めた。

〈この場所はいったい何なんだ？〉

午前十一時十四分

グレイはステラに続いて鋼鉄製の上部構造の最下部にある扉を抜けた。ステラはグレイたちをすぐ近くにある貨物用エレベーターに乗せ、最上階のボタンを押した。

エレベーターが上昇を始めると、グレイは訊ねた。「この場所が造られたのはどれくらい前の話なんだ？」

外の格納庫内を歩いていた時、グレイはこのイギリスの基地の建設がやっつけ仕事なのではないかとの印象を受けた。短時間で急いで完成させたように思えたのだ。

「建設が始まったのは六年前」ステラが答えた。「時間のかかる作業で、今も予算と状況が許す限り、仕様の変更や増築を行なっているわ。でも、この場所の捜索自体は何世紀も前にまでさかのぼるのよ」

「それはいったいどういう――？」

エレベーターの扉が開くチャイムの音で、グレイの質問は遮（さえぎ）られた。

ステラが手を振り、降りるように促した。「父から説明があると思うわ……時間があればの話だけど」

グレイたちが足を踏み入れたのはかつての駆逐艦の艦橋に当たる部分で、一列に並んだ高さのある窓から人の動きのあわただしい格納庫を見下ろすことができる。艦橋の大部分は改装と拡張によっていくつものオフィスに仕切られており、その中心には蔵書室がある。鋼鉄製の床に敷かれたペルシャ絨毯（じゅうたん）が温かみを添える一方、四方の壁の書棚には本がぎっしりと詰め込まれていた。机やテーブルの上にも本が山積みになっていて、学術誌や書類も散乱している。グレイは台座の上に多種多様な遺物が収められていることにも気づいた。化石の塊、変わった形の鉱物などのほか、ページを開いた状態のまま置いてある古びた本のページからは、手描きの生体図、動物や鳥などのスケッチがのぞいている。最大の書物はきれいな挿絵入りの地図を集めた大著で、百年以上前の作品と思（おぼ）しきその本のページには金属粉顔料が用いられている。

改装により艦橋は博物館に変貌し、あたかも王立協会の自然史部門に迷い込んでしまったかのようだ。

部屋の奥にある二つの書棚に挟まれたカーテン付きのアルコーブから、白髪交じりで気品のある痩せた男性が姿を現した。年齢は六十代後半と思われるが、きびきびとした足取りで近づいてくる。サスペンダー付きのグレーのズボン、きれいに磨かれた靴、糊（のり）付けされた白いシャツといういでたちだ。男性は湯気を立てる紅茶セットが置いてある大きな机のところで立ち止まり、椅子に掛けてあった上着を手に取ると、手早く袖を通してグレイたちのもとに歩み寄った。

「ピアース隊長、来てくれたことに感謝するよ」

任務ファイルの中にあった写真を見ていたので、グレイは目の前の男性がアレックス・ハリントン教授だとすぐにわかった。手を握ると、指は骨ばっているものの、力強く握り返してくる。この教授は大学の教室内で過ごすことよりも、現地に赴いて調査する時間の方が長かったのではないか、グレイはそんな印象を受けた。

「ハリー研究基地で君たちが厄介ごとに巻き込まれたという話は、ステラから聞いている」ハリントンは続けた。「どうやら我々は同じ問題を抱えているようだ。相手はディラン・ライト少佐、X中隊の元隊長だ」

グレイはDARPA襲撃チームを指揮していた屈強な男を思い出した。鋼のような鋭い視線と、短く刈り込んだホワイトブロンドの髪が脳裏によみがえる。シグマの司令部で、キャットからチームのリーダーの名前がディラン・ライトだと教えられていた。

「あなたはなぜ彼を知っているのですか？」グレイは訊ねた。

「ライトと彼が率いるチームは、この基地ができてまだ間もない頃から、ここの警備を担当していた。ところがある時、何者かが彼に接触した。あるいは、最初からスパイとして送り込まれていたのかもしれない。個人的にはそちらの可能性が高いと踏んでいる。なぜなら、彼は常に鼻持ちならないやつで、今では没落してしまったがどこかの貴族の家柄の出身らしく、古いイギリスの猟銃などまで携帯していたからな。それはともかく、そのうちに妨害工作が行なわれるようになり、ファイルの紛失やサンプルの盗難といった事件も相次いだ。約一年半前、犯行現場をカメラにとらえることができたものの、彼は部下たちとともに逃亡した。しかもその際、三人の善良で忠実な兵士の命を奪ったのだ」

　グレイの頭の中に、ＤＡＲＰＡのオフィス内で殺害されたドクター・ラフェの姿が浮かんだ。

「あいつがハリー研究基地を破壊したのだとすれば」ハリントンの話は続いている。「ここにいる我々が次の目標なのはほぼ間違いない。しかも、南極大陸各地で通信網が途絶している今は、あいつにとってはまたとない好機だろう。それに何よりも気がかりなのは、ディランがこの地獄岬の構造を知り尽くしている点だ」

「なぜ彼が戻ってくると考えているのですか？　彼が手に入れようとしているものは？」

「単なる復讐かもしれん。あの男は昔から執念深かったからな。だが、それよりもはるかによこしまなことを目論んでいるのではないかと危惧している。我々のここでの研究は、一般に明かすことのできない機密事項であるだけでなく、極めて危険でもある。あいつはとんでもない事態を引き起こしかねない」

「それで、ここでのあなたの研究内容とは？」

「自然そのものを扱っている」ハリントンはため息をついたが、その目は疲れ切っていると同時に、何かに怯えていた。「そもそもの始まりから話すのがいちばんだろう」

ハリントンは机に向かって歩きながら、グレイたちに近くに寄るよう手で促した。続いて机の上にはめ込まれたガラスの隅に手のひらを当てる。ガラスに電源が入り、四十インチのLCD画面となった。王立協会の博物館風の室内で、これが最新鋭の機器なのは間違いない。

ハリントンがタッチスクリーンをスワイプした。指先を動かし、画面上に何枚もの写真を表示させていく。テーブル上にトランプのカードを配っているかのような、慣れた手つきだ。

グレイは画面の最上部に表示されているファイル名に気づいた。

D・A・R・W・I・N

前にも見たことがある。Develop and Revolutionize Without Injuring Nature、すなわち「自然を傷つけない発展と大変革」の頭字語。ハリントンとヘスの二人がともに抱いていた、環境対策の中核的な考え方だ。けれども、グレイは黙ったまま、教授に会話の主導権を任せた。

「すべてはビーグル号の航海およびチャールズ・ダーウィンがこの地域を訪れた頃にまでさかのぼる。それと、ティエラ・デル・フエゴのヤーガン族との運命的な出会いだ。鉛筆によるこの古いスケッチは、マゼラン海峡の近くでヤーガン族と初めて遭遇した時の模様を描いたものだ」

ハリントンが画面をタップし、イギリスの古いスループ帆船とボートに乗った先住民の画像を拡大した。

「ヤーガン族は船乗りおよび漁師としての優れた技術を持っており、南アメリカ大陸の南端からそのはるか先にまで船を出して漁をしていた。ダーウィンによって書かれた後、大英博物館で厳重に保管されていた秘密の日誌によると、ビーグル号の船長が入手した古い地図には南極

大陸の一部を示す海岸線のほか、氷に覆われていない地域が存在する可能性を示唆するものも描かれていたという。国王のための新たな領土獲得を目論み、ビーグル号はその場所を目指した――しかし、そこで発見したものがあまりにも恐ろしかったため、そのことに関する記述は航海の記録から永遠に抹消されてしまったのだ」

ジェイソンは絵をじっと見つめている。「彼らは何を発見したのですか？」

「もうしばらく話を聞いてくれたまえ」ハリントンは答えた。「いいかね、ダーウィンはその知識を完全に消してしまうことに納得がいかず、秘密の日誌とともに地図を残した。それに目を通すことができたのは、ごく限られた少数の科学者だけだった。だが、彼らのほとんどは、あまりにも突拍子のない内容だとしてダーウィンの話を信じなかった。場所そのものがそれから百年以上もの間、発見されなかったのだから無理もないのだが」

「地獄岬」グレイは言った。「この場所ですね」

「過去百年間のほとんどは、分厚い氷で本当の海岸線が隠れた状態だった。このところの地球温暖化で氷が融けたことにより、我々はここを再発見することができたのだよ。それでもなお、この場所にたどり着いて基地を建設するためには、爆薬を使って残っていた氷を爆破しなければならなかった。ただし、ダーウィンの運命的な訪問後にこの地を訪れたのは我々が初めてではなかったことに気づくのは、基地ができてからのことだ。おっと、どうやら話を先に進めすぎてしまったようだ」

ハリントンは数枚の地図を画面上に呼び出した。トルコ人の探検家ピリ・レイス提督や、オロンテウス・フィナエウスの手による地図だ。「こうした古い地図は、今からはるか昔、約六千年前に、南極大陸の海岸線の大部分が氷で覆われていなかったという可能性を示唆している。この一枚目の地図を描いたトルコ人の提督は、何枚かの古い地図をもとにして作成したと主張しており、その中には紀元前四世紀のものも含まれていたらしい」

「そんなに古いものがですか？」ジェイソンが訊ねた。

教授はうなずいた。「それ以前から、ミノア人やフェニキア人といった驚くほど優秀な船乗りたちが、オールで漕ぐ巨大な軍船を建造し、広く航海に乗り出していた。そうした人々がこの最南端の大陸にまで行き着き、目にしたものを記録していた可能性は否定できない。ピリ・レイス提督はコンスタンティノープルの図書館に保管されていた複数の地図から自身の地図を作成したのだが、使用した最古の資料の中には破壊される前のかの有名なアレクサンドリア図書館に由来するものも含まれていたのではないかと述べている」

「なぜ彼はそう考えたのですか？」

「コンスタンティノープルで参考にした地図の一部に、エジプト起源と思われる注釈があったと語っている。考古学者によれば、古代エジプト人は紀元前三五〇〇年頃から船で海上を移動していたということだ」

「今から六千年近く前ですね」グレイは認めた。「海岸線が氷で覆われていなかったかもしれない時代に当たります。でも、これらの地図とダーウィンにはどんな関係があるのですか？」

「イギリスに帰国後、ダーウィンは自らが『地獄岬』と命名した場所で遭遇したものについて、より深く知ろうと躍起になった。古い地図を照合し、はるか昔の記録を当たっては、この場所に関して言及したほかの資料がないかと探し求めた。ここの独特の地質に関しても理解しようと努めていたのだ」

「どこが独特なんだ？」コワルスキが訊ねた。「大きな洞窟にしか見えないけどな」

「ここは君が想像しているよりもはるかに大きいのだよ。しかも、その全域が地熱活動によって暖められている。ダーウィンがこの洞窟への入口を発見した時、地下深くの鉄分を多く含有する海水が熱せられ、それによって発生する酸化鉄を含んだ水蒸気が噴き出していたせいで、開口部の付近は真っ赤に染まっていたそうだ。この大陸の反対側にも同じような地質構造が見られる――君たちアメリカ人の基地があるマクマード・ドライヴァレーの『血の滝』だよ」

ビーグル号に乗船していたヴィクトリア朝時代の男たちの目に、その光景がどれほど不気味に映ったかは想像に難くない。

「ダーウィンはその調査に忙殺されるようになり、進化論を扱ったかの有名な『種の起源』の刊行に遅れを来たすほどだった。ビーグル号の航海からあの画期的な著作の出版までに、二十年もの歳月を要したことは知っているかね？　巻き起こるであろう論争を恐れて出版が遅れたわけではない。ほかに何か理由があったのだよ」

ハリントンは表示された数枚の地図の上に手のひらをかざした。「これに執着したためだ。もう一つ付け加えると、ここの洞窟内で発見したものが、彼の理論を――種が環境に適応するように進化し、適者生存が自然の原動力であるという理論を形成するうえで、大きな一助になったのではないかと私は信じている。そうした理論がこの地でまさに証明されているのだ」

グレイの好奇心がひときわふくらんだ。

〈ここには何が隠されているんだ？〉

「ここの洞窟群はどのくらいの広さがあるのですか？」ジェイソンが訊ねた。

「確かなことはわからない。少し内陸に行くと厚さ数キロもの氷で覆われていて、地中探査レーダーも役に立たないのでね。この洞窟群が海岸線近くの山脈の真下にまで通じているという事実もあって、調査は難航を極めている」

グレイは神話に登場するフェンリルの名を冠した牙状の山脈を思い浮かべた。

教授の説明は続いている。「だが、我々はレーダー機能を備えたドローンを洞窟群のできる限り奥深くにまで送り込んだ。洞窟や通路は南極大陸のほぼ全域にまで及んでいるのではないかと推測され、はるかヴォストーク湖にまで達しているとも考えられる。ことによると、ウィルクスランド・クレーターにまで届いているかもしれないのだが、その場合は我々が発見したものの起源に関して実に興味深い可能性が生まれることになる。しかも、その規模の巨大さの裏付けとなる歴史的な資料も存在するのだよ」

「歴史的な資料とは？」ジェイソンが訊ねた。

「ナチだ……具体的には、当時のドイツ海軍の長だ」

「デーニッツ海軍総帥」その言葉が自分の口から出た途端、ジェイソンは顔をしかめた。これではこの「D・A・R・W・I・N」ファイルにアクセスしたことがあるという事実を明かしてしまったようなものだ。

しかし、ハリントンは特に反応を見せなかった。それくらいの知識は誰もが持っていると思ったのかもしれない。ただし、ステラはジェイソンに怪訝（けげん）そうな眼差（まなざ）しを向けた。

ハリントンはかまわず続けた。「デーニッツはこの大陸の中心部を貫く地下水脈を発見したと主張し、湖、河川、洞窟、氷のトンネルなどが縦横に延びていたと語っている」

グレイはジェイソンから聞かされたニュルンベルク裁判での海軍総帥の言葉を思い出した。ナチは永遠の氷の中に楽園のようなオアシスを発見したという内容だった。

ジェイソンが今度はゆっくりと、失言に用心しながら慎重に口を開いた。「ナチがこの洞窟群を第二次世界大戦中に発見したとお考えなのですか？」

「ナチだけではないよ。大戦後に、アメリカ政府がこの地域で核爆弾を爆発させたことは知っているかね？　原爆実験を行なっていただけだと主張しているが、彼らは何らかの後始末をしようとしていたのではないか、うっかり解き放ってしまった何かを抹殺しようとしていたのではないか、そんな気がするのだよ。一九九九年にあらゆる生物に対して病原性を持つと思われる変わったウイルスが発見されたのも、それと同じあたりだったのだ」

　グレイはヘスとハリントンがその発見に大きな関心を示したという話を思い出した。ハリントンがその発見を形容した時の言葉は、「地獄の門を開く鍵」だった。

「そのウイルスの遺伝コードが独特で、既知のものとはまったく異なるということを認識したのがドクター・ヘスだった。そのウイルスをいわば道しるべとして、我々はこの場所を発見したのだが、この洞窟群の入口を見つけるにはそれからさらに八年を要したのだ」

「南極大陸の氷が融けて、秘密が明らかになったわけですね」グレイは応じた。

「その通りだ」

　ジェイソンが咳払いをした。「でも、そもそもドイツ人とアメリカ人が実際にこの場所を訪れたと、どうしてそこまで断言できるのですか？」

「なぜなら――」

　大きな爆発音がとどろき、ガラスが音を立てて揺れる。全員がとっさに首をすくめて身構えたが、上部構造が衝撃に耐えたことを確認すると、グレイは低い姿勢のまま巨大な格納庫を見下ろす窓まで走った。窓にたどり着いたグレイが目にしたのは、巨大な鋼鉄製の扉の一枚が枠から外れて格納庫側に倒れ、一機の飛行機を押しつぶす光景だった。

格納庫内に黒煙が流れ込んでくる。極地用の白い戦闘服に身を包んだ人影が、煙に紛れて進入してくる。

ライト少佐が率いる部隊に違いない。

銃声が聞こえる。

二人のイギリス人兵士が撃たれて倒れたが、もう一人の兵士が機関銃の銃座のところまでたどり着き、敵に向かって乱射し始めた。機関銃の連続する発砲音が上部構造の最上階にまではっきりと届く――しかし、ロケット弾が銃座に命中し、雷鳴のような爆発音が鳴り響くと、機関銃の音は途絶えた。

「行かなくては！」ハリントンはそう言いながらグレイの袖を引っ張った。「やつらが世界に地獄を解き放つようなことがあってはならない」

下で繰り広げられている戦闘の音を耳にしながら、グレイは教授に手を引かれるまま艦橋の反対側に向かった。教授が部屋の奥にあるカーテンをくぐる。最初に姿を見せた時、教授がやってきたのはこのカーテンの向こう側からだった。

グレイもほかの人たちとともに後を追う。

カーテンの先には、上部構造の裏側に通じる長い通路が延びていた。鋼鉄製の床を走る靴音が響き渡る。通路は基地の裏側にある別の展望台で終わっていた。張り出した展望台は洞窟の天井部分に固定されている。そのすぐ隣にゴンドラが停まっていることから推測するに、ガラスと鋼鉄でできたこの施設は頭上のケーブルを伝って移動する交通手段の乗降場として機能しているのだろう。

グレイはハリントンのすぐ後ろから展望台に入った。

だが、目の前に広がる光景に、グレイは思わず足を止めた。あまりの驚きに、動くことも口を開くこともできない。

ただし、全員が同じように言葉を失ったわけではなかった。

「なるほどな」コワルスキがつぶやいた。「地獄という名前の意味がこれでよくわかったぜ」

18

四月三十日　アマゾン時間午前七時二十分
ブラジル　ボア・ヴィスタ

〈まるで幽霊の足跡をたどっているみたい……〉

むせ返るような暑さの中、ジェナはドレイクとペインターの後ろについて、ブラジルのロライマ州の州都ボア・ヴィスタの通りを歩いていた。気温はすでに三十度を超えているが、湿度も百パーセントにまで達しているに違いない。薄手のブラウスが腋の下に貼り付き、肩にかけたバックパックの下でも肌にぴったりと密着している。半ズボンの上までまくれてしまうブラウスの裾を、ジェナは何度も引っ張らなければならなかった。まぶしい陽光を遮るために帽子をかぶり、髪は後ろにポニーテールでまとめてある。

ドレイクとペインターのほか、後方を歩く二人の海兵隊員――シュミットとマルコムも軽装で、この街中でよく見かける観光客を装っている。ボア・ヴィスタはブラジル北部の熱帯雨林、あるいは隣国のガイアナやベネズエラの楯状地を訪れる冒険好きな旅行者の出発地点となっているらしい。

ボア・ヴィスタが観光客の表玄関として機能しているという事実は、エイミー・サープリーの最後の足跡を追うジェナたちの捜索を困難なものにしていた。工作員の電話を解析した結果、エイミーがこの街から発信された電話を受けたことはわかっている。ジェナの耳に、あの時に聞いた電話の着信音がよみがえる。それとともに脳裏に浮かぶのは、病に蝕まれてベッドに横たわる女性の姿……そして、ニッコ。

ジェナは最後の思いを頭から振り払った。相棒をカリフォルニアに残したまま、一人でここに来たくはなかったものの、ニッコの命を助ける大きな手がかりはここにある。あの恐ろしい病気に対する答えを探し出さなければならない。

ジェナたちがボア・ヴィスタに到着したのは、今から一時間前のちょうど日の出時だ。上空から見たボア・ヴィスタの街並みは、車輪のスポークのような形をしていた。そんな放射状に延びる道路をタクシーで移動し、今は徒歩で大通り沿いにある小さな宿泊所に向かっているところだ。建物は並木道沿いの閑静な界隈にある。

「あそこでいいはずだ」そう言いながらペインターが指差す通りの中ほどには、下見板張りのコロニアル様式の趣あるホテルが見える。

そのホテルに向かいながら、ドレイクが後ろを歩く二人の海兵隊員に無言で合図を送り、道路の両側に展開して密かに周囲を警戒するように指示を与えた。

ジェナはドレイクおよびペインターとともに、ホテルの建物前の階段に向かった。建物の前面には木製のポーチがあり、その上に置かれたフラワーボックスでは植物がたくさんの花をつけている。ポーチには小さなブランコまであり、太った茶色のネコが寝そべっていたが、ジェナたちに気づくと起き上がり、ブランコの上を悠々と歩き始めた。

「こいつがこのホテルの主人だな」そう言うと、ドレイクは立ち止まってトラネコの顎の下をさすってやった。

ジェナは思わず吹き出してしまったが、すぐに笑いをこらえた。緊張のせいで感情が高ぶっているに違いない。

具体的な手がかりはこのホテルだけだ。エイミーへの最後の通話がこの市内からかかってきたことまでは判明したものの、それ以上の情報を絞り込むことはできなかった。ペインターによれば、発信者は正確な所在地を隠すために、衛星を利用したミラーリングシステムのようなものを使用したのだろうという話だった。

そのため、こうして現地に乗り込み、昔ながらの足を使った捜査を行なう必要に迫られたわけだが、ジェナは気にしていなかった。

〈昔ながらのやり方がいちばんだという場合もあるわ〉

ペインターがホテルの玄関の扉を引き開けるのを見ながら、ジェナはバックパックの位置を直し、その下のホルスターに収めたグロック20に手のひらを添えた。着陸直後にペインターから提供された武器で、空港の手荷物用ロッカーの中に隠されていたものだ。どんな方法で武器を調達したのか、ペインターは説明しなかったし、ジェナも聞こうとは思わなかった。

銃を持っていてもニッコがそばにいないため、ジェナはまるで裸でいるかのような不安に襲われていた。

ジェナはペインターの後ろから建物内に入ったが、ドレイクはトラネコと一緒にポーチにとどまっている。少し高さのあるベンチのようにしか見えない受付のカウンターに近づきながら、ペインターがジェナの腰に腕を回した。

にこやかな笑みを浮かべた部屋着姿の年配のブラジル人女性が、小さなテレビの前に置かれたクッション付きの椅子から立ち上がり、二人に応対した。「セジャン・ベンヴィンドス」

「オブリガド」ペインターが返した。「英語は話せますか?」

女性は大きく顔をほころばせた。「はい。だいたいは」

「これは私の娘です」ペインターはジェナを前に引き寄せた。「友人を探していて、この街で落ち合う予定だったのですが、相手が姿を見せなかったんですよ」

女性が真剣な表情に変わり、それはご心配でしょうと言うかのように何度もうなずいた。

ジェナはペインターの指が背中を軽く押したことに気づいた。話を続けるように促す合図だ。「彼女は……名前はエイミー・サープリーです」ジェナは不安を声に込めながら話したが、それはさほど難しいことではなかった。

〈実際に不安でいっぱいなんだから……〉

「私の友人は一カ月ほどこのあたりを旅行しているのですが、ここに来て最初に泊まったのがあなたのきれいなホテルだと聞いていたものですから」

　通話に関してそれ以上の詳細をつかむ手だてがなかったため、ペインターは銀行口座、ボストンのエイミーの自宅アパートの通話記録、さらにはトヨタ・カムリのGPSログまで駆使して、工作員の最後の足取りをたどろうと試みた。ここ数カ月間のエイミーの行動を再構築する作業は、幽霊の生前の記録をデジタルのかけらごとに埋めていくようなものだった。

　調査の過程で、博士研究員を経てドクター・ヘスに雇われる以前の、まだ若かりし頃のエイミーの別の側面が明らかになった。十代後半、彼女はある過激な環境保護運動に身を投じていて、人類の先にある自然な世界を擁護し、目的達成のためには環境テロをも辞さない「ダークエデン」と呼ばれる組織に所属していたのだ。

　そして日付が変わった午前二時過ぎ、ペインターのもとにワシントンDCから一本の電話がかかってきた。隔離措置から解放されたジェナとドレイクが、ちょうどペインターのオフィスに居合わせていた時だ。ペインターは電話をスピーカーフォンにつないでくれた。

電話の相手の女性――キャスリン・ブライアントからは、捜査に大きな進展が見られたとの説明があった。

〈彼女が所持しているアメリカのパスポートの出入国記録がなかったので、ずっとアメリカ国内にとどまっていたものと考えていました。けれども、彼女がまだフランスのパスポートを持っていたことに気づいたのです〉

　エイミーがアメリカ国籍を取得したのは七年前のことだが、フランス生まれの彼女は二重国籍のままでいたらしい。フランス時代のパスポートをたどったところ、エイミーが五週間前に現金で航空券を購入し、ロサンゼルスからボア・ヴィスタに飛んだことが判明した。その時期と場所は、偶然の一致だとは思えない。

　その後、エイミーがクレディ・デュ・ノール銀行発行のフランスのクレジットカードを使い、ボア・ヴィスタにあるこのホテルでインターネットを利用したことが明らかになるまで、あまり時間はかからなかった。

　その情報を細い頼みの綱として、ジェナたちはこのホテルの受付前に立ち、幽霊の足跡を追うための新たな手がかりを見つけようとしている。

「彼女の写真を持っています」ジェナは伝えた。

　エイミーの運転免許証の写真のコピーを取り出したものの、この女が引き起こした恐怖と、あのヨセミテの小屋で目の当たりにした体の状態を思い、ジェナは笑みを浮かべる顔写真を直視することができなかった。

女性は写真をじっと見つめてから、ゆっくりとうなずいた。「覚えてる。とてもきれい」

「誰かと一緒にいましたか？」ジェナは訊ねた。「それとも、ここで誰かと会いませんでしたか？」

「彼女が今どこにいるか、知っているかもしれない人は？」ペインターが付け加えた。

女性は下唇を嚙みながら、懸命に思い出そうとしている。やがて、再びゆっくりとうなずいた。

「覚えてる。夜に男が来たね。彼はとても……」女性は適当な言葉を探していたようだが、あきらめて指を二本立てると、両目から稲妻が飛び出している様を仕草で示した。

「目つきが鋭い？」

「そう」女性はうなずいた。「怖かった。セニョール・クルスは彼が嫌いだった。シーッと鳴いて、隠れた」

〈セニョール・クルスというのは、きっとあのトラネコね〉

その夜の訪問者がエイミーの共犯者あるいはボスだったとすれば、あのネコは人間の性格がよくわかるに違いない。ドレイクにはあんなになついているのだから。

ペインターが受付にさらに近づき、写真の束を取り出した。「見たらわかるかもしれませんね。これはエイミーの友人の写真です」

ペインターは受付のカウンターの上に写真を広げた。エイミーの同僚や仲間たちの写真だ。ただし、その中にはダークエデンの古いウェブサイトにまだ残っていた、グループの初期のメンバーの写真も数多く含まれている。関係者がいるとすれば、おそらくこの中だろう。まだ十代のエイミーが笑顔で写っている集合写真もあった。

受付の女性は眼鏡をかけ、背中を丸めて写真に顔を近づけた。一枚ずつ食い入るように眺めている。しばらくすると、集合写真の中のある人物の顔を指差した。

「この男。写真では笑ってるけど、ここに来た時は違った。とても――」女性はジェナを見上げた。「目つきが鋭い」

ペインターがその写真を手に取り、男の顔をじっと見つめている。ジェナも肩越しにのぞき込んだ。容疑者と思しき男は黒々とした髪を後ろになでつけていて、白い肌の整った顔立ちと射抜くような青い瞳が印象的だ。

「二人が話をしているのを聞きましたか？」ペインターが訊ねた。

「いいえ。二人は彼女の部屋に行った。男が帰って、それから見てない」

「そのほかに来た人はいましたか？」

「いいえ」

ペインターはうなずき、ブラジルの紙幣を数枚差し出した。「オブリガド」

女性は首を左右に振りながら紙幣を押し戻した。「友達が見つかるといいね。あの男の人と一緒じゃないといいね」

ジェナは紙幣を返そうとする女性の手にそっと触れた。「だったら、セニョール・クルスのために使って。いい魚を買ってあげてください」

女性は笑みを浮かべてからうなずき、カウンターの上の紙幣をしっかりとつかんだ。「オブリガド」

ジェナはペインターとともに外のポーチに出た。

「何かわかりましたか？」そう訊ねながら、ドレイクはシュミットとマルコムに向かって集まるように合図した。

ペインターはため息をついた。「彼女のもとを訪れた人物がいる。彼女の過去――ダークエデンと関係のある人物だ」

ドレイクの表情が険しくなる。「だったらそいつに間違いないな」

「彼は誰なんですか？」ジェナは訊ねた。

「この男はダークエデンの創設者だった」ペインターの口調が沈んでいる理由は、すぐに明らかになった。「あらゆる調査によると、彼は十一年前に死んでいる」

ジェナはホテルの建物を振り返った。

〈やっぱり私たちは幽霊を追っているんだわ〉

午前七時四十五分
ブラジル　ロライマ州

「美しい景色だと思わないかね？」カッター・エルウェスが訊ねた。

ケンドールはそれに対して何か言い返し、わめき散らしたかったが、バルコニーの錬鉄製の手すりの先を眺めていると、そんな意欲も失せてしまう。

太陽がテプイの端から顔をのぞかせたばかりだ。雷を伴った嵐は夜の間に過ぎ去り、頭上にはまばゆいばかりの青空が広がっているが、頂上付近にはまだ霧が立ちこめているため、雲海に浮かぶ島の上にいるような錯覚に陥る。朝の陽光を浴びた霧が、淡い琥珀色やくすんだばら色にきらめく。テプイそのものが新たな一日の始まりに合わせて光を発しているかのごとく、濃淡様々な色合いのエメラルド色に輝いている一方で、さざ波一つない池の水面が抜けるような青空を反射している。

このような目もくらむほどの美しさを前にすると、ついつい相手に心を許してしまいそうになるが、ケンドールは何とか踏みとどまっていた。テーブルを挟んでこの家の主人と向かい合い、背筋を伸ばした姿勢で椅子に座るケンドールの前には、色鮮やかな果物、黒パン、できたての卵とレンズマメの炒め物が盛られた皿など、朝食の皿が所狭しと並べられている。

〈肉は抜きか……〉カッター・エルウェスは肉を食べない。

ケンドールは料理に手をつけたものの、今日という日に何が待ち構えているかと思うと胃が痛くなり、食欲が湧かなかった。カッターは協力を、知識の提供を要求するだろうが、こっちは拒むつもりでいる。

〈少なくとも、拒める限りは〉

過去を振り返ると、カッターに太刀打ちできた人間など存在しなかったし、その現実が今になって変わるとも思えない。夜の間、ケンドールの頭にはあらゆる種類の拷問方法が浮かんでは消え、その恐怖のせいでほとんど眠ることができなかった。逃げようにも――あるいは、この山の頂上から身を投げようにも、常に影のように付き添う存在が邪魔になる。

今も巨漢のマテオが、バルコニーの扉の脇で見張っている。

来たるべき運命から話をそらそうと考え、ケンドールは見張りの男の方を見た。「マテオだが……彼はこのジャングルの生まれのようだな。彼の妹、つまり君の妻も同じだ。何という部族の出身なんだ？　アクンツ族か？　それとも、ヤノマミ族か？」

極限環境生物を求めて熱帯雨林やジャングルをさまよった経験から、ケンドールはブラジルの先住民に詳しい。

「君は彼らのことを西洋人の目で見ている」カッターはたしなめた。「一緒に暮らしてみればわかるが、それぞれの部族には顕著な特徴がある。マテオと私の妻はマクシ族に所属していて、その中でもこの地域に特有の亜族の出身だ。彼らの部族はこのジャングルで何千年にもわたって生活していて、ここの木の葉や花、あるいは地中で暮らすメクラヘビのように、自然の一部と化している。また、彼らの部族は別の意味でも変わった存在なのさ」

「どういうことだ？」ケンドールは会話がこの方向で進んでくれることを祈りながら訊ねた。

「この部族は一卵性、二卵性を問わず、双子の出生率が異常なまでに高い。アシュウは三人きょうだいなんだが、極めて特殊な事例だ。彼女は一卵性の双子の妹のほかに、一卵性の兄、すなわちマテオと一緒に生まれたんだよ」

ケンドールは眉をひそめた。一卵性双生児の女の子が二人と、それとは別に男の子が一人。変わった事例だが、聞いたことがないわけではない——一卵性双生児と同時に、「単生児」として三人目を出産するケースだ。そのような出産が自然に起きる可能性はあるものの、排卵誘発剤を使用した結果という場合が多い。

好奇心を抑え切れず、ケンドールは声を落としながら訊ねた。「マテオは単生児として生まれたということだが……あの体の大きさはそれが理由だろうか？」

「そうかもしれないな。変わった形で三人を同時に身ごもったことに起因する、遺伝子の異常だということもありうる。だが、私が注目したのはその部族における多胎出生率のまれに見るほどの高さだ。付近の熱帯雨林には排卵誘発剤に似た何かが、何らかの未発見の薬剤が、自然の中に埋もれて存在しているのではないだろうか、そう考えたのさ」

実に興味深い着眼点であることは確かだ。熱帯雨林はマラリアの特効薬から強力な抗癌剤に至るまで、膨大な数の新薬の源でもある。今もなお、何百もの新薬のヒントが眠っており、今後の発見を待っているに違いない。ただし、それは農地用に切り倒されて焼き払われたり、製材業者によって伐採されたりすることなく、熱帯雨林が今後も存在し続ければの話だ。

しかし、新たな疑問がケンドールの頭に生まれた。

「君はこの部族に関してずいぶんと詳しいな」ケンドールは切り出した。〈労働者として雇い入れるほどまでに……〉「どうやってこれほどまでの協力を得ることができたのだ？　しかも、こんな頂上で。私の記憶が正しければ、ここの部族の多くはテプイを恐れているはずだ」

「マクシ族の場合はそれほどでもない。彼らはこの台地を神々の家として崇拝しており、古代のトンネルや洞窟や陥没穴は神々の地下世界に通じていて、そこに行けば偉大なる巨人が古来伝わる知恵を伝授してくれると信じている」カッターの視線がバルコニーの下に広がる森に向けられた。その先には太陽の光に照らされて、真っ暗な口を開けている巨大な陥没穴が見える。「彼らの言う通りかもしれないな」

ケンドールはふと、カッターが自らのことを神にも似た巨人だと、大いなる知識を守る者だと考えているのではないか、そんな気がした。

カッターの説明は続いている。「我が偉大なる先祖のカスバート・ケイリー＝エルウェスが、イエズス会の宣教師だったことは知っているかな？　彼は十四年間にわたってマクシ族と生活を共にし、部族の人々からとても愛された。今もなお、部族の語り部が伝える話の中に、その名前が出てくるのさ」

どうやら目の前に座る計算高く口のうまい男は、そのような過去を持ち出して、部族の人たちを自分の目的のためにいいように利用しているに違いない。アシュウを妻にしたのもそれと同じく、結婚によって部族との結びつきを確固たるものにしようという思惑からなのだろうか？　ケンドールはこのあたりの先住民たちが家族の絆と過去の恩義を何よりも大切に考えていることを知っていた。何世代も昔の借りを忘れないこともあるという。厳しいジャングルで生き延びるためには、お互いが相手を守ってやるような密接な関係から成る社会でなければならない。

カッターが手のひらをこすり合わせながらいきなり立ち上がった。「もう十分に食べたのだったら、そろそろ仕事に取りかからないとな」

恐れていた時がついに訪れたが、それでもケンドールは両脚に無理やり力を込めて立ち上がった。カッターが何を企んでいるのかを突き止めることが先決だ——その後で徹底的に戦ってやる。

カッターはケンドールを案内して、フランス風の錬鉄の囲いが付いたエレベーターに乗り込んだ。一昔前のホテルにあったような代物だ。ケンドールとマテオが乗るのを待って、カッターはいちばん下のボタンを押した。

鉄製の扉の格子の隙間から、ケンドールはエレベーターの外の様子をうかがった。広大な書斎の下には巨大な暖炉を備えた居間があり、続いて広々とした玄関ホールのある一階に到達する。しかし、エレベーターはそこで停止しなかった。

なおも降下を続ける。

エレベーターの周囲に見えるのは砂岩の壁だけだ。テプイの中心部へと、マクシ族の神話に描かれた迷宮の世界へと沈んでいく。さらに二十秒間ほど降下を続けた後、エレベーターの前に煌々（こうこう）と明かりに照らされた空間が現れた。

ケンドールの脳が目に映る光景を理解できるまでに、一瞬の間があった。砂岩の壁面は跡形もなく消えている。代わりに目に飛び込んできたのは広大な研究室で、殺菌されて汚れ一つないステンレスの表面がきらきらと光を反射していた。白衣を着た数人の研究者たちが、それぞれの持ち場で作業に当たっている。

「さあ、着いたぞ」そう言うと、カッターはケンドールに降りるよう促した。「ダークエデンの真の心臓部だ」

ケンドールは最新鋭の装置を眺めた。一方の壁の前には局所排気装置がいくつも並び、その間の棚には高圧蒸気滅菌器、遠心分離機、ピペット、ビーカー、目盛り付きのシリンダーなどが置いてある。別の壁に取り付けられた巨大な鋼鉄製の扉の奥にあるのは、大型の冷蔵庫か冷凍庫だろう。培養器と思われる濃い色のガラス扉も見える。

だが、研究室の中央の大部分は何台ものワークステーションが占めていて、複数の遺伝子解析機のほか、ポリメラーゼ連鎖反応用のサーマルサイクラーや、高品質のオリゴヌクレオチドの合成に使用されるＤＮＡ合成装置と接続されていた。ＤＮＡ鎖を操作する最新のＣＲＩＳＰＲ（クリスパー）／Ｃａｓ９（キャスナイン）技術用の機器もある。

ケンドールはその最新機器に何よりも恐怖を覚えた。この新しい技術は初心者でも簡単に行なうことのできる革新的な手法である一方で、アメリカ国内の複数の研究グループがすでに人間の細胞内のあらゆる遺伝子の改変に成功しているほど有効でもある。「進化の機械」の異名で呼ぶ者もいる。この技術が悪意ある人間によって利用された場合の可能性については安全保障の観点から懸念が広がっており、改変された遺伝子が故意にあるいは事故によって流出した場合には恐ろしい事態になりかねない。

〈カッターはどのくらい前にこの技術を手に入れたのだろうか？〉

ケンドールにはその答えがわからなかったが、この研究室が規模の面でも設備の面でも、自分の研究室をはるかに上回っていることは断言できた。そればかりか、通路を隔ててほかにもいくつもの部屋があり、今もって目的が不明なカッターの研究の遠大さを物語っている。

ケンドールは思うように言葉が出ず、かろうじて声を絞り出した。「君はここで何をしているのだ、カッター?」

「素晴らしい研究だよ……政府の規制には縛られないし、監視の目も気にする必要がない。そのおかげで、手が届く範囲のことを自由にやらせてもらっている。とは言うものの、君の同僚たちよりはせいぜい五、六年先行しているといった程度だけどな。だが、すでに私が成し遂げたものは……合成したものは……」カッターがケンドールの顔を正面から見た。「しかも、親愛なる我が友人である君は、さらに多くのことを教えてくれるはずだ」

ケンドールはこみ上げる恐怖を抑えつけた。「私にどうしろというのだ?」

「君は自身の研究室で完璧なｅＶＬＰを、どんな生きた細胞にでも侵入できる微小な中空の殻を合成した。実に見事な成果だよ、ケンドール」カッターは敬意を示しながら首を振った。「君は自分をほめてあげるべきだ」

だが、今のケンドールはまったくそんな気分になれなかった。

「君が合成したのは理想的なトロイの木馬だ」カッターは続けた。「何でも望みのものを中に入れることができるし、そうなったら何も抵抗できやしない。完全無欠の遺伝子デリバリーシステムだ」ここでカッターの声がたしなめるような口調に変わった。「しかし、君はその中空の殻を、この世のものではない遺伝子の青写真を利用して作り出したんだろう？　ＤＮＡではない何かをもとにして」

カッターの淡い青色の瞳が投げかける突き刺すような鋭い視線を受け、ケンドールは反応を見せまいとした。〈この男は私とハリントンが南極大陸で発見したものを知っているのか？　あのビリオンの殻を合成するために用いたＸＮＡの起源を知っているのか？〉

ケンドールは屈してはならないと決意した。相手の巧みな誘導に乗るまいと、胸を張って対応する。「カッター、君に私の技術を教えるつもりなどない。あのビリオンの殻を合成する技法は墓場まで持っていくつもりだ」

カッターは笑い声をあげた――その声を聞き、ケンドールの全身に寒気が走った。

「いやいや、そんな必要はないさ、我が友よ。君の若い同僚の一人が親切なことに五カ月前にサンプルを送ってくれたから、それをもとにして突き止めることができた。数年分の備蓄を大量生産することができたよ」

ケンドールは相手の話についていくのが精いっぱいだった。「それなら……それなら、私に何をどうしろと言うのだ？」

「むしろ、私が君に対して何をできるかという話だな」

「どういう意味だ？」

「カリフォルニアで広がりつつある災厄を食い止める手助けをしてあげたいと思っているんだ。君が私の保護下に入って以降、君の手による合成生物は大雨によって広範囲に拡散し、当初の隔離地域の範囲外にまで達している。君の国の全域が蝕まれるのも時間の問題だ――いや、アメリカだけにとどまるとは思えないな」

ケンドールはそのような事態を恐れていたが、それが実際に起きてしまったと聞かされると……

「しかし、あれを殺す方法がないのだ」ケンドールは押し殺した声で認めたが、その声は恐怖に震えていた。「あらゆる方法を試したのだが」

「ああ、それは君が狭い世界に閉じこもっているからだ」カッターが指先で自分の頭を軽く突いた。「時には既成の科学の教えという名の殻を打ち破る必要がある。新たなかつ創造的な解決策を探さないといけない。正直なところ、君が独力で特効薬を見つけられなかったことに驚いているのさ。これまでずっと、君とハリントン教授の目の前に存在していたというのに」

カッターの言葉から、彼がハリントンの研究について知っているということは、もはや疑いの余地がなくなった。話が進むにつれて、ケンドールの中の希望の光が一つずつ消えていく。

「それで、その特効薬とやらと引き換えに何が欲しいのだ?」ケンドールは訊ねた。

「君の協力、それだけだよ。君が作り出したビリオンの殻を再合成することには成功したんだが、中空の殻を生命体にするための注入作業がどうにもうまくいかなくてね」

ケンドールはカッターの苦労が理解できた。自分のチームもその工程を発見するまでに、何年もの試行錯誤を重ねたのだ。その後、ケンドールは自らの手で改良を重ね、技法に関しては同僚の誰にも教えずに自分だけの秘密にしていた。しかし、ケンドールが言いようのない不安を覚えたのは、カッターがあのビリオンの殻の中に何を注入したいのか、世界に何を解き放とうと考えているのかという点だ。

そんな動揺が目線に現れていたのか、カッターは片手を上げてケンドールに手のひらを向けた。「人間あるいはこの惑星の生物を絶対に殺さないことを誓うよ」

それが本心からの言葉なのかどうかは怪しいと思う一方で、ケンドールはカッターが決して約束をたがえない人間であることを知っていた。不思議なことにこの男は、約束を守らないのは沽券(こけん)に関わると考えている。

「しかし、君が協力しないのであれば、カリフォルニアの状況は刻一刻と悪化する一方だ。やがては私の特効薬をもってしても問題の解決が不可能なまでになるだろう。私を手伝えば、君は世界を救える。協力を拒めば、世界は君の手によって、君の作り出したものによって滅びる。そのことが君の研究成果として残る」

「特効薬は本当に存在するんだな?」

カッターは片手を上げたまま、ケンドールの目をじっと見た。「ああ、存在する。検証済みだ。効き目はあるが、さっきも言ったように、君がぐずぐずしていたら効果の限度を超えてしまいかねない」

「もし私が協力すれば、君は特効薬を提供し、私がしかるべき当局にそれを手渡してもかまわないのだな？」

「そうだ。私だって君の作り出したものが破壊の限りを尽くすのを見たいわけではない。君と同じように、私もあれを阻止したいと望んでいる」

ケンドールはカッターの言葉を信じた。間違った方向に足を踏み入れているとはいえ、カッターは今も環境保護論者だ。世界が滅びるのを見たくはないに決まっている。しかし……。

「それならどうして君は私の研究施設を破壊したのだ？」そう訊ねるケンドールの声には、再び怒りが込められていた。「なぜ私の同僚を皆殺しにして、あのウイルスを解き放ったりしたのだ？」

ケンドールを見つめるカッターの目は、答えは自明だと語りかけている。

その瞬間、答えを理解したケンドールは、目の前にいる男の思考回路に啞然とすると同時に身の毛がよだった。「単に取引の材料とするためだった、そうだろう？　私から知識を引き出すためだったんだな？」

「ああ、親愛なる我が友よ」そう言うと、カッターは視線を外した。「もう枠にとらわれない考え方ができるようになったじゃないか。さあ、仕事に取りかかろうか」

だが、数歩も進まないうちに、カッターのサファリベストの中の携帯電話が着信を知らせた。カッターが携帯電話を手に取り、マクシ語と思われる言葉で短く会話を交わす。当惑をうかがわせるのは、整った額に寄った一本のしわだけだ。

電話を切ると、カッターはため息をついた。「どうやら別の問題が発生したようだ。カリフォルニアからここまで、君を追ってきた人間がいる。いてはならない場所で、あれこれ聞き回っている人間がいる」

ケンドールの心に希望の光がともったが、カッターがかぶりを振り、この新たな懸念を払ったことで、その明かりがかき消される。

「気にする必要はない。容易に対処できる」

午前八時七分
ブラジル　ボア・ヴィスタ

「あの馬鹿は正気なのか？」ペインターは電話の相手に伝えた。

ボア・ヴィスタの中心街の近くにあるカフェの外にいる。ほかの四人は店内で朝食とコーヒーの最中だ。ペインターはすでにキャットと連絡を取り、ダークエデンの創設者で今は亡きカッター・エルウェスという名前の男に関して、できる限りの情報を収集するように指示してあった。キャットからの返事を待つ間に、山岳戦訓練センターに電話を入れ、最新情報を聞いているところだ。

「こちらの状況は悪化しているわ」リサが答えた。「昨夜の嵐のせいで、汚染は多くの場所で境界線をはるかに越えて広がってしまっている。最初の現場から何キロも離れた地点で小規模な汚染箇所がいくつか確認されたの。雨水を完全に食い止められなかったから、流れ出た経路沿いに汚染が点々と続いている状態よ」

ペインターは山間部を中心として有毒なインクのしみが全方向に広がる様を想像した。

「隔離地域の半径が二十キロ拡大されたわ。ヨセミテからは全員が退避したところ。こちらは朝の五時少し過ぎだけど、夜明けとともに徹底的な捜索が始められる予定なの。その結果次第では、何らかの決断が下されることになりそうね。さらに厄介なことに、明日から三日間、また天候が悪化しそうなのよ。大雨が続くみたい」

ペインターは天候の回復で一息つけるのではないかと期待していたが、そうは事が運ばなかったらしい。大自然までもがペインターの努力を無にしようと躍起になっているかのようだ。

リサの話は続いている。「この汚染がカリフォルニアでさらに深く、さらに広く拡大することを恐れたから、リンダールは核の使用を選択肢に入れたのよ。現在、真剣に考慮されているところ」

ペインターは自らブラジルに乗り込んだことを後悔した。

〈リンダールなら馬鹿なことをやりかねないと頭に入れておくべきだった〉

「その選択肢はどの程度まで真剣に議論されているんだ？」

「かなりの程度まで、といったところ。すでにリンダールは例の生物を殺す方法を見つけようとしているチームからの支持を得ているの。中規模の爆発による炎と放射線で可能なのではないか、というのが彼らの考えだわ。爆破モデルが作成されているところで、最悪のシナリオも計算中よ」

「君はどう思うんだ？」

答えが返ってくるまで長い間があった。「ペインター、私にはわからないわ。ある意味、リンダールは正しいのよ。何か手を打たないといけない。一線を越えてしまったらすべてを失うことになるわ。爆発をうまく調整して放射性降下物を制御できるのであれば、リスクを冒す価値はあるかもしれない。少なくとも、そうした大胆な作戦で少しでも拡散を足止めできれば、新たな対応策を考えるための時間を稼ぐことができるもの」

唯一の頼みの綱がそんな選択肢だとは、ペインターにはどうしても信じられなかった。

「それとも、私が疲れているせいかしら」リサは付け加えた。「まともに考えられる状態じゃないの。ジョッシュの容体は悪化が続いているわ。発作を抑制するために薬で昏睡状態を維持しているところ。それにニッコの方も芳しい状況じゃないし。さっきも言ったように、何か手を打たないといけないのよ」

ペインターは電話の向こうに手を伸ばしてリサを抱き締め、力づけてやりたくてたまらなかった。だが、彼女にはもう少し踏ん張ってもらわなければならない。「リサ、何とか時間を稼いでくれ。リンダールの動きを阻止するんだ。少なくとも、あと二十四時間は」

「それだけの時間が残されて……」

「絶対に何かを見つけ出す」ペインターは誓ったが、その言葉は自分の耳にもうつろに響いた。「我々のチームが無理でも、グレイたちがいる」

「グレイたちからキャットに連絡はあったの？」

「いいや、まだだ。だが、太陽嵐が収束しつつあるから、衛星通信も今日中に復活するのではないかと見込まれているらしい。少なくともグレイと連絡がつくまで、核を使用するという選択肢は引き止めておいてほしい」

「最善を尽くすわ」

〈こっちもだ〉

ペインターがリサとの通話を終え、カフェの扉をくぐった瞬間、銃弾が腕をかすめ、窓ガラスが砕け散った。

ペインターが片膝を突くと同時に、さらに何発もの銃弾が店の正面に浴びせられた。床を転がってごみ箱の陰に隠れたペインターを追うように、ガラスの破片が降り注ぐ。

店内にいた仲間が物陰に隠れる姿を確認する――同時に、店の奥のキッチンから黒い迷彩服姿の三人の男が、アサルトライフルを乱射しながら朝の店内に飛び込んでくるのが見えた。通りの向かい側からも、銃口から煙を噴き上げるライフルを手にした三人の襲撃者が突進してくる。

挟み撃ちに遭い、危機的な状況に陥ったことを認識したペインターの頭には、一つの思いしかなかった。

〈グレイ、そっちはもっとましな状況だといいんだが〉

19

四月三十日　グリニッジ標準時午後零時九分
南極大陸　ドローニング・モード・ランド

「みんな、ゴンドラに乗りたまえ！」そう叫びながら、ハリントンは敵に包囲された地獄岬基地の展望台沿いの軌道から吊るされている車両に急いだ。「さあ、早く！」

ガラスで囲まれた乗降場の先に見える暗黒の世界を見つめていたグレイは、とっさにはその指示に従えなかった。鋼鉄製の展望台の下部に設置された投光照明が、直下の一帯を照らしている。しかし、強力なキセノンランプの光も、漆黒（しっこく）の闇が支配する空間の奥にまでは届かない。

五十メートルほど先で床の岩盤が途切れ、その先には広大な湖が広がっていた。泡立った黒い湖面からは黄色みを帯びた蒸気が噴き出し、水面近くに不気味なもやがかかっている。湖の右岸沿いには水面から突き出た岩棚がある。上部構造の基部からその天然の橋の上まで、泥の中をキャタピラの轍（わだち）が通じていた。

グレイは格納庫内に停まっていた小型のＣＡＡＴを思い出した。凍結した極寒の地で水陸両用車が必要な理由はここにあったのだ。

「急いでくれ！」ハリントンが怒鳴った。

教授はゴンドラに通じる両開きの扉を開き、その間を通り抜けた。ゴンドラに乗り込むとパネルに歩み寄り、大きな赤いボタンを押す。けたたましいサイレンが鳴り響いた。鋼鉄製の上部構造の内部や、さらにその向こう側から聞こえてくる。

グレイは出発を待っているゴンドラの方にコワルスキを押した。「行け！」

ジェイソンもステラとともに後に続く。

グレイはサイレンの音に顔をしかめながらゴンドラに乗り込んだ。扉が閉まると、緊急事態を知らせるサイレンの騒音がこもった電話の呼び出し音程度に小さくなる。このゴンドラの防音構造がいかに優れているかの証拠だ。

「何をしているんですか、教授？」グレイは訊ねた。「どうするつもりなんです？」

「安全な場所に行く」

ハリントンがレバーを引くと、ゴンドラが動き始めた。しかし、上部構造の中を抜けて戦闘が繰り広げられている格納庫の方に戻っていくのではない。ゴンドラは前方に、広大な暗い洞窟の方に動いている。

体をかがめて首を曲げながら、グレイは洞窟の天井伝いに前方へ向かって延びる黒い鋼鉄製のケーブルの先を目で追った。ケーブルの勾配を緩やかにするためだろうか、天井から伸びる橋脚のような構造物で支えられている部分もある。

「どこに向かっているんですか？」グレイは車内に向き直りながら訊ねた。

「裏口だよ」ハリントンは片手で前方を指差した。もう片方の手は赤い色の長いレバーを握ったままだ。「約六キロ離れたところにある第二基地だ。そこからならフェンリルの山々の少し先で地上に出ることができる」

海岸近くにあった牙のような形状を持つ山脈のことだ。

「そこまで行けば無線があるわ」ステラが言い添えた。「ガレージにはＣＡＡＴも」

「つまり、ただ逃げるってことなのか？」コワルスキが問いただした。

「そうではない」教授はさっき押した赤いボタンを指差した。「これは全員に退避を告げる警報だ。イギリス軍の兵士がディランの部隊を食い止めてくれるが、三十分が経過したら戦闘を中止して逃げることになっている。この一帯から離れなければならないのだ」

「なぜです？」グレイは訊ねた。

「この基地の裏手には地中貫通爆弾が大量に設置されていて、その中にはアメリカ製の三万ポンドの大型貫通爆弾も含まれている。基地を破壊すると同時に洞窟群の入口を密閉し、この中のものを封じ込めることができる」

「爆発するのはいつなんですか？」

ハリントンの顔に不安げな表情が浮かぶ。

ステラが代わりに答えた。「裏口からしか操作できないの。爆破コードを知っているのは父だけ」

グレイは顔をしかめた。〈つまり、イギリス軍が正面から逃げる一方で、俺たちは裏口からこっそり脱出し、同時に何もかも吹き飛ばすわけか。そこまでの安全対策が必要なものとは、いったい何だ？〉

質問を口にしようとした矢先、グレイの目の奥に今まで感じたことのないような激痛が走った――だが、痛みを訴えたのはグレイだけではなかった。

コワルスキがこめかみを押さえてうめき声をあげた。「くそっ、何だこりゃ――」

ジェイソンは両膝を突いてうずくまり、今にも吐きそうだ。

ハリントンが歯を食いしばりながら伝えた。「あと数秒の辛抱で終わるはずだから」

グレイも胃の内容物を吐き出しそうになり、大きく深呼吸をしてこらえた。やがてゆっくりと痛みが鎮まっていく。奥歯が頭蓋骨の中で震えているような感覚も消える。グレイは突然襲った不快感の原因が予測できた。

「LRAD（エルラッド）ですか？」

長距離音響発生装置のことだ。

ハリントンはうなずいた。「基地の端から洞窟内に向けて、常に音の大砲を放っている。

すべてをできる限り遠ざけておく緩衝地帯を作るためだ。ここでは超音波と超低周波を混ぜるのが有効だとわかったのでね。どんな銃よりも効果がある」

グレイは壁に片手を突いて気持ちを落ち着かせながら、ゴンドラの優秀な防音構造に感謝した。あの音響兵器の威力を外でまともに食らったらどうなるか、想像すらしたくない。

ジェイソンが両足の間にあるガラス製のハッチを指差した。ゴンドラの下には運転席のようなスペースがあり、その中に椅子が固定されている。椅子の前部には大きな円錐形のパラボラアンテナが取り付けられていた。

「あれもＬＲＡＤじゃないですか？」ジェイソンが訊ねた。

ステラがうなずいた。「必要に応じて、機関銃と交換することも可能よ」

「緩衝地帯を通り過ぎてしまったから」ハリントンが警告した。「重大な問題に直面した場合には、このゴンドラを守るために両方が必要になるかもしれない」

〈いったいどんな問題なんだ？〉

前方の窓の先に広がる世界は真っ暗闇だ。ゴンドラの後方に見える基地の裏手に当たる壁の照明も、泡立つ湖面に反射する光も、次第に小さくなる。大きな洞窟に沿って軌道が曲がると、最後の光も完全に消えた。

ハリントンがキャビネットに近づき、扉を開けた。中のフックには大型のゴーグルがいくつも吊るされている——暗視ゴーグルだ。「これを着けるといい。余計な注意を集めないように中の明かりを消す。その後で外の赤外線灯をつけてあげよう」

グレイが暗視ゴーグルを装着すると同時に、ハリントンがゴンドラ内の照明を消した。ゴーグルを通してゴンドラの制御盤のダイオードの小さな光をとらえることができたが、窓の外は闇のままだ。太陽の光も月の光も届かないこの地下空間では、暗視ゴーグルでさえも役に立たない。

だが、教授がゴンドラの外に取り付けられた照明のスイッチを入れると、果てしなく続く暗黒の世界を赤外線の光が貫いた。赤外線は肉眼では見ることができないが、暗視ゴーグルはこの波長をまばゆいスポットライトに変えてくれる――その光が、さっきまで暗闇が隠していたものを照らし出した。

目の前に広がった光景に、グレイは息をのんだ。

コワルスキが首を左右に振りながらつぶやいた。「もっと大型の武器が必要になりそうな予感がするぞ」

午後零時十四分

天井沿いの軌道をゆっくりと移動する装甲を施されたゴンドラの車内で、ジェイソンは両手を窓に押し当てながらこの新たな世界に見入っていた。

「こんなの今までに見たことがある？」ステラが訊ねた。

「いいや……こういうのは見たことがない」

広大なトンネルは、ここに自由の女神が立っていたとしても、掲げた松明(たいまつ)の先端が天井から牙のように垂れ下がる鍾乳石(しょうにゅうせき)に触れないだけの高さがある。眼下に目を移すと、一本の曲がりくねった川が水蒸気にかすむ中を静かに流れている。ゴンドラの周囲には巨大な石柱が林立し、まるで迷路の中を抜けているかのようだ。

ゴンドラがそんな柱の一本の近くを通過した時、ジェイソンは柱から突き出た石の枝が天井を支えるようにつながっていることに気づいた。近くから観察すると、柱のざらざらした表面には奇妙な畝(うね)に似た模様が入っていて、まるで樹皮のように見える。

ジェイソンは目を凝らした。

「今のは樹皮だ」思わず声を漏らしたジェイソンは、ゴンドラの後方に過ぎ去る柱を目で追った。

「石化した森林の中を移動しているところよ」ステラが言った。「南極大陸がまだ緑豊かで、生き物にあふれていた時代の名残」

「あれは亜熱帯地方の樹木のグロッソプテリスだ」ハリントンが説明した。「この数十年の間に、考古学者たちはこの大陸の地表の三カ所で、あのような古代の森林を発掘している。

石化した巨大な切り株の周囲には、葉の化石が散らばっていたのだ」

「でも、ここほど保存状態が良好なところはないわね」ステラは誇らしげな口調で説明を補った。

ジェイソンは古代ヤーガン族の地図に関するダーウィンの記述を頭の中で振り返った。その地図では、このあたりに森の存在を示す絵が記されていたという。ビーグル号をこの地への呪われた旅にいざなったのは、氷に覆われた大地に緑が茂っている可能性だったのだ。

〈これがその森なのだろうか？　この石化した木々は、ヤーガン族が古い地図に描いた緑と同じものなのだろうか？〉

すっかり目を奪われてしまったジェイソンは、高いゴンドラの中から地形の観察を続けた。眼下を流れる川を見ていると、大きなものが水面に浮かび上がり、再び水中に姿を消した。最初、ジェイソンは目の錯覚だと思った。だが、一つ、また一つと、同じような動きがある。

「何かが水の中にいる」ジェイソンは言った。

グレイが隣に並んだ。「どこだ？」

ジェイソンが指差すよりも先に、淡い色をした大型の甲殻類のような生物が浅瀬から姿を現し、岸によじ登った。小ぶりな子牛ほどの大きさで、体の前には二本の大きなはさみを持ち、殻の周囲にはとげのようなものが突き出ている。すると、そのとげが甲殻類の背中から離れ、湿った岩に付着した黒い藻をこすり取るような動きを始めた。

垂れ下がった鍾乳石の間に隠れた巣から黒い影が降下し、艶(つや)のある翼の先端の鉤爪(かぎづめ)で岩の上に着地した。藻を食べている小さな生物の一匹を鋭いくちばしで突き刺してつまみあげ、さらにもう一匹もくちばしにくわえた。

大型の甲殻類が子供たちを守ろうと、はさみを動かしながら襲撃者に接近する。空飛ぶ捕食者は戦いを避け、再び翼を広げたかと思うと、一回羽ばたいただけで上空に飛び立った。大きく弧を描きながら飛行し、ゴンドラのすぐ近くを通過する。翼長は二メートル弱で、体表は小さな黒いうろこで覆われている。剣のような鋭いくちばしを除けば、その頭部はワニに似ている。

「あの種の中では小さい方だな」ハリントンが説明した。「我々はあの生物をハスタクス・ヴァランスと命名した。ラテン語で『空飛ぶ槍(やり)』という意味だ。あの三倍の大きさの個体と遭遇したこともある。白っぽいロブスターはスカルポクス・カンケルで、『切り刻むカニ』の意味だ」

「ほかにはどんな生物がいるのですか?」グレイが訊ねた。

「相当な数がいて、複雑な生態系を構成している。まだ分類を試みている途中なものでね。これまでのところ、千以上の新種を確認した。下等なルトクス・ヴェルメムから——」

「ミミズの一種」ステラが口を挟んだ。

「——ゾウに匹敵する大きさがあるパチケレクス・フェロシスまで」

ジェイソンは驚嘆と恐怖が声に出るのを抑えることができなかった。「すごいな」

グレイの話によれば、ハリントン教授の研究パートナー——ドクター・ヘスは、まったく新しい形態の生物を求めて、世界各地で「影の生物圏」を探していたという。

〈ここで望みのものを発見したというわけか〉

「この種の環境が見つかったのはここが初めてだ」ハリントンが断言した。「特殊な異生物の生態系なのだよ」

ジェイソンは顔をしかめた。「異生物？」

進化生物学で博士号を取得しているステラが説明した。「この惑星のほかの生物とは異なる生物体系に基づく生態系のこと。だからHastaxやScalpoxのように、ラテン語の学名にxを取り入れた分類体系を作成して、ここの様々な新種が『異生物』であることを示したの」

ジェイソンは眼下の光景から目をそらすことができなかった。

ゴンドラの外では空飛ぶ捕食者が旋回を続けながら、淡い色の甲殻類とその幼体に襲いかかる機をうかがっている。ハスタクスが川の上空を低く飛行すると、水面近くのもやが揺れる。その動きに引き寄せられたかのように、川の中からボウリングのボールほどの大きさの発光する球体がいくつも飛び出した。ジェイソンはとっさに暗視ゴーグルを外した。暗闇の中で電光を発する球体は、深海の海溝に生息する発光生物を思わせる。ただし、この光る球体は水面下に潜む大きな本体から伸びている。川の中では巨大なウナギのような生物が体をくねらせていた。

捕食者は球体の間をすり抜けようとしたものの、翼が引っかかった。球体に触れた部分の皮膚が熱せられ、煙が上がる。ハスタクスは苦しそうに身をよじりながら水面に落下した。暗い水面下で、ウナギの化け物たちが獲物に近づいていく。

その攻撃方法を目の当たりにしたジェイソンは、同じような発光体で餌を引きつけるアンコウを連想した。

新たな捕食者の名前を告げるステラの声からは、恐怖がにじみ出ている。「ヴォリトクス・イグニス」

ラテン語をかじったことのあるジェイソンは、意味の当たりがついた。〈浮遊する炎〉

「彼らはここでも有数の危険な生物だわ。大蛇のような体で水中を高速で移動するし、あの高熱の触手を使って空中や川岸の獲物を捕獲することもできる。また、信じられないほど繁殖力が高く、肉食性の幼体を大量に産むの。しかも、幼体は退化したとはいえ脚を持った形で生まれるから、陸によじ登ることも可能よ。どこにも逃げ場がないわ」

「それにヴォリトクスはとても頭がいい」ハリントンが険しい顔つきで補足した。「彼らは群れで狩りを行ない、様々な方法で相手を待ち伏せする。我々の音響兵器も成体のヴォリトクスには効かないのだ」

ステラの表情が曇った。「ここの調査を開始した当初、三人の命が失われたわ……まだ怖さがわからなかった頃の話」

「ここにあるのは厳しい別世界だ」ハリントンが認めた。「この地で進化した生き延びるための手段は、賢くもあり、同時に恐ろしくもある」

ジェイソンは再び水面に視線を向けた。すでに光は消え、暗闇がその下に潜む存在を隠している。

〈僕たちも生き延びるためには賢い手段が必要みたいだな〉

午後零時十六分

「彼らはここにいません」副官が伝えた。

「そのようだな」

ディラン・ライト少佐は展望台から延びるケーブルをじっと見つめていた。怒りで紅潮した頬が、銃弾のかすめた太腿の傷と同じように熱い。逃げられる前にハリントンの身柄を確保しようと襲撃を急いだせいで、部下を二人、失ってしまった。

〈ベルトラムとチェシー〉心の中で名前を唱えながら、時が訪れたら二人の部下をきちんと埋葬してやろうと心に誓う。だが、今は残る十五人の部下たちが、自分の次の指示を待っている。

「爆弾は?」ディランは訊ねた。「グリーソンからの報告は?」

副官を務めるマッキノンという名の筋骨隆々としたスコットランド人が首を横に振った。

「我々がここを離れた後、基地は新しいシステムを導入したようです。グリーソンなら爆弾の解除方法を見つけられると思いますが、三十分以内というのはまず無理でしょう」

〈ハリントンが裏口にたどり着くまで、それほどの時間はかからない〉

十六カ月前に自分たちの活動が明るみに出たことがケチのつき始めだった。身柄が拘束されるのを避けるために、地獄岬から急遽(きゅうきょ)脱出しなければならなくなったのだ。そのせいで、残りの任務の遂行が様々な困難に直面することになった。それでも、ハリー研究基地を支える棚氷(たなごおり)に前もって地中貫通爆弾を仕掛けておいたことは、先見の明があったと言えるだろう。あの爆発でアメリカ人のチームを始末できたのであればいいのだが。ディランはツイン・オッターに向かって発砲し、右のエンジンを機能不能にした男の姿を思い浮かべた。あの後、部隊は基地に帰還するのがやっとの状態だった。それでも計画を予定通りに進めてきた。

〈今までは……〉

「地上から数名を派遣してはどうでしょうか?」マッキノンが提案した。「向こう側からやつらが出てくるのを待ち構えていればいいのです」

「基地のこちら側のセキュリティを厳しくしたのなら、向こう側も同じようにしたに違いない」

そのうえ、裏口の第二基地は海岸沿いに連なるあの険しい山脈を越えたところに位置している。向こう側までたどり着かないうちに、ハリントンがこの基地を吹き飛ばしてしまうだろう。

しかし、そのような事態は阻止しなければならない。

〈少なくとも、俺の任務を完了させるまでは〉

雇い主の辞書に「失敗」という単語はない。カッター・エルウェスはディランの部隊の活動に対して多額の金を支払っているし、部隊がこの基地の警備を任されるようにするために、あちこちに賄賂(わいろ)をばらまいては裏で画策していたと聞いている。基地の警備を行ないながら、ディランたちはエルウェスの指示に忠実に従い、何年にもわたってこの場所に関する情報を密かに伝えていた。

ようやく今、最後の戦いが始まったのだ。

成功すれば、チーム全員に一生遊んで暮らせるだけの大金が入る。

マッキノンが落ち着かない様子で足を動かした。「次はどうしますか？」

ディランは真っ暗な洞窟に目を凝らしながら、様々なシナリオを頭の中に思い描いた。ハリントンは猟犬に出くわした時のキツネのように、そそくさとここから逃げ出した。しかし、ディランは狩りに失敗したことがない——家族の邸宅の敷地内で獲物を逃したことはない。もちろん、今日も逃すつもりなどない。

ディランの手のひらがホルスターに収めた十九世紀のハウダー拳銃に触れた。この二十年ほどの間に一族は没落してしまったが、これは手元に残っている数少ない思い出の品だ。この二連銃は銃身が四十五センチ以上あり、カスタムの577弾を使用し、撃つ際には二つの撃鉄をそれぞれ起こす必要がある。イギリスがインドを統治していた時代の武器で、当時のライト一族はインドで王様同然の暮らしを送っていたという。拳銃の名前の「ハウダー」はゾウに取り付ける鞍に由来しており、大口径のこの武器はかつてトラの襲撃から身を守るためや、大型の獲物を狩る時に使用されていた。

ディラン自身も、この地獄岬の生物に対して試し撃ちをしたことがある。

あの暗黒の洞窟内での新たな狩りの覚悟を決め、ディランは拳銃のグリップを握り締めた。

「全員に準備をさせろ」ディランは指示した。「装備をＣＡＡＴに積み込め。やつらの後を追う。全速力でだ」

「教授はすでにかなり先行していますが」マッキノンが警告した。

ディランは唇を歪めて笑みを浮かべた。困難な狩りには意欲をかき立てられる。

「何らかの手を打つまでだ」

午後零時十七分

全員が物思いにふける中、ゴンドラの内部を重苦しい沈黙が支配する。その間、グレイはずっと走行距離計を見つめていた。裏口とかいう第二基地まで、やっと四分の一の距離を進んだところだ。

グレイはこの頼りない乗り物の外に広がる世界を観察した。まだ道のりは長いので、終点に到着するまでにできるだけ多くの情報を引き出しておきたい。

「ところで、この生物たちはどこからやってきたのですか?」グレイの質問が張り詰めた沈黙を破った。「太陽の光がまったく届かないのに、どうやってここの生態系はこんなにも長期にわたって維持できているのですか?」

「君の最初の質問に対する答えは私にもわからん」ハリントンが答えた。「しかし、仮説ならある。この生態系がいかにして維持されているかに関して言えば、ここの環境は深海の熱水噴出孔沿いで成長と繁栄を続けている生命のオアシスと比べて、それほどの差はない。あのような深海という永遠の闇の世界で、しかも極めて高温の環境で、生命が発見されるとは誰一人として予想していなかった。だが、自然は必ず方法を見出す。ここも同じだ。ただし、規模はかなり大きいがね」

ハリントンは水蒸気を噴き上げる水面を手で指し示した。「ここの生態系は太陽でも光合成でもなく、化学物質――つまり化学合成が導いている。すべての始まりは、局地的な地熱活動によってこの洞窟群に絶え間なく流れ込んでくる硫化水素やメタンを栄養分とする化学無機栄養細菌だ。その細菌が繁殖して厚い膜を作る――それが太陽の光の届く地上の世界における草のような役割を果たし、ここの複雑な生物体系の原動力となっているのだよ」

ステラが注意を促した。「でも、化学合成だけではこのすべてが生まれた理由を完全には説明できないの。父が言ったように、ここの生命は異生物で、地球上のいかなる生命とも異なるのよ」

「具体的にどう異なるの？」ジェイソンが訊ねた。

「この生態系で発見された生命はＤＮＡではなく、異なる遺伝的な仕組みを用いるもの、すなわちＸＮＡに基づいているのよ」

カリフォルニアからの報告で、グレイはドクター・ヘスの研究施設から解き放たれた合成生物がXNAを組み込まれたものであることを聞いていた。DNAの通常の糖分子に代わって、有毒なヒ素とリン酸鉄が含まれていたというのだ。ここがその変わった遺伝要素の入手元に違いない。

「なぜXNAがそのような違いをもたらすのですか?」グレイは訊ねた。

「DNAとは大違いだからだ」ハリントンが解説した。「リチャード・ドーキンスは我々のDNAを『利己的』と形容し、DNAが増殖するのは進化へのプレッシャーを受けているからにほかならないと述べた。私がXNAを形容するとしたら、『略奪的』という言葉を使う」

「略奪的?」

「ここの自然に関する研究から――および研究室で化学的に合成されたXNAを用いた検証結果から、これらの遺伝子は日和見的で、突然変異を誘発する率が通常のDNAと比べて桁外れに高いことが判明した。そのため、進化のスピードも格段に速いのだ。XNAの遺伝子は単に利己的なだけではなく、完全な支配を主眼に置いている。これらの遺伝子の形質発現さえも、そうした中核となる原動力を反映しており、極めて耐性が高く柔軟で、適応力の高い生命体を生み出している。どんな特殊な環境下に置かれたとしても、彼らは適応し、進化し、その場所を支配するのだよ」

「ドクター・ヘスはそのような激しい性質を持つ遺伝コードの実験を行なっていたのです

か？」グレイは訊ねた。〈道理で彼の作り出した生物をなかなか殺せないわけだ〉

「私は彼に対してその方向の研究を進めないように、どうしてもするのであればここで実験を行なうように言い聞かせたのだが、彼は耳を貸そうとしなかった」

「彼は何をしようとしていたのですか？」

「ケンドールはXNAの持つ最良の性質を制御したうえで、それを殻の中に組み込んで絶滅危惧種に対して接種すれば――あるいは、すべての種に対して接種しようと考えていたのかもしれないが、そうすればより耐性が高く、より適応力も高い種となり、我々を現在進行中の六度目の大絶滅に追いやりつつある地球規模の力にも耐えられるようになるはずだと信じていた」

「それは可能なのですか？　XNAを我々のDNAに組み込めるのですか？」

「ああ。現在XNAに取り組んでいる各地の研究所では、異生物学的な合成物がほぼすべての生物に置き換われるとすでに実証されている。つまり、理論的には可能だ。ただし、大きなリスクもある」

それがどのようなリスクなのかは、ゴンドラの下に広がる残酷な世界を見れば一目瞭然だ。「教授、さっきあなたはここの生物がどこからやってきたのかに関して、仮説があるともおっしゃっていましたが」

ハリントンはうなずいた。「現時点では憶測の域を出ない。もっと時間があれば、実証できるかもしれないのだが」

「どんな仮説なのですか？」

「この洞窟群が南極大陸のほぼ全域にまで及んでいるかもしれないという話をしたのは覚えているかね？」

「縦横に延びる川や湖や氷のトンネルでつながっているとか」

「疑っているような口ぶりだな。南極大陸の表面は氷で覆われていて、見たところは変化に乏しいようだが、地下数千メートルは温暖かつ湿潤で、そこに形成されている湿地帯や沼地は何千年もの長きにわたって外の世界に知られることなく存在していた。ヴォストーク湖を例にとってみよう。君の国にある五大湖の一つと同じくらいの面積で、深さはその二倍もありながら、千五百万年にもわたって氷の下に閉ざされていたため、その存在が明らかになったのはつい数十年前のことだ。さらには、氷の下での大規模な地熱活動も確認されている。私の同僚の一人でもある英国南極観測局の氷河学者が、西南極の氷床の地下約八百メートルで活火山を発見し、溶岩が流れている痕跡も確認したことは知っているかね？　この大陸の本当の顔は、それほどまで不思議で神秘的なのだよ」

「この洞窟群が実際に大陸の地下を横断しているとして、そのことがこの生態系の起源の説明とどのように関係してくるのですか？」

「南極大陸の反対側に当たる東南極にはウィルクスランドと呼ばれる地域があるのだが、

我々のこれまでの測量結果に基づいて推測すると、これらの洞窟はそこにある巨大なクレーターの方向に通じているように思われる。クレーターが発見されたのは二〇〇六年のことで、直径は約四百八十キロメートルだ。それほどの大きさのクレーターを形成するためには、恐竜絶滅の原因となったものの四倍の大きさの隕石が衝突しなければならない計算になる。その衝突が地球の歴史上の三度目の大絶滅を引き起こしたとの説を唱える者もいる。このペルム紀末の大絶滅では、海生生物のほぼすべてと陸生生物の三分の二が滅んでしまったのだ」

「なるほど。でも、なぜそのことが重要なのですか？」

「第一に、その時の隕石の衝突によってこの洞窟が誕生したという可能性がある。衝突の影響でこの惑星のほとんどの生物が死に絶えていく一方で、新たに生まれたこの空白の生態系の中にＸＮＡの種の一部が根付き、成長して広がり、完全に隔絶された状態で保たれていたわけだ。しかし、このシナリオはもう一つの非常に興味深い可能性を提示してくれる」

「それは何ですか？」

意外にも、その質問に答えたのはジェイソンだった。「パンスペルミア説ですね」

ハリントンが笑みを浮かべた。「正解だ」

グレイはパンスペルミア説に関して聞いたことがあった。地球上の生命の起源は隕石ととともに運ばれてきて、はるか彼方からやってきた種子がこの世界で花開いたのではないかとする考え方だ。

「いいかね、宇宙空間の長旅を生き延びるためには、丈夫で適応力が高くなければならないのだよ」ハリントンが続けた。

「ＸＮＡのように」グレイは応じた。

「まさにその通りだ。しかし、さっきも言ったように、単なる憶測にすぎない。ただし、実に興味深い説ではあるがね。この影の生物圏はほかの惑星に存在する景色を、あるいはそこまでではないにしても、生命に通じる遺伝子の別の道筋を示してくれているのではないだろうか？」

この件に関して議論が進むより先に、ゴンドラが大きく揺れたかと思うと、スキー場のリフトが降下を開始したかのように、緩やかな勾配を下り始めた。

第二基地に近づいたにしては早すぎる。

「難所に差しかかっただけだよ」ハリントンが心配ないことを伝えた。

グレイは窓の外を見た。前方に目を向けると、広々としたトンネルの幅がかなり狭くなっている。ゴンドラは滑るようにその狭い通路に入った。ゴンドラと泡立つ川面までの距離は、三階建ての建物の高さくらいにまで縮まっている。川の両岸がかすかな燐光を発しており、水辺にまで達するその光が、奇妙な形状の二枚貝が貼り付いた岩棚や、浅瀬を素早く移動する影を照らし出す。この高温の水中にも生物が豊かに暮らしている。

ハリントンがグレイの注意をさらに前方へと向けた。「我々のチームよりも先にこの洞窟を発見した者たちがいたという話をしたと思うが、あれを見たまえ」

ゴンドラが難所のカーブを曲がり切ると、前方に灰色の物影が姿を現した。先端が天井に届きそうなほどの高さがある。目の前に見えるのは潜水艦の司令塔だ。天井部分の折れた鍾乳石の跡が、この狭い通路の奥深くにまで進んできた潜水艦の航路を示している。葉巻のような形をした潜水艦の船体の大部分は水面上にあり、まるで鉄製のクジラが陸に打ち上げられたかのような光景だ。

ゴンドラが古い潜水艦の横に並んだ時、グレイは司令塔の側面に記された紋章に気づいた。

黒い十字架の上に白い潜水艦が描かれている。

「ドイツ製だ」ハリントンが説明した。「ドイツ海軍の第十潜水隊群」

ナチのUボートだ。

「当時、このトンネルは今よりも水深があったに違いない」ハリントンは説明を続けた。「我々が発見した証拠から、ドイツ人は魚雷を使って爆破しながら進入してきたと思われるが、どうやらここが限界だったようだ。その後、後方で洞窟の天井が崩落したために、この場から身動きが取れなくなってしまった。乗組員が徒歩あるいは手漕ぎのボートでこの先の調査を続けたとしても、大して遠くまでたどり着けなかったのではないかな」

潜水艦という名の墓標の脇を静かに通り過ぎるゴンドラの内部で、グレイは艦内に閉じ込められた乗組員たちが感じたであろう恐怖を容易に想像することができた。司令塔の姿はやがて背後の暗闇の中に消え、難所を通過したゴンドラが再び上昇を始める。

だが、それほど先に進まないうちにゴンドラが大きく前に傾き、天井のケーブルから宙吊りの状態のまま揺れる車内で全員が固唾(かたず)をのむ中、完全に停止してしまった。ハリントンが赤いレバーを操作し、再び動かそうと試みている。

「どうかしたのですか？」グレイは訊ねた。

ハリントンは後方を振り返った。「ディラン・ライトだ。やつが制御ボックスのあるところまでたどり着いたに違いない」

「もう一度動かすことはできるのですか?」

ハリントンがレバーから手を離したにもかかわらず、ゴンドラは後退を開始し、ゆっくりと基地の方に戻り始めた。

〈ライトが俺たちを引き戻そうとしている〉

ハリントンが天井の赤いプラスチック製のレバーをつかみ、強く引っ張った。きしむような大きな音とともに、ゴンドラが再び揺れて停止する。「滑車ケーブルからゴンドラを外した」

教授の目には恐怖の色がありありと浮かんでいる。

あの潜水艦と同じように、ゴンドラも走行不能に陥ってしまった。

20

四月三十日　アマゾン時間午前八時十八分
ブラジル　ボア・ヴィスタ

突然の攻撃でパニックに陥ったジェナは、銃弾の飛び交うカフェの店内で、ひっくり返ったテーブルの陰にうずくまっていることしかできなかった。

ほんの少し前、覆面をした三人の男がライフルを構えてキッチンから走り出てきた。それと同時に、通りにいる何者かの発砲で店の正面のガラスが砕け、破片が店内に降り注いだ。

ジェナがまだ生きているのは、ドレイクのとっさの反応のおかげだ。一発目の銃声がとどろいたと同時に、ドレイクはジェナが座っていた椅子を蹴飛ばし、バランスを崩して床に尻もちをついたジェナに覆いかぶさった。仲間の海兵隊員の一人——マルコムが重厚な木製のテーブルを倒し、一時的な隠れ場所を作ってくれた。もう一人の海兵隊員のシュミットは、襲撃者に向かって発砲している。

「ペインターが……」ジェナは声にならない声をあげた。

クロウ司令官はまだ通りにいる。

「任せろ」ドレイクが反応した。「ここから動くな」

ドレイクが体を起こし、吹き飛ばされた正面の窓から外の様子を素早くうかがおうとする。突然、通りの方から新たな数発の銃声がとどろいた。ライフルの大きな発砲音とは明らかに異なる音だ。

〈ペインターが応戦しているんだわ〉

「彼は負傷していて身動きが取れないようだ」ドレイクが首をすくめながら報告した。「マルコム、シュミット、俺を援護してこの砦を守ってくれ」

仲間からの返事を待たずに、ドレイクはテーブルの陰から立ち上がった。残った二人の海兵隊員が援護する中、一等軍曹は頭から窓に突っ込んでカフェの外に飛び出していく。

ジェナはバックパックに手を伸ばし、自分も反撃に加わろうと武器に手を触れた。

指先が拳銃のグリップに触れた瞬間、店内と通りの銃撃戦がともに激しさを増した。襲撃者の一人がテーブルの上に突っ伏した。残る二人はカウンターの陰に隠れ、十分に守られた場所から発砲を繰り返している。

マルコムが舌打ちをしながらテーブルの陰に身を隠した。耳から出血している。

ジェナは立ち上がり、マルコムと入れ替わった。少しでも弱みを見せれば、応戦する勢いに陰りが見えれば、敵はそこにつけ込み、一気に攻めかかってくるはずだ。ジェナがグロックの引き金を引くと、カウンターの向こうで立ち上がりかけていた襲撃者が再び姿を隠した。

その一瞬の隙を利用して、ジェナはカフェの店内を見回した。床に死体が散乱し、タイルの上に血の海が広がりつつある。かすかな動きも確認できる。五、六人の客と店員がまだ生きている。

だが、最もジェナの注意を引いたのは別の動きだ。

カウンターの奥の壁にあった鏡は最初の銃撃を浴びて粉々に砕けているが、残った破片に反射した姿から、敵のうちの一人が両膝を突き、ライフルに弾を込め直しているのが確認できる。

〈これ以上のチャンスはないわ……〉

ジェナは一人目の襲撃者がいる位置に向かって再び発砲した。「今よ！」二人の海兵隊員に向かって叫ぶ。

詳しく説明している余裕はないため、ジェナはテーブルの陰から飛び出し、カウンター目がけて突進した。二人が理解してくれていることを祈りながら。

ジェナの祈りは通じた。

マルコムとシュミットもジェナの両脇を走りながら、今のところ唯一の脅威となる敵に向かって発砲する。間断なく浴びせられた銃弾のうちの一発が金属製の椅子の縁に跳ね返って敵をかすめ、男が後ろに倒れた。

その間にジェナはカウンターまで達して飛び上がり、割れた皿やカップが散乱するカウンターの上に尻を突いて滑った。その間もずっと、鏡に映る隠れた敵の動きから目を離さない。敵はすでに銃弾を込め直し、味方を助けようと立ち上がり始めている。

敵が顔を突き出すのに合わせて、ジェナは左脚を前方に突き出し、靴のかかとを覆面の下の鼻に叩き込んだ。歯が折れて骨が砕ける手ごたえとともに、男の頭が後方に大きく傾く。男は意識を失ってその場に倒れ込んだ。

隣に視線を戻すと、体勢を立て直しながらライフルを構えようとしたもう一人の襲撃者の耳に、シュミットが銃弾を撃ち込んだところだった。

カフェの店内での銃声が突然やみ、ジェナの耳には残響だけが残った。外での銃撃戦の音がかすかに聞こえる。

マルコムが低い姿勢でジェナのもとに近づく一方、シュミットは拳銃を構えながらキッチンの様子をうかがい、中に入っていく。

「こっちには誰もいない！」そう告げると、シュミットが二人のもとに戻ってきた。

怒りで顔面を紅潮させたマルコムが、床の上で意識を失った男に向かって拳銃を構えた。

「だめよ」ジェナは制止した。「この男から話を聞き出さないと」

マルコムはうなずいた。

ジェナは倒れた男にグロックの銃口を向け続けた。「私がこの男を見張っているから、ペインターとドレイクを助けてあげて」

外からのライフルの銃声は激しくなる一方だ。二人は苦戦しているに違いない。

午前八時二十分

「連中は俺たちを挟み撃ちにしようとしています」ドレイクが告げた。

ペインターもそのことに気づいていた。二人は身を寄せ合うようにして金属製のごみ箱の陰に隠れている。この申し訳程度の隠れ場所の両側から、通りの向かい側にいる三人の襲撃者に応戦しているところだ。

あいにく敵の方が圧倒的に有利な立場にある。反対側の歩道沿いには車が何台も停まっているため、十分な物陰と機動性を確保することが可能だ。一方、通りのペインターたちがいる側は駐車禁止になっている。

それでも、ドレイクが割れたカフェの窓から文字通り飛んで駆けつけてきてくれなかったら、今頃ペインターの命はなかっただろう。

一等軍曹がどこからともなく、しかも絶好のタイミングで現れたため、通りを横切ろうとしていた三人の襲撃者たちは駐車した車両の陰に身を隠さざるをえなくなった。だが、その三人が今度は新たな動きを見せ始めたのだ。三人のうちの二人は車の陰を低い姿勢で走りながら、通りの左方向と右方向に移動していく。残った一人から絶え間なく浴びせられる銃弾が、ごみ箱に跳ね返って大きな音を立てる。

ドレイクとペインターはほとんど身動きできない状態に陥っていた。あと数秒もすれば、左右に展開した二人はごみ箱に妨げられることなく二人を狙える位置まで到達してしまうだろう。

「俺が援護する」そう言いながら、ペインターは新しい弾倉を装塡(そうてん)した。「店内に戻れ。ほかの三人とともに裏口を目指すんだ」

ペインターはすでにカフェの店内が静かになっていることに気づいていた——だが、それはいい状況なのか、あるいは悪い状況なのか？

新たな銃声がとどろいた。カフェの割れた窓から放たれた銃弾が、通りの向かい側に停まった車の列にめり込んでいく。

左側に向かっていた敵は予想外の反撃に対応できず、その首を銃弾が貫通した。男が血を噴き出しながら倒れていく。右方向に移動していた敵を待っていたのも同じ運命で、額をきれいに撃ち抜かれた。

三人目の襲撃者が旧式のボルボの陰で姿勢を低くした。形勢が逆転したことを認識したに違いない。

ドレイクが腰を浮かせながら、ペインターを一瞥した。その視線が肩の傷に留まる。「最後の一人は俺たちが片付けます」その言葉に合わせて、通りに出てきた二人の海兵隊員もうなずいた。「ここは海兵隊に任せてください」

ペインターは申し出を素直に受け入れた。「できれば生け捕りにしてくれ」

最期の時が近づいたのを悟ったかのように、姿を隠した男が大声でわめき始めた――ペインターたちに向かって叫んでいるのではない。声の調子からすると、携帯電話あるいは無線で話をしているようだ。救援か増援を要請しているのだろう。

スペイン語の単語がいくつか聞き取れたものの、それ以外は耳にしたことのない方言が混じっていて、まったく理解できない。その中で、ある一つの単語がペインターの注意を引いた。その単語が何度も、切迫した様子で繰り返し使われている。

ムヘール。

ペインターの体に緊張が走る。カフェの方を振り返る。

「ムヘール」は「女」の意味だ。

「ジェナはどこだ?」心臓の鼓動が激しくなるのを意識しながら、ペインターは訊ねた。

マルコムは通りの向かい側のボルボから視線を外さない。「店内にいます。ほかには誰もいません」

〈本当にそうなのか？〉

ただ一人残った襲撃者の脅威を無視して、ペインターは扉に突進し、店内に駆け込んだ。負傷していない方の腕で拳銃を構え、テーブルや死体を目で確認しながら、銃撃戦で破壊されたカフェを奥に進む。カウンターの向こう側も、キッチンの中も調べる。

通りの向こうから一発の銃声がとどろいた。

その直後、正面の扉からドレイクがカフェの店内に飛び込んできた。不安と恐怖に歪んだ顔からは、単にチームメイトを案じる以上の強い思いがうかがえる。

「ジェナは？」ドレイクが訊ねた。

「いない」ペインターは通りに向かってうなずいた。ジェナを連れ去ったのが誰なのか、それを突き止める術（すべ）は一つしかない。「三人目の襲撃者は？」

その質問が持つ意味を悟り、ドレイクの顔面が蒼白（そうはく）になった。「自殺しました」

〈死んだ〉

ペインターは大きく息を吸い込んだ。

〈そうなると、彼女の行方はわからない〉

午前八時二十二分

押し寄せる痛みの波とともに意識が戻ってくる。真っ暗な闇の世界が、まぶしすぎる光と大きすぎる音とともに消えていく。ガタガタと揺れるバンの床から頭を上げると、左のこめかみのこぶから首筋にかけて、突き刺すような激痛が走る。

〈痛っ……〉

ジェナは誘拐犯に気づかれることを恐れ、うめき声が漏れそうになるのを必死にこらえた。口から飛び出すのではないかと思うほど大きな音とともに心臓が鼓動するのを聞きながら、自分の置かれた状況を素早く調べる。窓の外に見えるのは、後方に過ぎゆく建物の高層階と、絡み合った電線だけだ。

左の頬をひとしずくの熱い血が流れ落ちる。

攻撃された時のことを思い出し、その怒りでもって、自制心を奪い去ろうとする冷たい恐怖を追いやろうと努める。カフェのカウンターの奥でしゃがんだ姿勢のまま、マルコムとシュミットが窓に近づき、通りに向かって発砲し始めるのを眺めていた時だ。キッチンの方角から接近する新たな敵の音を、その銃声がかき消してしまった。唯一の気配は、ほのかな甘い香り。

香りの方に顔を向けたジェナが目にしたのは、一メートルも離れていない距離に身を潜めた褐色の肌と黒い瞳の女だった。両足は裸足で、左右の親指の付け根は床の上に散乱したガラスの破片の隙間に置かれていた――ガラスで怪我をしないためではない。気配を消すために必要な野性の感覚だ。

ジェナが反応するよりも速く、女の腕が鞭のしなるような速さで弧を描いた。拳銃の銃尻がジェナの側頭部に叩きつけられる。視界に明るい火花が飛び散ったかと思うと、目の前に黒い穴が開き、その中に意識が吸い込まれていった。

〈どのくらい意識を失っていたのだろう?〉

長い時間ではなかったはずだ。せいぜい一、二分だろう。

助手席に座っていた人間が後ろを振り返った。長い黒髪がどこか神秘的な美しさのある顔を縁取るように垂れている。肌は温かみのあるキャラメル色で、黒い瞳が輝いていた。それでも、その整った顔立ちからは脅迫めいた意図が感じられる。ふっくらとした唇をきっと結んだ様子からも、視線の奥にぼんやりと浮かぶ危うさからも。樹上に潜むヒョウの冷たい表情を目にしているかのようだ――自然の最も美しい姿と最も恐ろしい姿を同時に体現している。

ジェナはその視線から顔をそむけたいと思ったものの、相手の目をしっかりととらえ、絶対に負けを認めるまいと決意した。もっとも、ほかに何ができるわけでもない。両手首と両足首は紐できつく縛られている。

明るい着信音が二人のにらみ合いに終止符を打った。女が前に向き直ると、運転手が携帯電話を手渡す。

女は携帯電話を耳に当てた。「ウィ」応答する女の声は、肌の色と同じように艶と暗さを併せ持っている。女はしばらく相手の話を聞いた後、ジェナにちらりと視線を向けた。

「ウィ、ジェ・フィニ」

ジェナは話題にのぼっているのが自分だとわかった。何者かがジェナの身柄の確保を、あるいはアメリカ人のうちの一人の捕獲を、確認しているのだろう。会話に聞き耳を立てたものの、フランス語が話せないので内容までは理解できない。それでも、電話の相手の名前は当たりがついた。

カッター・エルウェス。

その男は何者かにあのゲストハウスを見張らせ、エイミーがボア・ヴィスタに残した可能性のある足跡を監視下に置いていたに違いない。あるいは、あの親切そうな女主人はあまり親切ではない裏の顔を持っており、訪れたアメリカ人に関する情報を流したのかもしれない。いずれにしても、カッターという男は現地の部隊に対してチームの一人を生け捕りにするよう指示を与えたのだろう。彼自身について、彼の作戦について、どれだけの情報をつかんでいるのかを尋問して聞き出すためだ。

死んだはずの男が、死んだものと思われている現状を維持したいと望んでいるのは間違いない。

　バンはボア・ヴィスタの中心街を抜け、速度を上げた。ジェナは窓の外を眺めながら、ドレイクたちの身を案じた。みんなは銃撃戦を生き延びられたのだろうか？　ジェナはそうであってほしいと祈ったものの、自分の行方をたどったり追跡したりできるかは望み薄だと判断した。

　周囲を見回し、厳しい現実を認識する。

〈一人で何とかしないと〉

　数分後、バンが急ブレーキをかけて停止すると、荷台に寝かされたジェナの体が数十センチ前に移動した。あわてて体を起こすと、フロントガラスの先には錆(さ)びついたスラム街が広がっている。密集した建物はどれも拾い集めてきたものを材料にして造ったとしか見えない。だが、誘拐犯たちの目的地はそのスラム街ではなかった。

　地面がむき出しの発着場に、一機の古いヘリコプターがある。すでにローターが勢いよく回転していて、いつでも離陸できる態勢にある。

　ジェナは愕然(がくぜん)とした。

〈私をどこに連れていくつもりなの？〉

午前八時三十二分
ブラジル　ロライマ州

　ケンドールはカッターの研究室内にあるバイオセーフティーレベル4（BSL-4）の施設の入口に立っていた。その中では黄色いエアホースにつながれた防護服姿の数人の技師たちが作業をしている。カッターは少し前に、電話をかけると言い残してこの場を離れたところだ。大きく深呼吸をしたケンドールは、カッターに手を貸すべきか否か、まだ決めかねていた。

〈私が協力しなければ、全世界が破壊される〉

〈私が協力したところで、結果は同じなのではないか？〉

　ケンドールは短剣の先端でふらつきながら立っているかのような気分だった。どのような決定を下すかは、答えのわからない一つの疑問にかかっている。自分が合成したｅＶＬＰを使って、カッターは何をするつもりなのか？　完璧な中空の殻に対するあの男の不気味な評価が脳裏によみがえる。

〈理想的なトロイの木馬……完全無欠の遺伝子デリバリーシステム〉

　カッターがあのトロイの木馬の中に何かを注入するつもりでいるのは間違いない――だが、いったい何を？

〈中空の殻の中に満たす予定の何かによって人や動物が死ぬことはないと、あの男は言ったが、その言葉は信用できるのか？〉

　ケンドールはあれこれと考えを巡らせながら、何のためなのかはわからないが電話のおかげで決断を下すまでの時間の余裕ができたことに感謝した。その隙を利用して、目の前にある隔離スペースを観察する。背後にある遺伝子関連施設と同じように、ＢＳＬ－４の施設にもＤＮＡ解析や遺伝子操作のための最新機器が備わっていた。奥の壁にはガラス扉の付いた大型の冷却装置がある。ガラスの奥に並んだ容器が光を浴びて輝いている。

　容器の中に何が保管されているのかを想像しようとして、ケンドールの背筋に寒気が走った。しかし、さらなる戦慄を覚えたのは冷却装置の両側に連なる四つの部屋の存在だった。各部屋にはそれぞれ異なる医療機器が備え付けられている。一つの部屋にあるのはどこにでもあるようなＸ線撮影装置、その隣の部屋にあるのはＣＴスキャナーだ。残る二つの部屋には、組織の内部を見るためのＭＲＩ（核磁気共鳴画像法）の装置と、生体機能の三次元画像を作成できるＰＥＴ（ポジトロン断層法）スキャナーが置かれている。

　こうした装置の存在で、もはや疑いの余地はなくなった。

　カッターはすでに動物実験を進める段階に入っている。

　しかし、どの程度まで進めているのだろうか？

　ようやく戻ってきたカッターは、どうやらいい知らせを受けたらしく、さっきまでよりもリラックスした様子だ。「間もなく来客を迎えることになりそうだ。けれども、その前にいろいろと作業をしなければならない。そうだろう、ケンドール？」

カッターは答えを促すかのように眉を吊り上げた。

ケンドールはBSL-4の施設をじっと見つめた。「約束してくれるのだな。私が協力すれば——私の技術を教えたとしても、その結果として誰一人死ぬようなことはないと」

「私がこの技術を利用しようと考えている目的は、決して人を死に至らしめるようなものではないと約束する」そう答えながらも、ケンドールの顔に残る不信の表情に気づいたのか、カッターは顔をしかめた。「手短に案内をすれば、君も安心するんじゃないかな。それほど時間はかからないし」

カッターは踵（きびす）を返して歩き始めた。

ケンドールはさらなる時間の余裕ができたことにほっとしながら、急いで後を追った。いつものように、マテオが影のようにぴったりとついてくる。

「どこに行くつもりだ？」ケンドールは訊ねた。

カッターが笑みを浮かべながら振り返った。その顔には少年のような喜びがあふれている。「素晴らしい場所だよ」

だが、カッターが前に向き直った時、ケンドールは彼の左肩がやや下がっていることに気づいた。カッターの左半身には深い傷跡が残っている。見た目とは違って、少年の心がはるか昔に消えてしまっていることの何よりの証拠だ。カッターの中の少年は、何年も前にあのアフリカのサバンナで死んだ。あとに残ったのは、暗い野望に燃え、世界に対して深い恨みを抱いた、一人の屈折した天才だけだ。

二人は遺伝子研究室を出て、長い天然のトンネルを歩いた。ケンドールはテプイの中心部に向かっているのだろうと推測した。

カッターは大股で悠然と歩いている。「我々は似た者同士じゃないか。君と私は」

ケンドールはいちいち否定する気にもなれなかった。

「我々は二人ともこの惑星を愛し、その行く末を案じている。しかし、君は保護の取り組みを通じての現状維持に努めているが、私に言わせれば世界はとうにその段階を過ぎてしまっている。人間には産業がもたらした結果を元に戻す力などない。我々の欲は深くなる一方なのに、その視野はますます狭まりつつある。今さら保護に精を出しても無駄なことだ。身のまわりの生態系がすべて崩壊している状況で、一つや二つの種を救ったところで何になるというんだ？」

「私がカリフォルニアで解決しようと試みていたのが、まさにそうした災厄だ」ケンドールは反論した。「生態系全体の解決策を見つけ出そうとしていたのだ」

カッターは鼻で笑った。「様々な種に対して一律にＸＮＡの耐性と適応力の高さを組み込もうと試みることで？　君が行なっていることは、すでに瀕死（ひんし）の状態に陥った生物圏を延命させるために、別の生物圏から盗みを働いているにすぎない」

ケンドールは体をこわばらせた。自分が何を成し遂げようとしているか、カッターにはお見通しだったのだ。これは科学の世界において「適応促進」と呼ばれるもので、病気に対する種の耐性を高めたり、厳しい環境下でも生き延びられるよう丈夫にしたりするために、ＤＮＡを強化することが目的だ。ケンドールにしてみれば、自らの研究に何ら恥じるところはない。あの研究は来たるべき運命から多くの種を保護できる潜在能力を秘めている。ただし、研究はまだ初期の段階にある。残念ながら、これまでに合成したものはどれも不完全で、危険で、触れるものすべてを蝕み、出会ったＤＮＡをすべて破壊してしまった。

決して解き放ってはならない存在だったのだ。

新たな怒りを覚えながら、ケンドールはカッターを詰問した。「それなら、君は我々にどうしろと言うのだ？　何もするなとでも言うつもりか？」

カッターが向き直った。「そうだとも。自然の邪魔をしなければいいのさ。自然というのはあらゆる存在の中で最大の革新者だ。自然が我々を生き長らえさせてくれる……まあ、君が望むような、あるいは君がよく知るような形ではないかもしれないがな。結局は、大規模な絶滅によって生じた空白を、いずれは進化が埋めてくれるはずだ。過去の五度の大絶滅は、いずれもその後に起きた爆発的な進化の引き金となった。人類を見るといい。人類の台頭のためには、恐竜が滅びなければならなかったのだ。死を通じてのみ、新しい命の誕生が可能なのだ」

ダークエデンの中心的教義を何度か耳にしたことのあったケンドールは、今の言葉からその意図を読み取った。彼らの主張を端的な言葉で表現する。「大いなる絶滅は新たな創世記をもたらす可能性を秘めている」

カッターはうなずいた。「新たなエデンの始まりだ」

熱のこもった口調からすると、カッターはその時が訪れるのを待ちかねているようだ。

ケンドールはため息をついた。「君の論理には根本的な欠陥がある」

「何のことだ？」

「絶滅は速い。進化は遅い」

「そうなんだよ」カッターが歩みを止めた。一瞬、ケンドールは相手からハグされるのではないかと思った。「まさに君の言う通りだ！　絶滅のスピードは常に進化を上回る。だが、もし進化のスピードを速めることができるとしたら？」

「どうやってそんなことを？」

「見せてあげよう」

トンネルの行く手を分厚い鋼鉄製の扉が遮っている。カッターは首にかけたキーカードを取り出した。「環境保護は今ある生物を維持することではなく、次に訪れるものを育むことに焦点を当てるべきだ」

「しかし、どうすればこれから訪れるものを知ることができるのだ？」

「我々が作り出せばいい。我々がこの新たな創世記に向けて進化を導くのさ」

　ケンドールは啞然として言葉を失った。

　カッターがカードを通すと、太いボルトがゆっくりと動き始めた。

「そんなことは不可能だ」ケンドールは小声で言い返したものの、自分の耳にもその言葉が虚しく響く。遺伝子操作とＤＮＡ合成の技術は、すでにその一歩手前の域にまで達している。

「不可能なことなどない」カッターは反論しながら扉を引き開けた。「もはや不可能ではない」

　薄暗いトンネル内にまばゆい光が差し込み、肥沃な土壌と朽ちた木の葉の濃厚な香りとともに、数種類の甘い芳香が漂ってくる。光と新鮮な空気に引き寄せられるかのように、ケンドールはカッターに続いてトンネルから出て、断崖の側面から突き出た金属製の足場の上に立った。

　格子状の足場を踏む靴音を聞きながら、ケンドールは青空を見上げた。足場は巨大な陥没穴と思しきものの入口から約五メートルの位置にある。壁面はいくつにも区切られたテラス状の庭園になっていて、ラン、アナナス、つる植物が生い茂り、ありとあらゆる色合いと大きさの花が咲き乱れている。それぞれの庭園は内側の壁に沿って螺旋状に延びる通路でつながっていた。

電動式のゴルフカートがその通路を音もなく上りながら、ケンドールのいる場所に向かってくる。カートが近づくと、通路上のゲートが自動的に開いた。ゲート脇のフェンスには、黄色い三角形に黒い稲妻をあしらった標識がかかっている。各階層を区切るフェンスには電気が流れているということだろう。

つかの間の驚嘆の念に不安の影が差す。

隣に立つカッターは、自らの幻想的な庭園に生えた雑草を探すかのように、近くの壁面を目で追っている。「ああ」ようやくカッターが口を開いた。「あそこだ。君も自分の目で見るといい」

カッターは足場の手すりに設置されたゲートを開き、急な金属製の階段を使ってこの階層に通じている石の通路まで下りた。ケンドールもその後を追いながら、穴の中心部をなるべく見まいとした。かなりの深さがあるため、底まで見通せそうもない。朝の太陽がまだそれほど高く昇っていないからなおさらだ。それでも、巨大な木々が存在しているらしいことは確認できた。おそらくブラジルの熱帯雨林の一部が、穴の底に閉じ込められた状態になっているのだろう。

ケンドールは慎重な足取りで、鉄製の階段から古い砂岩を削って造った通路に下りた。

通路の端から離れ、大きく口を開けた断崖とはできるだけ距離を置く。断崖の壁側は一段高くなっており、その先は十メートルほどの奥行きがある。断崖に沿ってテラス状に設置された庭園の奥は、まるで流れ落ちる緑色の滝のように壁面に密生した植物と一体化している。段の上の植物の間には狭い通路が渡されている。一見したところ、有機栽培の野菜を育てている畑のようだが、ケンドールはここで育てられているものがはるかに不気味な、有機栽培とはほど遠い何かに違いないという予感がした。

ふと見ると、親指ほどの体長のある脚の長いアリが、畑の端を一列になって歩いている。

「パラポネラ・クラヴァタ」カッターが学名を口にした。「一般にはサシハリアリの名前で知られている。このちびの名前は刺された時の痛みがあまりにも激しいことに由来する。シュミット刺突疼痛指数でも最上位にランクされているほどだ。実際に刺された人の話では銃で撃たれたかのような痛みで、しかも約二十四時間続くそうだ」

ケンドールは後ずさりした。

「毒の量を二倍にすることに成功したよ」

ケンドールはカッターをにらみつけた。

「ここのアリに刺されると、体が麻痺（まひ）して耐えがたい痛みに襲われる。ここで働く人間の一人がうっかり刺されてしまってね。歯を食いしばって痛みに耐えているうちに、奥歯が砕けてしまったほどだ。でも、それだけではない。もっと近寄って見てごらん」

〈遠慮させてもらう〉

ケンドールはその場から動かなかった。

カッターは折れた枝を拾い上げた。「サシハリアリは――まあ、アリ全体がそうなのだが、ミツバチやスズメバチと同じハチ目に属しているものの、空を飛ぶことができない」

カッターが枝の先で突くと、仲間から離れてうろついていた一匹の赤黒い色のアリが、それまでまったく見えなかった小さな透明な羽を広げた。十センチほど飛行して仲間の間に着地すると、その動きに反応して群れが騒ぎ始める。

「こいつらに羽を戻してやるのは簡単だった」カッターは説明した。「オオベッコウバチの遺伝子を接合しただけさ。何しろその二種は同じ遺伝的な特徴を持っているのだから」

「君はキメラを生み出したのだな」ケンドールはかろうじて声を絞り出した。「遺伝的なハイブリッド種を」

「その通りだ。まだ完全な飛行能力を取り戻すまでには至っていなくて、君が見たように羽ばたいて少し浮かぶ程度だが、時間と環境の後押しを与えてやれば、自然が残りの作業を引き継いでくれる。遺伝子をもらった仲間のハチのように、苦もなく飛行できるようになるはずだ」

「方法は?」ケンドールは口ごもりながら訊ねた。「どうやってこんなことができたんだ?」

「それほど難しい話ではないよ。私と同じように、君も今の時代の科学技術には詳しいはずだろう？　意志と設備があれば、監視や規制の目の届かない場所があれば、いいだけのことだ。すでに君も見たように、私の研究所には最新のＣＲＩＳＰＲ／Ｃａｓ９技術を使用できる機器がいくつも備わっている。もちろん、私の手でさらなる改良を加えてあるがね」

とてもじゃないが穏やかとは言えない情報だ。ＣＲＩＳＰＲ／Ｃａｓ９を使用すれば、一冊の百科事典の中の文字を一カ所の誤植もなく編集するような正確さで、ゲノムの好きな箇所を改変することができる。

「ジョージ・チャーチが開発したＭＡＧＥとＣＡＧＥについても、当然知っていることと思うが」

ケンドールは両脚から血の気が引いていくように感じた。ＣＲＩＳＰＲ／Ｃａｓ９と同じように、この二つの新技術――多重自動ゲノム工学法（ＭＡＧＥ）と接合集合ゲノム工学法（ＣＡＧＥ）も、しばしば「進化の機械」の異名で呼ばれる。ＭＡＧＥとＣＡＧＥのゲノム編集技術はまさにその呼び名にふさわしく、何千もの遺伝子変化を同時に行なうことができる。数百万年に及ぶ進化を数分間で再現することも可能だ。

ＭＡＧＥとＣＡＧＥは合成生物学を一変させ、新たな高みにまで引き上げる力を秘めている――だが、その高みは我々人間に何をもたらすのか？

ケンドールは恐怖に怯えながら大型アリの行列を見つめた。

そんなケンドールの反応を見て、カッターは小枝を指でいじりながら落胆したような表情を浮かべた。「君が去年書いた論文を読ませてもらったよ。失われた種を復活させる道具として、ＭＡＧＥとＣＡＧＥを使用するべきだと主張していたやつだ」

カッターの言う通りだった。新たなゲノム編集技術は大きな可能性を秘めている。研究者は現在生きている動物から完全なゲノムを抽出した後、ＤＮＡの編集と改変作業を行ないながら、絶滅した関連種のゲノムへと徐々に変えていくことができる。

「ゾウの遺伝子をもとにして、ケナガマンモスを復活させることができるかもしれない」

ケンドールはつぶやいた。

これは理論的に可能だという話にとどまらない。あるロシア人の研究者はシベリアに実験的な保護区――「更新世パーク」をすでに創設しており、近いうちに復活するはずのケナガマンモスをそこで放し飼いにしたいと考えているそうだ。

「君があの論文で使用していた言葉は、『脱絶滅』だったかな」カッターの口調には軽蔑(けいべつ)が込められている。「実に嘆かわしい話だ。そんな狭量な保護主義的方針に対して、あのような有望な技術を使用するというのだからね。君が行なっていることは、人類が引き起こした被害への自然の対応能力を妨げているだけじゃないか」

「それなら、これが君の答えだというのか？」サシハリアリの行列を指し示しながら、ケンドールは小馬鹿にした口調で返した。

「壮大な計画のほんの一部にすぎない。君や君の同僚たちが過去に拘泥し、救済のための脱絶滅を目指している間に、私は未来に目を向け、来たるべき事態に再野生化の計画で備えていたんだ」

「再野生化？」

「キーストーン種――つまり、環境に最も大きな影響を与える動植物の野生復帰だ」

「その一つがこのアリなのだな」

「私は生物を――私が作り出したすべての生物を、遺伝子操作によって強くし、我々人間が滅んだ後も生き続けられるような手段を備えさせた。あと、ちょっとした新機軸も付け加えさせてもらったよ」

カッターが再び小枝を差し出すと、一匹のアリが枝の先端によじ登り始めた。アリが枝を握る手に近づく前に、枝ごと近くのプランターに投げ入れる。アリはアナナスの大きな葉の上に着地し、茎に向かって葉の上を横切り始めた。怒りを表すかのように羽を震わせている。

すると、アナナスの葉の気孔から光り輝く泡が噴き出し、アリの体を濃いゼラチン状の物質で包み込んだ。アリは必死にもがいたものの、数秒もしないうちに脚が溶け始め、間もなく体全体も消滅してしまう。その後、粘り気のある泡が見る見るうちに液体となり、葉の内側を伝って茎から根に垂れていった。

「食虫植物のモウセンゴケの遺伝子を組み込んだのさ」カッターは説明した。「同時に、消化酵素の働きも強化しておいた」

眼下に広がる薄暗い庭園を見回しながら、ケンドールは胃に不快感を覚えた。「ほかにどのくらいいるのだ?」

「数百種だ。だが、これはまだ第一弾にすぎない。改変したそれぞれの遺伝子をつなぎ合わせて、レトロトランスポゾンの配列を作る段階に入っている」

ケンドールはカッターの計画の真意をつかみ始めていた。レトロトランスポゾンは「動く遺伝子」との異名を持っており、これは種をまたいで転移する「遺伝子の水平伝播」と呼ばれる能力を持っていることから付けられた名称だ。遺伝学者たちは、種の境界を越えて特徴を伝えることのできるこうした動く遺伝子が、進化の大きな原動力だと考えるようになってきている。畜牛のDNAに関する最近の研究によると、畜牛のゲノムの四分の一はツノクサリヘビに由来することが判明した。母なる大自然は何百万年にもわたって遺伝子の交換を行ない、はるか昔からハイブリッド種を生み出していたのだ。

しかし、それはもはや自然だけの特権ではない。

「君の言っていた進化の加速というのは、このことだったのだな」ケンドールは思いを声に出した。「動く遺伝子が持つこうした特性を利用して、君が作り出したものを広範囲に拡散しようと目論んでいるのか」

「風に乗って運ばれる種子のようなものさ。一つのハイブリッド種が二つになり、二つが四つになる。そうした遺伝子の交換が行なわれる過程で、どのような新しい種が誕生するか想像できるかい？　どんな新しい組み合わせが生まれるだろうか？　我々の手によるこの傷ついた世界が、新たな生存競争の場となるのさ」

ケンドールの頭の中に、熱帯雨林から世界に燃え広がる地獄の業火が浮かんだ。

〈カッターがすでにそこまで実現させているのなら、なぜ私が合成した頑丈な殻を必要としているのだ？　その中に何を入れようと企んでいるのだ？〉

狂気に取りつかれたこの男の計略には、もう一つの段階があるに違いない。

「新たなエデンが呼んでいる」カッターの声は高揚感に満ちあふれている。「我々は新たな世界の入口に立っている。生きているうちに最期まで見届けられるような、劇的な創世記が幕を開けようとしている。それを君と分かち合いたいんだ。実現のために力を貸してくれるね？」

強い決意に燃える男を目の前にして、ケンドールにできることは一つしかなかった。この男を阻止するためには、自分が生き延びなければならない。

「わかった……手を貸そう」

午前八時四十四分
ブラジル　ボア・ヴィスタ

「彼女の後を追わないと」そう言いながら、ドレイクが銃撃戦の惨状が生々しく残る店内を横切って近づいてきた。二人の海兵隊員も一緒だ。

　ペインターは生存者の一人である若いウエイトレスの傍らにひざまずいていた。銃弾が貫通した脇腹からの出血を止めようと、タオルを押し当てているところだ。ペインターの肩の裏側も、銃弾で肉をえぐられたため焼けつくように痛む。すでにマルコムから、バックパックの中の救急キットに入っていた包帯を巻いてもらってある。

　三人の海兵隊員はカフェの裏口側の通りを捜索したものの、ジェナの姿は見当たらなかった。

　ドレイクの声からにじみ出るいらだちは、ペインターの気持ちと同じだ。

　遠くから聞こえるサイレンの音が、この場所に近づきつつある。地元の警察に対応していたら、貴重な時間がさらに失われてしまう。

　カウンターの奥からうめき声が聞こえた。

〈ようやくお目覚めのようだな〉

ペインターは作業を代わるようシュミットに合図した。「この女性の止血を頼む」

海兵隊員が指示に従うと、ペインターは声がした場所に近づいた。床に寝かされた男が顔を上げる。その両手は後ろ手に縛られている。男の容貌は血に濡れた覆面の下に隠れて見えない。銃撃戦の最中にジェナが気絶させた男だ。ジェナを拉致した人間は、急いでいたためにこの男が死んだものと思い込んだのだろう。これだけ出血しているのだから、それも無理はない。

ペインターは男に歩み寄り、覆面を剝ぎ取った。男があげる苦痛の叫びに、かすかな満足感を覚える。折れた鼻から大量の血があふれ出た。両目は大きく腫れ上がり、ほとんどふさがってしまっている。

「こいつを連れていけ」ペインターはドレイクに指示した。

サイレンの音がさらに大きくなる。

ウエイトレスの方を見ると、シュミットが腹部にきつく包帯を巻き終えたところだ。彼女はどうにか助かるだろう。

「行くぞ」ペインターは三人に対して外に出るよう合図した。

ドレイクとマルコムが意識の朦朧とした敵を引きずりながら裏口に向かった。SUVは裏口側に停めてある。素早くこの場を離れられるように、あらかじめ海兵隊員が車を回しておいたのだ。

ドレイクが男を後部座席に乱暴に押し込んだ。「こいつがしゃべらなかったらどうします？」

ペインターは拳を使って座席に垂れた男の血をぬぐった。「しゃべってもらう必要はないかもしれない。だが、こいつの協力は必要だな」

21

四月三十日　太平洋夏時間午前六時二分
カリフォルニア州ハンボルト＝トワヤブ国立森林公園

〈頑張って、ジョッシュ……〉

リサは患者隔離室の中で座り心地の悪い椅子に腰掛けていた。弟の手を握りながら、手袋を外してじかに触れてやりたいという思いばかりが募る。すぐ目の前にいるのに、二人の間には大きな溝が存在しているかのような気分だ。しかも、姉と弟を隔てるのはポリエチレン製の防護服だけではない。薬による昏睡状態のせいで、ジョッシュは遠くに連れ去られてしまったも同然だ。ちょっといらっとさせられる笑い声も、気の利いたジョークも、可愛い女の子を前にして恥ずかしそうに頰を赤らめる姿も、断崖からロープ一本でぶら下がっている時に浮かぶ眉間(みけん)のしわも。

すべて消えてしまった。

数分前に容体が急変したため、ジョッシュには人工呼吸器が装着された。吸い込む息は信じられないほど浅く、不自然なまでに一定だ。ベッド脇に置かれたモニターから、カチッという機械音、ブーンという作動音、ビーッというブザーの音が聞こえる。精力的に人生を満喫していたジョッシュが生きている証は、今やその音だけしか残されていない。

防護服の中の無線が作動する音で、リサは我に返った。さらなる悪い知らせだろうかと身構える。その時、懐かしくうれしい声が耳に飛び込んできた。リサはジョッシュの手を強く握り締めた。弟に対して戦い続けてと促すかのように、ペインターが助けてくれるからと伝えるかのように。

「リサ」ペインターが切り出した。「何とか持ちこたえているか？」

〈もう限界もいいところよ〉

不意に両目から涙がこぼれ、頬を伝った。けれども、ぬぐうことができない。リサは何度か息を吸い込み、声から涙を悟られまいとした。

「こっちは……こっちの状況はよくないわ」リサは必死に平静を装いながら答えた。「一時間ごとに状況が悪化している。すでに聞いているかもしれないけど、リンダールは核爆弾を山間部に運ぶように命令を出したわ。現在輸送中で、今日の午前中には到着する予定よ」

「彼を思いとどまらせる方法はないのか？」

「ないわ。夜明けの時点で調査官が汚染地域の地図を作成したの――はっきりとした被害が出ている範囲の地図、ということだけど。夜の間の報告に基づいた予想よりも悪い状況ね。生物は今もなお拡散中で、リンダールの言う限界点、つまり核という選択肢をもってしても効果がないかもしれない範囲にまで近づいているの。核科学者たちは最大レベルの致死量をもたらすために必要な弾頭の爆発力と放射線量を今も計算しているところ」

リサは疲れ果てていたものの、力を振り絞りながら差し迫った状況を訴えた。「この核計画の進行を阻止するための答えが必要なのよ。解決策の望みだけでもいいから」

リサはジョッシュの顔を、血の気の失せた顔色を見つめた。

〈お願いだから〉

「期待の持てる手がかりがつかめたかもしれない」そう返事をしたものの、ペインターの声はどこかためらいがちで、明らかに何か気がかりなことがある様子だ。ペインターはブラジルの最新情報を手短に教えてくれた。

ペインターが話を終えた時、リサはいつの間にか椅子から立ち上がっていた。「ジェナが誘拐された……」

リサはジョッシュの手を離し、格納庫の反対側に設置されたBSL－4の研究室の方を見た。向こうにいるニッコの容体も、ジョッシュと同じく芳しくない。血漿（けっしょう）と血小板の点滴を行なっているが、刻一刻と死が近づいているとしか思えない状態だ。実際、ドクター・エドムンド・デントの超人的とも思える努力がなかったら、あのハスキーはすでに死んでいたかもしれない。ウイルス学者は持てる知識と設備を総動員して、ニッコとジョッシュの命を支えてくれていた。エドムンドは患者の体内のウイルスを減らすことはできずにいるものの、彼の治療により臨床症状の進行速度が抑えられているように思える。

ペインターが希望の光を提供した。「ボア・ヴィスタ市内にある研究施設に向かっているところだ。ロライマ大学が運営している施設で、ジェノグラフィック・プロジェクトに参加している。そこでは何年にもわたってブラジルの様々な先住民の遺伝情報を収集していて、染色体マーカーを用いながら移動パターンを計算したり、数多くの部族の下位集団の調査を行なったりしている。膨大なデータベースが蓄積されているから、我々が拘束した男の血液サンプルがあれば、男の所属する部族を突き止められるかもしれない」

「突き止めてどうするの？」

「モノ湖近くのゴーストタウンでジェナが撮影した襲撃者の写真を覚えているか？」

「ええ」

「ここで我々を襲撃したグループも、同じ部族の人間と思われる。カッター・エルウェスは熱帯雨林の奥深くでその部族に溶け込み、意のままに動かして我々を襲わせたのではないだろうか？　もしその部族を突き止めることができれば、エルウェスを発見できる……うまくいけば、ジェナとケンドール・ヘスも発見できるかもしれない」

リサは疲労困憊（こんぱい）の暗闇の中に、一条の希望の光が差し込んだかのように感じた。体を震わせながら、大きく深呼吸をする。「絶対に何か見つけて」リサは訴えた。「リンダールに突きつけて計画を阻止できる、あるいは遅らせることのできる何かを」

「最善を尽くす」

「わかってるわ。愛しているから」

「こっちもだ」

そんな中途半端な返事では満足できない。「ちゃんと言い直して。はっきりと聞こえるように」

ペインターの笑い声に、リサの心の中の一条の光がさらに明るさを増す。「若い男たちの前では嫌だな」

ドレイクと仲間の海兵隊員の顔を思い浮かべたリサは、いつの間にか自分の口元に笑みが浮かんでいたことに気づいた。ペインターの顔にも同じ笑みが浮かんでいることは、その声からわかる。

「わかったよ」ペインターが言った。「私も君を愛している」

別れを告げて会話を終えたリサは、気力がみなぎり、何でもやってみせるという気持ちになっていた。再び無線が入る。ペインターが何かを言い忘れたのだろうか。もう一度、彼の声を聞くことができるかもしれない——そんな期待がふくらんだリサの耳に聞こえてきたのは、エドムンド・デントの声だった。

「リサ、すぐに君の研究室まで戻ってきてくれるか?」

「どうしたの?」リサは格納庫の反対側に視線を向けた。「ニッコの具合が悪くなったの?」

「この坊やのために血漿の入った点滴用の袋を取り替えていたら、こっちのチームに向けたリンダールの無線の声が聞こえてきた。あいつは核の調査チームの実験台にニッコを使用する気らしい。細胞の奥深くに入り込んだウイルスに対する放射線の影響を調べ、体内に潜むそいつを殺すのに必要な放射線量を計算するつもりだ」

「ニッコに放射線を照射しようというの?」

「徐々に放射線量を増やしながら、腎臓と肝臓の生検を行ない、どれだけの放射線量があればウイルスを根絶できるかを突き止めようという考えらしい」

さっきまでの希望の光が、激しい怒りの炎に一変する。ジェナは命の危険も顧みずに作戦に協力してくれたというのに、彼女がいない隙に犬を苦しめ、殺そうとするなんて。

〈絶対に許さない〉

リサは隔離室のエアロックに走った。

「急いだ方がいいぞ」エドムンドが警告した。「たった今、無線からリンダールの新しい指示が聞こえてきた」

「今度は何?」

「海兵隊の警備チームに対して、君が抵抗する場合には研究室に入れさせないようにと命令している」

〈人でなしめ……〉

リサはエアロックの扉を引き開け、除染手順を開始した。噴射された液体が防護服の外側を洗浄している間、解決策を、ニッコを救うための方法を、必死で探す。緑色の光が点灯して手順の終了を告げ、エアロックから出られるようになるまでに、リサは一つだけ可能性を思いついた――自分の身にも危険が及びかねない計略だ。

けれども、リサはその可能性に賭けることにした。

ニッコのために……

ジェナのために……

二人にはそれだけのことをする借りがある。しかし、エアロックの外に出て、薄暗い格納庫の向かい側にあるＢＳＬ‐４の研究室群に向かって歩き始めるとともに、不安が頭をもたげてその決意を揺るがす。

ニッコにはあとどのくらいの時間が残されているのだろう？　私たちにはあとどのくらいの時間が残されているのだろう？

一つだけ断言できることがある。

誰かが答えを見つけなければならない――それもできるだけ早く。

22

四月三十日　グリニッジ標準時午後一時三分
南極大陸　ドローニング・モード・ランド

「このままここでぶら下がっているわけにはいかないぜ」そうつぶやくコワルスキは、今にもゴンドラの壁を蹴飛ばしそうだ。

グレイも大男と同じ不安を覚えていた。暗視ゴーグルを調節しながら、空中に停止した小さな乗り物の外に広がる地形を調べる。ゴンドラは洞窟の床から地上四階ほどの高さで宙吊りになった状態だ。真下に見える川岸の岩を暗い水が洗っている。元来た道を引き返すことはできないし、ゴンドラの下部に設置された赤外線の光は前方のあまり遠くまでは届かない。石化した木々が数本、相変わらず天井を支えるかのように伸びているのが見えるだけだ。

あの暗闇の先にはどんな恐怖が待ち構えているのだろうか？

ここから見えるだけでも十分に恐ろしいのだから。

ゆったりと流れる川の中では多くの生物がうごめいていた。水面から時折、滑らかなひれが突き出す。浅瀬を悠然と歩く大きな動物はカメの甲羅に似た背中を持っていて、その頭部にはステゴサウルスの尾の部分にあるようなとげが付いている。ワニに似た動物が藻に覆われた川岸を腹這いでくねくねと移動し、この大型の侵入者をよけながら水中に姿を消す。川岸のもっと高い地点に目を移すと、親指よりも少し大きいくらいの体を持つコウモリに似た鳥が群れを成している。いくつもの小さな渦を巻きながら飛び交う姿は、まるで巣から煙が立ち昇っているかのようだ。グレイの目が慣れてくると、より細かい部分も見えるようになってきた。岩を覆う藻の一部から苔のような植物が育っている。ハエに似た小さな虫が石化した木々の幹のまわりに集まっている。岩肌を這い上がる青白いナメクジが通り道に残す光の跡は、誰かがゆっくりと落書きを描いているかのようだ。

ステラが父親に話しかけて注意を促した。「彼の言う通りだわ」そう言いながら、コワルスキを見てうなずく。「ここにとどまっているわけにはいかない。ディラン・ライトは私たちの居場所を知っているし、裏口を目指していることも知っているはず。今頃は表側の基地から地中貫通爆弾を解除できなくなったことにも気づいているだろうし。ゴンドラを戻すことに失敗したら、次はここに部隊を派遣するに決まってるわ」

「こんな地獄の底にまで?」ジェイソンが信じられないといった表情を浮かべて訊ねた。

「我々のCAATを使用できる」ハリントン教授が沈痛な面持ちで答えた。「陸上を移動すればいいのだ。距離は二キロもないわけだからな」

〈だが、ここから裏口までは四キロ以上ある〉グレイは思った。

教授は娘の肩に腕を回した。恐怖と懸念が顔のしわに深く刻まれている。ステラも不安でたまらない様子で、父親にそっと体を寄せた。

次第に光が暗くなってきた。最初、グレイは恐怖のせいで視界が狭まっているのかと思ったが、コワルスキも何やらぶつぶつ言いながら暗視ゴーグルを指先で叩いている。

「滑車ケーブルからゴンドラを外した時点で」ハリントンが説明した。「天井沿いに通じている送電線との接続も切れてしまった。今はバッテリーで電気をつけている」

「バッテリーが持つ時間は？」

「せいぜい二時間だろう」

グレイはかすかに頭を一振りした。真っ暗な中でじっとゴンドラ内にとどまり、ディランのチームに発見されるのをただ待っているわけにはいかない。

「ドイツの潜水艦はどうでしょうか？」ジェイソンが提案した。「二百メートルほど戻るだけです。あそこまでたどり着く方法はないんですか？　潜水艦の内部に隠れればいいんですよ」

グレイはハリントンの顔を見た。「可能ですか？　このゴンドラから外に出る方法は？」

ステラが父親の手から離れ、床に設置されたハッチに近づいた。ハッチを引き開けると、中には金属製の折りたたみ式の梯子が収納されている。「あの赤いレバーを引くと、下の非常脱出口が開き、梯子が使えるようになるの。地面まで届く長さがあるわ」

「地面に下りるなんて、冗談でもやめてくれ」コワルスキが反応した。

ハリントンもコワルスキと同意見のようで、心配そうな顔で娘のことを見ている。だが、やがて意を決したかのように、壁のキャビネットの扉を開いた。中にはライフルのような武器が三挺、積み重ねられているが、その銃身は12ゲージのショットガンの二倍の太さがある。

「DSR」ハリントンが説明した。「スティック型指向性音響アンテナだ。製造元はアメリカン・テクノロジー・コーポレーション。銃身内にある何枚ものディスクがパルスを増幅させ、音の銃弾とも言うべきものを発生させる」

コワルスキが鼻を鳴らし、小声でつぶやいた。「本物の銃弾の方がありがたいんだがな」

ハリントンはコワルスキの言葉を無視した。「DSRは拡声器のように声を増幅して伝えることも、あるいはその反対に指向性マイクのように遠くの音を拾うこともできる」ハリントンは銃身の上に取り付けられたスコープのような部分を指で叩いた。「ここで使用する場合に備えて、携帯型の赤外線ライトを装着してある」

「この音響ライフルで身を守ることができるのですか？」グレイは訊ねた。

「たいていの場合は大丈夫だ。大型のＬＲＡＤほどの威力はないが、ここに住む生物のほとんどはこいつを浴びると大あわてで逃げていく。ただし、撃つ側も気をつける必要がある。反動がかなり強いので、踏ん張っていないと尻もちをついてしまうぞ」

グレイはキャビネットに歩み寄り、武器を手に取ってじっくりと調べた。確認を終えるとコワルスキに手渡そうとしたが、ガラガラヘビを差し出されたかのような表情を浮かべて受け取ろうとしない。代わりにジェイソンが武器をつかんだ。

ステラも自分用の武器を確保した。

「娘は射撃の名手でね」ハリントンが自慢げに説明した。「だが、私はこれを使おうとすると頭痛がするのだよ」

グレイは残った最後の一挺をつかみ、ストラップに腕を通して肩にかけた。

だが、武器はそれだけではなかった。ハリントンはゴンドラの下部にある運転席のような部屋に通じるガラス製のハッチを開けた。床に両膝を突き、ハッチの下に両手を伸ばす。

教授が重たそうに抱え上げたのは、より見慣れた形状の武器だった。

「さっきの君の意見はちゃんと聞こえたよ」ハリントンはコワルスキに向かって言った。「これなら気に入ってくれるのではないかな」

コワルスキはにんまりと笑いながら、教授の手からM240機関銃を受け取り、まるで赤ん坊を抱っこするかのように両手で抱えた。続いて教授の隣に片膝を突くと、7・62×51ミリNATO弾の長い弾帯を引っ張り出して両肩に回した。不気味なスカーフのように見えなくもない。

コワルスキは立ち上がり、得意げに胸を張った。「こうでなくっちゃな」

折りたたまれた梯子を見つめるジェイソンの目つきからは、ここからの脱出計画に不安を覚え始めている様子がうかがえる。「じゃあ、ドイツの潜水艦に向かうわけですね?」

「そうじゃない」グレイは答えた。「発見された場合、潜水艦内で身動きが取れなくなってしまう。たとえライトに気づかれずにすんだとしても、彼のチームが先に裏口まで到達するのを防げない」

「だったら、どこに向かうんですか?」ジェイソンが訊ねた。

グレイの頭の中にウィンストン・チャーチルの名言が浮かんだ。

〈地獄を見ている時はそのまま突き進め〉

グレイは前方を指差した。「第二基地に向かうことにする。裏口を目指すんだ」

コワルスキの顔から笑みが消え、いつものしかめっ面になった。「どうやってそこまで行くんだよ?」

グレイにもその答えはわからない——だが、別の声が答えを提供した。

「方法ならある」そう答えるハリントンだが、決してうれしそうではない。「ただし、そのためにはある程度の距離を歩かなければならない」

午後一時二十二分

五感を通して地獄が急に現実味を帯びてきた。

ジェイソンは肩にかけたDSRを背中側に回し、揺れる梯子の踏み段を慎重に下りていた。ゴンドラの外に出てからずっと、厳しい現実に全身をすっぽりと包み込まれたかのような気分だ。

息を吸い込むたびに、この世界の地下で起きている火山活動によって発生する硫黄のにおいが鼻をつく。舌の奥に不快な味がつきまとう一方、湿気のある高温で肌は焼けるように熱く、全身から玉のような汗が流れ落ちる。無音だと思っていた世界も、耳を澄ませば何かがきしるような高い音、しわがれ声に似た低い音、岸を洗う流れの音が聞こえる。絶え間なく聞こえるかすかなブーンという音は、虫の鳴き声のようにも思えるし、ここの生物の発する超音波が洞窟の壁に当たって跳ね返っている気配のようにも感じる。

歯がうずき、首筋の毛が逆立つような感覚は、その超音波のせいなのか——それとも、単に恐怖のせいなのか。

ジェイソンは両足の下に目を向けた。グレイとコワルスキはすでに川岸の岩の上に立っている。二人とも各自の武器を構えていた。暗闇の中に光を投げかけているのは、グレイのＤＳＲの赤外線ライトだ。機関銃を抱えたコワルスキが肩にかけた弾帯は、地面に届くほど長い。

ハリントンが梯子の最後の踏み段を下り、グレイとコワルスキの隣に並んだ。三人は小声で話をしている。教授からは事前にこんな指示があった。〈永遠の闇に包まれたこの世界では、音が視覚の代わりになる〉

そのため、ここでは音響兵器が非常に効果的なのだという。

〈本当に効果的ならいいんだけど〉

ジェイソンは肩から下げたＤＳＲをしっかりと確認してから、揺れる梯子を再び下り始めた。下を流れる川に視線を向ける。この高さからだと、落ちても川の中なら助かるかもしれない——問題は、その川から生きて出られるかどうかだ。

ゴンドラを後にする前、ハリントンからはもう一つ忠告があった。〈何があろうとも水に入らないこと〉

この地下の生態系は、川とそれを取り巻く湖を中心に成り立っている。頭上の分厚い氷河が地熱活動によって融けた水に端を発するこの流れは、南極大陸の地下を伝ってどこへともなく通じている。

ゴンドラが停止する前に、教授はこの原始の世界に関して詳しく解説してくれた。ここの生物の多くは水陸両生で、かたい地面と流れる川や湖との境界線に生息しているという。

多くの場合、そのライフサイクルには両極端とも言える二つの段階がある。幼体の時は川岸の岩の上で暮らして成体になると水中に移動する、あるいはその逆という形だ。

ハリントンによると、ここの生態系は石炭紀のまま時間が止まった状態にあるという。石炭紀は地表の大部分が湿地と森林で覆われていた時代だ。ここの生物のたどった進化の道筋には、その時代との類似点があるらしい。ただし、外部から完全に隔絶されたこの世界は、パンゲア超大陸の分離や隕石の衝突によって地上の世界にもたらされた大きな変化を経験することなく、よどんだ状態のまま留め置かれていた。そんな中でも、極めて適応力の高いＸＮＡの遺伝子が、この洞窟群内で暮らす生物の創意工夫の能力を引き出したのだ。

下から小声が聞こえてきた。ハリントン教授がまたしても注意を与えている。どうやらコワルスキに向けた警告のようだ。

「君の銃は気をつけて扱ってくれたまえ」教授が伝えた。「音以外で強い誘因となるのはにおいで、特に血のにおいには敏感だ。大きな発砲音がとどろき、銃弾で生物が傷を負って血を流したりすれば、餌の奪い合いで大騒ぎになる」

ジェイソンは餌に群がって激しく暴れるサメの姿を思い浮かべた。

「右に注意」ステラの静かな、それでいて緊迫感の伴った声を耳にして、ジェイソンは言われた方向に注意を移した。

最初は特に脅威が存在するようには見えなかった。二十メートルほど離れたところに、石化した木の巨大な幹があるだけだ。その時、かすかな動きがジェイソンの目に留まった。あたかもそよ風に運ばれているかのように、何かが幹の周囲を漂っている――しかし、ここには風など吹かない。ジェイソンは片腕を梯子の踏み段に巻き付けると、もう片方の手でDSRを体の前に回し、赤外線ライトのスイッチを入れた。円錐形の明るい光線が、ステラの鋭い目がいち早くとらえたものを照らし出す。

木の周囲に漂っていたのは細長い虫の群れで、その群れが二人の方に向かって空中を移動していた。虫はそれぞれが艶のある糸をパラシュート代わりにして浮かんでいる。ジェイソンは子グモや毛虫の一部にこれと似た方法を使う種類がいることを知っていた。これは「カイティング」または「バルーニング」と呼ばれ、風あるいは地球の静電場を利用して空を飛ぶ方法だ。

そんな虫の飛行隊が、二人に近づきつつある。

「もっと急いで」ステラが促した。

この場所の経験豊かな彼女の判断を信じて、ジェイソンは指示に従った。DSRを再び背中側に回し、素早く梯子を下り始める。何を探せばいいのかわかったため、迫りくる脅威を目で追うことができる。

上ばかり気にして梯子を下っていたジェイソンは、群れから先行して移動していた一匹の斥候を見逃してしまった。細長い虫が頬に触れたかと思うとくっつき、それと同時にタバコの吸い殻を押しつけられたかのような熱を感じる。ジェイソンは苦痛の叫び声が漏れそうになるのをこらえながら引き剝がそうとしたが、艶のある糸が瞬間接着剤のような粘り気で虫を頬にぴったりと固定してしまった。

ジェイソンは指先に力を込めた。

「放っておいて！」さっきよりも大きなステラの声が聞こえた。ジェイソンのすぐ上にいる。「梯子を下りないと！　早く！」

焼けつくような痛みで目に涙がにじむ中、ジェイソンは手を梯子に戻した。急いで地面を目指す。ジェイソンの後から続くステラの体のすぐ上で、浮遊する塊が脱出用の梯子にぶつかった。糸と虫が鋼鉄に絡みつき、びっしりと梯子を覆う。踏み段やケーブルの数カ所から煙が立ち昇る。虫の発する腐食性の酸が金属と反応しているのだ。

梯子を支えるケーブルは何本ものワイヤーをきつく撚り合わせてできているが、そのうちの一本のワイヤーが大きな音とともに切断された。

〈うわっ、まずいぞ……〉

ジェイソンは半ば滑り落ちるかのように勢いよく梯子を下り始めた。まだ地上まで十メートルはあろうかというあたりで、再びステラの声が聞こえた。

「左！」

切迫した調子の声に反応して、ジェイソンは片手で武器をつかみながら体をひねった。大きな何かが近くの石化した木から飛び立ったところだ。先に下りた三人の動きに引き寄せられ、じっと身を潜めたまま待ち構えていたのだろう。

飛び立った生物が翼を広げ、その正体を現した。

ハスタクス・ヴァランス。

空飛ぶ槍。

鋭いくちばしの先端をジェイソンの胸元に向けて、見る見るうちに距離を詰めてくる。ジェイソンはＤＳＲの引き金を引き、音の銃弾を発射した。衝撃波がハスタクスを直撃する。ハスタクスは甲高い鳴き声をあげると同時に羽ばたきをやめ、旋回しながら梯子から離れていった。

槍をかわすことはできたものの、銃の反動でジェイソンは危うく梯子から落下しそうになった。片足が踏み段から外れたものの、片手の指に力を込め、何とか梯子の上にとどまる。下に目を向けると、反動で大きく揺さぶられた梯子の先端が岸から外れ、水に浸かってしまっている。ジェイソンとステラの体は川の上空に位置していた。

ジェイソンは息をのみ、振り子のように揺れる梯子が川岸の上に戻るのを待った――次の瞬間、梯子の左側のケーブルが切断された。腐食性の酸でもろくなっていたところに、急に揺れた負荷がかかったせいだろう。

激しく揺さぶられたジェイソンは、両足が踏み段から外れてしまったものの、どうにか片手で梯子にしがみついた。

しかし、うまく踏みとどまれなかった者もいた。

ジェイソンの体の脇を何かが落下していく。

ステラだ。

午後一時二十四分

若い女性が大きな水音とともに川に落下し、水中にその姿が消えるのを見て、グレイは水辺に駆け寄った。

ハリントンが叫び声をあげて浅瀬に入り、娘を助けに行こうとする。

グレイは教授の腕をつかみ、コワルスキの方に押しやった。「ここにいて……俺が行きます」

しかし、グレイも遅れを取った。

落下してきた別の人影が、足から川に飛び込んだ。

ステラの後を追うかのように、ジェイソンの姿も水中に消えた。

グレイが固唾をのんで見守る中、二秒が経過する――二人がもがきながら水面に浮上した。ステラはどこか苦しそうで、口がかろうじて水面から出ているだけだ。ジェイソンが彼女の体を引っ張り上げようとしているが、何かに挟まっているかのように動かない。ステラの大きく見開いた目は、恐怖で怯えている。

ジェイソンが声をあげた。「彼女の脚に何かが絡まっている！」

グレイは音響ライフルを下に置き、体をかがめ、ブーツの鞘からダガーナイフを引き抜いた。かがんだ姿勢から勢いをつけて川に向かってジャンプし、きれいなフォームで水に飛び込む。ステラの体に巻き付いたままのＤＳＲが発する光を、暗視スコープがとらえた。その光を目指してグレイが足を蹴って水中を進むと、銀色の魚の群れが道を空けるように逃げていく。拳大の貝が触手のようなものを動かしながら、猛スピードでグレイから離れる。

グレイは水中に生息するほかの生物も、同じように怯えてくれることを祈った。

ステラのもとにたどり着いたグレイが水面下にある体をたどっていくと、葉の付いたつるのようなものがふくらはぎに絡み付いていた。深紅の血の筋がステラの脚から水中にしみ出ている。グレイは足首の近くのつるを握り、ダガーナイフを当てた。鋭い刃がつるを簡単に切断する。

自由の身になったステラが足を振り回した拍子に、グレイの側頭部に当たった。だが、パニックに陥ったステラを責めることはできない。グレイは体をひねり、水面に浮上した。

「急いでそこから離れろ！」コワルスキがわめいた。

岸に向かうステラとジェイソンの後を追いながら、グレイは川の方に目を配った。三つの大きな影が水面に浮かび上がり、体をくねらせながらグレイたちの方に向かってくる。

水中から現れた黒い触手の先端には、光る球体が付いている。

グレイは同じゼラチン状の球体が、空を飛ぶ捕食生物の翼を酸で焼き切ったことを思い出した。

ヴォリトクス・イグニスだ。

岸に達したジェイソンが、体を反転させて武器を構え、引き金を引いた。太い銃身から水が噴出し、それとともに音の銃弾がグレイの肩をかすめる。ハンマーで鐘を叩いたかのような音がグレイの頭に鳴り響いた。

しかし、耳をつんざくような爆音も、グレイを追う三つの影を食い止めることはできない。

「あの種に音波は効かない！」ハリントンが叫んだ。「走れ！」

水を吸い込んで重くなった服を引きずりながら、グレイは岸を目指した。だが、ある一つの確信が頭をよぎる。

〈間に合わない〉

グレイの必死の動きを察知したかのように、熱を持つ球体の位置が下がり、水面をかすめるように移動し始めた。

その時、新たな音が繰り返しとどろいた——今度は音響兵器の音ではない。機関銃の重厚な発砲音だ。

岸からコワルスキが撃っている。だが、狙いが高すぎる。

銃弾が光る球体や水面に浮かび上がったハンターの上を通過し、川の上空数メートルを旋回していた暗い影に命中した。梯子を下りている時にジェイソンが驚かせたハスタクスだ。ふらつきながら飛行していたところを銃弾で切り裂かれ、ハスタクスはどす黒い血を噴き出しながら落下し、三匹のハンターの間に着水した。

ヴォリトクスがハスタクスに殺到した。最初は攻撃を受けたと勘違いした防御反応だったかもしれないが、やがて血に飢えた争いに変わっていく。

その隙にグレイは岸までたどり着き、仲間と合流した。

「しばらくはあれに夢中のはずだ……残り物を狙う連中も集まってくるだろう」ハリントンが言った。「この隙を利用して、できるだけ遠くまで離れた方がいい」

「行くぞ」グレイは息を切らしながらも、コワルスキの肩をぽんと叩いて感謝を伝えた。

大男は機関銃を上に掲げ、肩に担いだ。「さっきも言ったろ、本物の銃弾の方がありがたいって」

グレイたちは一団となり、藻や苔で滑りやすくなった足もとに注意しつつ、水辺からできるだけ距離を置きながら川岸を歩いた。

銃を構えたグレイが先頭に立ち、一歩下がった両脇をステラとジェイソンが固める。ハリントンがその後に続き、コワルスキが最後尾につく。教授は足を引きずりながら歩く娘を気にかけている。ステラの右脚には葉の付いたつるが幾重にも巻き付いたままだ。ズボンのふくらはぎから下には血がにじんでいる。

「手当てをしなくてもいいんですか？」グレイは訊ねた。

ハリントンは後方を振り返った。川岸にやや突き出た岩を迂回（うかい）したところで、餌の奪い合いが行なわれている現場からは直接見えない位置に当たる。「そろそろした方がいいな」そう言いながら、教授はさらに少し先に進んだ。「ここがいい」

板状の岩を椅子代わりにしてステラを座らせると、教授は慎重につるを剝がし、皮膚に食い込んだ長さ二、三センチのとげを引き抜いた。とげは血で真っ赤に染まっている。足から剝がされたつるが手の中でうごめいても、教授はしっかりと握ったまま離さない。

ハリントンの指示に従い、グレイはステラのズボンの縫い目に沿って切り込みを入れ、ゴンドラから持ち出した小さな救急箱の中にあった消毒剤と包帯で応急手当てを施した。

「毒の心配はないんですか？」グレイは作業を進めながら訊ねた。

「それは大丈夫だ」ハリントンは手に握ったつるを持ち上げた。「スゴクス・サングイネはただのコンブだ。いくらか攻撃的ではあるがね」

「おいおい、冗談だろ」コワルスキがつぶやいた。

つるを手にしたまま、教授はジェイソンに歩み寄った。

ジェイソンは後ずさりした。

「動かないで」教授が言った。「顔を見せてくれたまえ」

ジェイソンが頬を向けると、黒い傷口がある。

ハリントンはくねくねと動くつるを持ち上げた。切り口から真っ赤な血が滴り落ちている。グレイは血に染まったとげを改めて見て、新たな恐怖を覚えた。

〈あのつるはステラの血を吸っていたのか？〉

教授はジェイソンの頭を傾けさせ、今にも垂れそうになっている深紅のしずくを傷口の上にかざした。

〈いったい何を――？〉

傷口から白い虫が這い出て、新鮮な血の方に体を伸ばした。教授はつるのとげを虫に突き刺し、全身を傷口から引き出した後、虫が刺さったままのつるを川に投げ捨てた。

ジェイソンが傷口を指で探った。顔面は蒼白だ。

「ヒツジバエを知っているかね？」ハリントンが訊ねた。

ジェイソンは首を横に振ったものの、答えを知りたくなさそうな顔をしている。

そんな表情にかまわず、ハリントンは詳しく説明した。「クニクルクス・スピナエもそれと同じように、宿主(しゅくしゅ)の肉に穴を掘る寄生虫だ。組織の奥深くに潜り込み、とげを出して卵を産みつける」

「卵？」そう聞き返すジェイソンの顔からは、さらに血の気が引いている。

「その卵からは肉食性の幼虫が孵化(ふか)し、全身に広がっていく。その後、成虫になると――」

「生物学の講義はそのくらいで」グレイはジェイソンをより詳細な説明から解放してやりながら、ステラが立ち上がるのに手を貸した。「先を急ぎましょう」

午後二時三十二分

ジェイソンは重い足取りでグレイの隣を歩いていた。すでに四十五分近く歩き続けているが、せいぜい七、八百メートルくらいしか進んでいないのではないだろうか。

〈そこまで距離を稼げたかどうかも怪しい〉

「もうそれほど遠くはない」背後からハリントンの声が聞こえたが、ジェイソンはそれが本当なのか、あるいは教授が自分に言い聞かせているだけなのか、判断できなかった。

その間ずっと、トンネルは下り勾配が続いていた。階段状になっている箇所では、それぞれの段差は一メートル近くあった。その段差に沿って川が滝となって流れ落ち、水音が洞窟内にこだましていた。ジェイソンたちは西側の岸をたどって進むことができたものの、よどんだ水たまりを迂回したり、石を伝って浅瀬を横切ったりしなければならない箇所もあった。

けれども、歩みを妨げる大きな要因は地形ではなかった。

絶え間なく吹きつける向かい風のように、ここの生物たちが少人数のジェイソンたち一行に迫ってくる。音響ライフルで大型生物のほとんどは撃退することができた。しかし、足を一歩前に踏み出すたびに、何かがうごめき、地面を這い、周囲を飛び回る。サシバエのような虫がずっとつきまとい、音の攻撃も意に介さないため、邪魔で仕方がない。

そのうえ、息を吸い込むたびに、空気の温度が高くなっているようだ。

一メートル進むごとに、足取りが重くなる。

ジェイソンの服は汗でぐっしょりと濡れていた。ゴーグルの下の目は燃えるように熱く、腫れぼったく感じる。

唯一の明るい要素は、ジェイソンと交互に武器を構えて警戒に当たるステラが、ぴったりと寄り添うように隣を歩いていることだ。最初のうちは、ステラや教授が遭遇する様々な種の学名をあげ、どのような生態なのかを説明しようとしていたが、今では新しい生物が現れた時の質問に答えるだけになっていた。

コワルスキの口から聞こえてきたのもそんな質問だった。「あれは撃った方がいいのか？」

ジェイソンは前方に目を凝らした。行く手をふさいでいるのは羽毛のないエミューとしか形容できない生物で、その数は優に二百を超える。鳥に似た生物は細くて長い脚で立っている。この周囲に点在する池を歩いて移動するうちに、あのような形に進化したのだろう。巣の中の卵はグレープフルーツほどの大きさがあり、斑点模様が付いている。

「ゆっくりと歩けば、こっちにちょっかいを出してこない」ハリントンが説明した。「彼らは人間に対する恐怖心を持っていない。巣に不用意に近づきさえしなければ、無事に通り抜けられるはずだ」

「怒らせた場合は？」グレイが訊ねた。

「アヴェクス・カノは群れで行動する。それは敵を襲う時も同じだ。脚の後ろの鉤爪が見えるかね？　あれで獲物の腹を引き裂くのだよ」

「でも、たいていは大人しいの」ステラが補足した。「人なつこくて、好奇心が旺盛なのよ」

ステラは一羽の鳥に近づき、片手を差し出した。アヴェクスがぴょんぴょんと跳びはねて近づき、頭を傾け、続いて反対側に傾ける。その時ようやく、ジェイソンはこの生物が目を持っていないことに気づいた。櫂(かい)のような形状をした長いくちばしの上にある小さな鼻孔(びこう)が、開いたり閉じたりしている。

ステラが手を伸ばし、指先でくちばしの下をなでると、鳥の喉からクークーという音が漏れた。その音が隣の鳥へ、さらにその隣の鳥へと、池に石を投げ込んだ時に生じる波紋のように、だんだんと外側に広がっていく。

ステラは前に足を踏み出し、音が伝わる後を追いながら、悠々と群れの中を通り抜けた。その光景の不思議さへの感動と、前を歩く女性の魅力に誘われるかのように、ジェイソンも後に続いた。

近くにいた一羽のアヴェクスが長い脚で歩きながら池に入り、水中を歩くと、通り過ぎた後の水面が燐光を発している。光はよどんだ水面に浮かぶゼリーのような物質が発しているようだ。アヴェクスはそのどろっとした物質をくちばしですくって飲み込んだ。

「彼らはあの微生物を餌にしているわ」ステラが解説した。「栄養分が豊富に含まれているのよ」

「俺はTボーンステーキがいいや」そう言いながらも、コワルスキはアヴェクスの群れを食い入るように見つめている。見た目だけでなく味も鶏肉と似ているのかと考えているかのような目つきだ。

一行は何事もなく群れの間を通過した。ジェイソンがつい油断したのは、そのせいかもしれない。

「止まれ！」ハリントンが怒鳴った。

ジェイソンはぴたりと動きを止めた。足は石をまたごうとしたところで静止している——すると、その石から節のあるかたいキチン質の脚が生え、横に素早く移動した。石の向きが変わると丸くなった尾が見え、その先端には長さ二十センチはあろうかという三本の針がある。濡れたような艶があるから、おそらく毒針だろう。

ジェイソンの推測は、逃げ去る生物の名前を教授が教えてくれたことで裏付けられた。

「ペデクス・フェルヴェンス」

「熱い足」のような意味だ。

ステラが手を振って先を急ぐように促した。

ジェイソンはグレイと並んで歩いたが、ついさっきまでの感動は消え失せてしまった。苦労しながらも何とかさらに百メートルほど進み、最後の段差を下りると、その先には果てしなく続く広大な空間がある。ジェイソンたちはその入口で立ち止まった。あまりの広さに呆然（ぼうぜん）として、すぐに言葉が出てこない。

「ここは『コロッセオ』と呼んでいるの」ステラが説明した。

かなり控えめな名称だ。

天井まではかなりの高さがあるらしく、赤外線ライトの弱い光は届かない。両側の壁は先に進むに連れて広がっており、はるか彼方に向けて両腕を広げたかのようだ。これまでたどってきた河川は数え切れないほどの流れや川に分かれ、どこまでも続く石のデルタ地帯と化している。遠くに視線を向けると、ライトの光を反射する大きな湖面に複数の島影を確認できる。

しかし、手前に目を戻すと、これまで通り抜けてきた石化した木々の幹に代わって、文字通りの石の森が広がっていた。目の前の植物は最大級のセコイアをはるかにしのぐ大きさだ。しかも、この途方もない広さの地下空間の木々は、幹だけの姿ではない。さすがに葉までは残っていないものの、太い枝や小枝が絡み合って頭上にアーチ状の林冠（りんかん）を形成している。

化石として保存された古代世界だ。

そんな枝の間に奇妙な発光生物が浮遊していた。内部にたまった水素ガスあるいはヘリウムで浮かんでいるのだろうか。風に揺れる日本の提灯（ちょうちん）のようだ。

首を曲げて上を見ながらそのあまりの広さに圧倒されつつも、一行は果てしなく広がる空間に足を踏み入れた。ジェイソンはグランド・キャニオンの二倍の深さのある峡谷が西南極の氷の下で発見されたという報告を読んだことがあった。目の前の空間はその洞窟版なのかもしれない。

「こっちだ」ハリントンが促した。

教授が指し示す右手の方角には、川幅のある浅い支流が通じていた。教授は足首まで水に浸かりながら歩いていく。ジェイソンも後に続いたが、水への警戒心が抜けず、流れをつま先立って歩きたいという衝動を必死にこらえていた。新たな脅威がないか目を配りながら、赤外線ライトで前方を照らして進むステラの合図に従う。ジェイソンはコワルスキの太腿と同じくらいの太さのある折れた柱が、流れに沿って二列に連なっていることに気づいた。最初は自然に生えたものかと思ったが、それにしてはきれいに並びすぎている。顔を近づけてよく見ると、かびで黒く変色した鉄製の釘（くぎ）によって固定された木製の支柱だった。

イギリス人たちの手によるものにしては、どう見ても古すぎる。

ステラがジェイソンの視線に気づいた。「それはずいぶん昔に崩壊した古い橋の支柱よ」

「誰が橋を造ったんだい？」

ハリントンが呼びかけたので、全員が声の方角に注意を向けた。今の質問の答え——およびー行の目的地が、前方に控えていた。暗いデルタ地帯を横切る岩の通り道の上に、斜めに停車している。大きな新しいタイヤの上に載った巨大な乗り物は、二階建ての建物ほどの高さがある。真新しい梯子が何本か、車体の側面に立てかけられていた。

「ここに来て間もない頃に見つけたの」ステラが言った。「私たちが整備して再び動かせるようになったのは、つい最近のことだけど」

ジェイソンは畏敬（いけい）の念を込めて乗り物を見つめた。

バード海軍少将のスノークルーザーだ。

午後三時十四分

ディラン・ライトは最も大型のCAATの後部近くに立っていた。いらだちを覚えながら、片手で防弾チョッキを調節する。もう片方の手にはハウダー拳銃が握られていた。二連式の長い銃身を肩に載せ、この先に控えるいかなる脅威にも立ち向かう覚悟を固める。

大型のCAATの隣には、小型のCAATがエンジンをアイドリングさせた状態で停まっていた。二台の車両のヘッドライトが暗闇を明るく照らし出している。各車両の屋根の上では、ディランの部下が大型のLRADを操作していた。一方のパラボラアンテナは前方に、もう一方は後方に向けられていて、必要が生じれば作動できる態勢になっている。

ディランは頭上に停止したゴンドラを見上げながら舌打ちをした。ゴンドラの下部からは梯子が垂れ下がっている。

〈ハリントンたちは徒歩で移動したというわけか――だが、いったいどこに?〉

新たなエンジン音を耳にして、ディランは後方に注意を移した。もう一台の小型CAATが、フロート付きのキャタピラで水上を移動しながら川を横断している。川岸に達するとＣＡＡＴは水面から岩によじ登り、水陸両用車としての性能をいかんなく発揮した。

　ＣＡＡＴはディランの車両の近くまで来て停止した。サイドウインドーが下がる。副官が頭を突き出した。

「教授はあのドイツの潜水艦には立てこもっていませんでした」マッキノンが報告した。「船首から船尾までくまなく探したのですが」

　ハリントンがナチの潜水艦に隠れたわけではないことを確かめるため、ディランはこのスコットランド人を派遣したのだった。

　その確認が取れたことを知り、ディランは顔を前に向けた。

〈やつらは本当に徒歩で移動したのか〉

　部下の一人に探らせたところ、川岸に残る足跡が発見されていたが、ディランはその足跡が追っ手を欺く(あざむ)ための偽装ではないことをまず確認する必要があると判断した。ハリントンにはここを徒歩で移動するような根性などないと思ったからだ。

〈どうやらあんたを見くびっていたようだな、じいさん〉

　ＣＡＡＴの準備に手間取ってしまったことが悔やまれる。地獄岬でイギリス人兵士の待ち伏せを食らったのが痛かった。襲撃開始直後、何としてもハリントンの身柄を確保しなければと焦ったせいで、ディランは基地内の十分な安全確認を怠ってしまった。そのため、隠れていた兵士たちの存在に気づかず、後になって奇襲を受け、部下たちとの間で十分間に及ぶ激しい交戦となったのだ。最終的には、敵を始末することができた。

しかし……

〈貴重な時間が失われてしまった〉

だが、これから失われた時間を取り戻せばいい。歩いて移動するハリントンは、それほど遠くまでたどり着けないはずだ。ディランは背筋を伸ばし、いらだちを頭から振り払い、大型のＣＡＡＴに乗り込んだ。

拳銃をホルスターに収め、部下たちに呼びかける。「準備はいいか？　出発だ！」

〈本当の狩りはこれからだ〉

23

四月三十日　アマゾン時間午前十一時三十三分
ブラジル　ボア・ヴィスタ

「ふむ、これは興味深いな」背中を丸めてコンピューターの画面をのぞき込んでいたドクター・ルーカス・カルドーサが、姿勢を元に戻しながら口にした。

ペインターは椅子から立ち上がり、ドクターのもとに歩み寄った。

カルドーサはブラジル人の遺伝学者で、ボア・ヴィスタのジェノグラフィック・プロジェクトの代表を務める人物だ。恰幅（かっぷく）のいい男性で、髪は黒く、濃い顎ひげを蓄え、縁の太い眼鏡の奥ではいかにも学者風の目が輝いている。カルドーサと彼の率いるチームは、この十年間ほど、南アメリカ大陸の先住民のＤＮＡの照合と記録を続けていた。収集したデータを独自のアルゴリズムで解析し、ブラジルの熱帯雨林に居住する何百もの部族の古代の移住パターンを追跡している。

ペインターはドレイクとともに、ボア・ヴィスタ市内のロライマ連邦大学にあるカルドーサの研究室にいる。カフェでの銃撃戦でただ一人生き残った襲撃者から採取した血液サンプルのDNA解析を、ドクターは引き受けてくれた。現在、身柄を警察に移された男は、予想通り黙秘を続けているばかりか、独房の中で首吊り自殺を試みたという。そうした命をも惜しまない行動は、カッターの信奉者たちの強い意志と、仲間同士の緊密な部族意識を如実に物語っている。

〈だが、どの部族に属しているのか?〉

「何かを見つけることができたように思う」カルドーサはもっとコンピューターの近くに来るようペインターを手招きした。

ドレイクも近づき、背中を折り曲げながら小声でつぶやいた。「やっとかよ」

ペインターは腕時計に目を落とした。ジェナが拉致されたのは三時間近く前のことだ。誘拐犯はすでに遠くまで移動しているはずだし、時間の経過とともにジェナの足跡を追うことは難しくなる。彼女を発見できる可能性が小さいことを、ペインターは自覚していた。カッター・エルウェスがジェナを誘拐したのには理由がある。おそらく彼女を尋問し、我々がどこまで手がかりをつかんでいるのかを見極めるつもりだろう。しかし、それが終わればジェナは用済みになってしまう。

そのことを考慮して、ペインターはマルコムとシュミットをブラジル空軍の基地に派遣し、新たな輸送手段の到着に備えさせていた。航空機が南大西洋を航行中の米軍の戦艦から基地に向かって飛行中だ。すべての段取りをつけたのはキャットで、ブラジル政府および軍関係者のコネを通じて圧力をかけ、協力を取りつけてくれた。また、常に一歩先を読んでいるキャットが手配したペインターへの追加支援も、すでに基地へと向かっている。それこそがキャットの強みだった。指示が与えられるのを待つのではなく、何が必要になるかを予期して行動する。

ペインターはそんなキャットの能力を今ほどありがたいと思ったことはなかった。

〈これ以上は時間を無駄にできない〉

しかも、それはジェナのためだけではない。

キャットからの報告では、すでに中型の核爆弾がモノ湖に到着し、使用に向けての準備が始まっているという。キャットの試算によると、核の使用後には厳しい状況を覚悟しなければならない。二百五十平方キロメートルが一瞬で焼き尽くされると同時に、放射線と死の灰による汚染は、ヨセミテ国立公園全域を含む千平方キロメートル以上に及ぶ。何よりも問題なのは、このような思い切った作戦をもってしても、問題の生物を根絶できるという保証がいまだに得られていない点だ。

そのため、ペインターは答えを必要としていた――唯一の頼りが、このブラジル人の遺伝学者だ。

「何を見つけたんだ?」ペインターは訊ねた。

「こんなに時間がかかってしまい申し訳ない」カルドーサが詫びた。「この数年間でＤＮＡ解析の速度は格段に上がっているが、このような調査のためには念には念を入れて正確を期さなくてはならない。ミスがあったら君たちを別の部族のもとに送り込んでしまうことになるからね」

ペインターはドクターの肩に手を置いた。「急な要請にも嫌な顔一つせずに対応してくれたことを感謝するよ」

ドクターは真剣な顔でうなずきながら、モニターを指差した。「これを見てもらいたいのだが」

画面にはグレースケールで表示された垂直のバーが何本も映っていた。バーコードのようだが、このコードは身柄を拘束された男の遺伝的な特徴を示している。

「ブラジル北部の部族だけが持つ二十二のマーカーを特定することができた。ただし、そのあたりで暮らす部族の数はかなり多いし、居住地域も極めて広範囲にわたっているから、通常ならそのことだけではあまり役には立たない。しかし、ここにあるこの配列は――」

カルドーサは画面上のバーの一部を指先で丸く囲った。「マクシ族の亜族、つまり部族の中の、ある小集団だけに見られる突然変異だ。この亜族はほかの部族との交流がほとんどないこと、および近親交配で知られているほか、多胎出産が多いという不思議な記録も残っている」

「それで、男は仲間意識の強いこの部族の人間なんだな？」

「だいたい間違いない」

ペインターは「だいたい」のところが引っかかった。「どの程度の確度なんだ？」

カルドーサは眼鏡の位置を直した。「九十九パーセントだ。もうちょっと上かもしれない」

ペインターは笑みがこぼれそうになるのをこらえた。九十九パーセントの確率に対して「だいたい」などという表現を補うのは、科学者くらいしかいない。

「この部族はどこに暮らしているんですか？」ドレイクが身を乗り出しながら訊ねた。

カルドーサはキーを叩き、地形図を画面に呼び出した。ボア・ヴィスタから南東方向に約百五十キロのあたりに、赤い点が表示されている。熱帯雨林の奥深くだ。

ペインターは歯がゆい思いで大きく息を吐いた。もっと範囲を絞り込まないといけない。「熱帯雨林のこのあたりに関して、何か知っていることは？」どんなことでもいいから情報が欲しい。

カルドーサはかぶりを振った。「ほとんどない。地形が相当険しい場所なので、陸路でたどり着くのはまず不可能だ。深い裂け目がいくつも連続しているし、植物も密生している。現地に足を踏み入れた人間はほとんどいないのだよ」

「だから身内で事をすませるわけか」ドレイクがつぶやいた。

「その地域の衛星写真がある」カルドーサは地形図を低い軌道上から撮影された写真に切り替えた。一面を緑色が覆い尽くしている。

入り込む隙間がまったくないように思える。この濃い緑色の木々の下ならば、どんなものでも隠すことが可能だろう。だが、ペインターにはある考えがあった。

カッターに関するあらゆる資料を読み込むうちに、ペインターはこの男の性格をつかみかけていた。カッターは劇的な要素を好む傾向があると同時に、強いエゴのせいで人目につかないように大人しくしていることができない人間だ……たとえ死を装っているとしても。

「周辺部分を表示してくれないか?」ペインターは地形図にあった奇妙な地形を思い出しながら訊ねた。

「わかった」

写真の詳細がぼやけ、熱帯雨林のより広い範囲が画面に浮かび上がった。村の位置を示す赤い点は、一面に広がるエメラルド色の海が唯一途切れている地点の近くにある。写真の南に見える熱帯雨林から、高い山が突き出ていた。急峻(きゅうしゅん)な断崖はとても登れそうにない。頂上付近はうっすらと霧に覆われている。

「それは何です?」ドレイクが訊ねた。

「テプイだよ」カルドーサが説明した。「侵食を受けた古代の台地の名残だ。この地域にある見上げるような高さの高原は神話や伝説の中心となっていて、悪霊や地下世界に通じる秘密の通路などの物語がいくらでも存在する」

ペインターははっとして背筋を伸ばした。

〈死んだはずの男がこの世に戻ってくるには格好の場所だ〉

ドレイクがペインターに視線を向けた。「ここだと思っているんですね？」

「断言はできないが、村を示す場所のすぐ近くだ。挨拶代わりに顔を出しておいても損はないだろう」

〈手を出すことにもなるかもしれないが〉

ペインターは付け加えた。「たとえその山で何も見つからなかったとしても、村人の誰かがカッター・エルウェスに関する情報を知っているかもしれない」

「だったら行きましょう」ドクター・カルドーサに感謝の言葉も別れの挨拶も告げることなく、ドレイクはすぐさま研究室を出ていった。

ペインターも若い海兵隊員のはやる気持ちを理解できたものの、立ち去る前に遺伝学者の手をしっかりと握った。「あなたのおかげで一人の若い女性の命が救われるかもしれない」

急いでドレイクの後を追いながら、ペインターはその言葉通りであることを祈った。

午前十一時三十八分

ジェナは文明の外れに立っていた。

目の前にはジャングルが広がり、虫の羽音と甲高い鳥の鳴き声が聞こえる一方で、背後では森を切り開いた空き地に着陸したヘリコプターのエンジンが徐々に冷えながら、カチカチという音を発している。

上半身裸で汚れた半ズボンをはいた部族の男が二人、手動式のポンプを使って巨大な黒い樽からヘリコプターに給油を行なっている最中だ。空き地の反対側の外れには、蚊帳(かや)付きのハンモックが木の幹の間に吊ってある。ハンモックの下の地面にはタバコの吸い殻が大量に散乱していた。その近くにはいかがわしい雑誌も落ちている。ヘリコプターが接近する音を耳にして、あわてて投げ捨てたのだろう。空気中には油とタバコの煙と人の排泄(はいせつ)物のにおいが漂っている。

ジェナが空き地の端に移動したのは、そんな悪臭から逃れるためだ。人間の堕落の象徴のようなこの不快なごみ捨て場が、カムフラージュ用のネットで覆われている時にはどんなにおいがするかなど、想像したくもない。現在、ネットは木々の梢(こずえ)から外されているものの、ヘリコプターが飛び立ったら元に戻し、この給油所を再び隠すことになっているのだろう。

ジェナは抜けるような青空に浮かぶ真昼の太陽を見上げた。うだるような暑さで、強い日差しが肌をじりじりと焼いているうえに、信じられないほどの湿気が不快感をいっそう高める。ジェナがマホガニーの木陰に移動すると、見張りがその動きを察知した。膝の上にライフルを置いた操縦士が、ジェナの方を一瞥する。誘拐犯たちは彼女を縛ろうとすらしない。

〈どこかに逃げられるわけでもないし〉

走って逃げようとしたところで、部族の人間の方がジャングルのことをはるかによく知っている。すぐに捕まってしまうだろう。

熱帯雨林と空き地の境目で、ジェナはジャングルから漂う芳香を大きく吸い込みながら、恐怖心を抑えつけようとした。風が木の葉を揺らし、森に咲く花、湿った土壌、豊かな緑の香りを運んでくる。パークレンジャーであるジェナは、目の前に広がる手つかずの自然の美しさや数限りない形を成した生命の奇跡を無視することなどできなかった。頭上をすっぽりと覆ったエメラルド色の林冠に向かって伸びる見上げるような高さの木々も、低い枝を伝って静かに移動するサルの群れも、木陰を提供してくれているマホガニーの樹皮で列を成すアリも。博物学者のE・O・ウィルソンの本によれば、熱帯雨林の一本の樹木には二百種以上のアリが生息しているという。このまばゆいばかりのエデンでは、生き物たちがありとあらゆる場所を活用しながら生活している。

すぐ近くのジャングル内で何か大きなものが動いたかと思うと、数メートルも離れていない木の後ろから人影が姿を現したので、ジェナはびくっとした。

黒髪の女が大股で近づいてくる。男たちと同じく上半身は裸で、身に着けているのは肌の色とほとんど区別がつかない濃い茶色の半ズボンだけだ。女は片手に弓を持ち、何本もの矢を収めた矢筒を背負っている。肩には子ジカの死体を担いでいた。シカは灰色の頭部と黒い脚のほかは、全身が赤みを帯びた茶色の毛で覆われている。生気の失われた黒い大きな目が、住み家だったジャングルの方を見つめている。

女はジェナの方を見向きもせずに通り過ぎた。

女がジャングルに入ってから十五分もたっていないはずだ。女は子ジカの死体をハンモックの近くに投げ捨てた。この給油所で生活していると思われる二人の部族の男へのお礼代わりなのだろう。この女は肉や毛皮のためではなく、ちょっとした運動代わりに狩りを楽しんだのではないか、ジェナはそんな気がした。

女が豊かな乳房をあらわにしているにもかかわらず、ジェナは男たちが女から視線をそらしていることに気づいた。

女は木の枝にかけておいたブラウスに袖を通すと、操縦士に向かって落ち着いた様子の小声で何かを伝えた。一瞬、女の黒い瞳がジェナに向けられたが、再びその視線が操縦士るように指示した。

に戻る。操縦士はうなずき、部族の男二人に向かって叫びながら、手を振って場所を空けるように指示した。

どうやら出発の時間になったらしい。

数分後、ジェナは再び後部キャビンの座席に座っていた。ローターの回転音がひときわ大きくなったかと思うと、ヘリコプターの機体が勢いよく上昇し、ジャングルを後にして真昼の陽光のもとに飛び出す。機首をかすかに下げながら、ヘリコプターは果てしなく続く緑色の木々の上空を高速で飛行し始めた。

ジェナは前方に目を向けた。

地平線の近くに黒っぽい影が見える。まだかなりの距離がある。

〈あそこに向かっているのだろうか？〉

答えを知る術はない。断言できるのはただ一つ、この旅路の終着点で待っているのが温かい歓迎ではないということだ。ジェナは目を閉じ、座席の背もたれに寄りかかり、来たるべき運命に備えようとした。だが、いつもなら強さと元気を与えてくれる存在がここにはいない。

〈ニッコ……〉

相棒も必死に闘っているに違いない。

太平洋夏時間午前八時四十分
カリフォルニア州ハンボルト＝トワヤブ国立森林公園

リサは自身の研究室と外部との境目に当たるエアロックに向かってストレッチャーを押していた。唯一生き残っているラットが実験用のケージの柵に顔を押しつけ、ピンク色の鼻を小刻みに震わせながら、通り過ぎるリサのことを見つめている。

〈ごめんね、ここから救い出すのはこれが精いっぱいなの〉

クッションを敷いたストレッチャーの上では、ニッコが脇腹を下にして横たわっていた。軽い鎮静剤を投与したので、呼吸は非常に浅い。伸ばした状態で添え木を当てて固定された左の前足には、点滴の管が二本つながれている。一方の点滴バッグに入っているのは複数の抗ウイルス剤を混ぜた液体、もう一方は多血小板血漿だ。バッグはニッコの隣のクッションの上に置かれていて、この後で再び点滴ポールに吊るす予定になっている。

ニッコが横たわるストレッチャーは隔離患者の輸送用で、透明なフードで密閉されており、内部には寝台の下部に固定されたタンクから酸素が送り込まれている。

リサはストレッチャーを押してエアロックに入り、圧力が均等になるのを待った。緑色のランプが点灯すると、外にいる人影に向かってうなずく。エドムンド・デントが手前側のエアロックの扉を引き開け、リサに手を貸しながらストレッチャーをBSL-4の研究室群の中央にある小さな会議室に移動させた。

「急がないと」エドムンドが言った。「あまり時間がない」

リサもそのことは承知している。

リンダールと彼にこびへつらう者たちは、核科学者や放射線学者の一団を引き連れて、核爆弾の到着を見守るために山間部の前線基地に出払っている。そのおかげで、ちょうどこの時間は研究室内にほとんど人がいない。残っている研究者はエドムンドの同僚たちくらいで、彼らはこの行動に対して目をつむることに同意してくれていた。全員がジェナと会っているし、彼女が誘拐されたことも、リンダールが犬に放射線を照射する計画でいることも知っている。

〈でも、問い詰められたらいずれ誰かが口を割ってしまうかもしれない〉

エドムンドの手を借りながら、リサは隔離用のストレッチャーを研究室群の除染用エアロックに運び込んだ。エアロックの外では海兵隊員が一人、見張りに就いている。見張りがこちらを振り向くと、エドムンドはいつもと変わらぬ様子で片手を上げた。

リサは一人でエアロックの中に入った。エドムンドの役目は隠蔽工作にある。リサがここを離れた後、エドムンドは彼女の研究室に通じるエアロックが開かないように細工して、リンダールがニッコの行方不明に気づくのをできるだけ遅らせる手筈になっている。

除染が始まった。防護服とストレッチャーの透明のフードが高圧水で洗浄され、紫外線が照射された後、再び洗浄が行なれ、最後に空気を吹きつけて乾燥する。リサはもどかしい思いで除染終了までの二十分間を待った。

外に立つ海兵隊員が時々振り返って様子をうかがう。リサは相手と目を合わせないようにした。

ようやく緑色のライトが点灯し、除染の終了を告げた。リサはエアロックを出て、その先にある準備室で防護服を脱いだ。全身から噴き出た汗で、服が肌にぴったりと貼り付いている。密閉された防護服内の暑さによる汗だが、発覚を恐れる冷や汗も何割かは含まれているに違いない。リサはストレッチャーの手すりを握り、少し手こずりながらも格納庫内に押し出した。

「準備はいいですか？」見張りが訊ねた。

リサはうなずいた。「ありがとう」

しわ一つない制服を着た鳶(とび)色の髪の海兵隊員、サラ・ジェサップ伍長は、ペインター付きの補佐官に任命されていた。この基地の司令官の大佐からはその仕事ぶりを誰よりも評価されていると聞く。

「あなたがここまでする必要はないのに」二人でニッコのストレッチャーを押して広大な格納庫内を移動しながら、リサは言葉をかけた。

女性隊員は肩をすくめた。「規則違反を犯しているわけではありません。現在、私の直属の上司はクロウ司令官です。彼があなたの行動を承認していることは、口頭で伝えられました。つまり、優秀な海兵隊員として、命令に従っているだけです」そう言いながら、伍長はリサに向かって優しそうな笑みを見せた。「それに、私も自宅でチョコレート色のラブラドール・レトリバーを飼っています。ベルに危害を加えようとする人間は、後でたっぷり後悔することになりますから」

リサは深呼吸をして気持ちを落ち着かせながら、伍長の協力に感謝した。彼女の協力がなければ、見張りの時間帯を変更することもできなかったから、ニッコを研究室からこっそり連れ出すことなど不可能だっただろう。

彼女はもう一つの問題でも力になってくれた。

「あなたの指示通り、一時的な隔離施設を用意しておきました」ジェサップが言った。「誰一人として探そうとは考えないだろう場所です」

「どこなの？」

再び優しそうな笑みが浮かんだ。「基地内にある礼拝堂の奥の部屋です。司祭は私たちの秘密を守り、問い合わせがあってもはぐらかすことに同意してくれましたから」

「私たちのために司祭に嘘をついてもらうの？」

ジェサップの笑みが大きくなった。「心配いりません、リベラルな米国聖公会の司祭ですから――私のボーイフレンドでもあります。それに、彼もベルのことが大好きなんです……そうでないと、私の結婚相手の資格はありませんから。私と結婚するなら、ベルもまとめて面倒を見てもらわないと」

愛し合う若い恋人たちの気持ちが込められた伍長の声を聞き、リサは延期を余儀なくされた自分の結婚式のことを思った。ペインターのいない寂しさを募らせながらも、リサは胸の痛みを抑えつけた。

ジェサップ伍長に先導してもらって歩きながら、リサはこの偽装工作が時間稼ぎにすぎないことを自覚していた。いずれ誰かが口を割るか、ニッコの隠れ場所が露呈するのは必至だ。たとえそれを免れたとしても、核の脅威というより大きな問題が間近に迫っている。

明日の未明には再び悪天候が予想されているため、リンダールは爆破の予定を今日の夕方に繰り上げた。

山の上空に噴き上がる巨大なきのこ雲の光景が頭に浮かぶ。

リサは絶望感に包まれた。手遅れになる前に、誰かがすべてを阻止するための方法を見つけ出さなければならない。

〈でも、いったい誰が……それにどうやって?〉

アマゾン時間午前十一時四十三分
ブラジル　ロライマ州

この二時間ほど、ケンドールはカッター・エルウェスの厳重な監視下のもと、ＢＳＬ－４の施設内で作業を行なっていた。二人が着用している真っ白な防護服には、壁から黄色いエアホースがつながっている。

ケンドールは二つの小瓶を手に取り、ラベルを読んだ。

ＣＲＩＳＰＲ／Ｃａｓ９－ＤＩＯＡ　ニッカーゼ　ｍＲＮＡ　二十五マイクログラム
ＣＲＩＳＰＲ／Ｃａｓ９－ＤＩＯＡ　ニッカーゼ　プラスミド　一マイクログラム

小さなガラス容器の中にあるのは、ゲノムの編集に不可欠な要素だ。このツールがあれば、研究者はＤＮＡの二重螺旋を狙い通りの箇所で正確に切断し、変異を発生させることができる。これらの容器の中身は主に遺伝子導入の過程で用いられる。導入遺伝子と呼ばれる外来遺伝子を、別の生物の遺伝コードに挿入する作業のことだ。

例えば、サシハリアリに羽を付け加えるために。

カッターがかなり以前から神の領域に足を踏み入れ、外来遺伝子を既存の種に組み込んでいたことは間違いない。そうした行為そのものは、さほど驚くに値しない。この手法は十年近く前から存在し、世界各地の研究所で遺伝子導入生物を作り出すために使用されている。細菌やハツカネズミのほか、暗闇で発光するネコまでもが生み出されているという。実際のところ、一度に数千もの突然変異を発生させることができる最新のMAGEやCAGEの手法を使用しているにしては、ここでのカッターの研究はそれほど高度なものとも思えない。

ただし、カッターの作り出した生物が恐るべき存在なのは事実だが、その一方でケンドール自身にこの男の研究を批判する資格があるかどうかは怪しかった。ケンドールもモノ湖近くの研究施設で、この容器の中身と同じものを使用して、自らの合成ウイルスを作製していたのだから。ケンドールが作り出したものも、遺伝子導入技術の賜物だった。違いがあるとすれば、ケンドールが挿入したのはより外来の遺伝子で、南極の氷の下の影の生物圏で発見されたXNA種から採取されたという点だ。

そのことがモノ湖でのケンドールの成功を左右した。XNAによって研究が大きく進展し、中空のウイルスの殻を増殖可能な生命体に変換するための鍵がようやく入手できたのだ。

〈神よ、私を助けたまえ……私の方法がカッターに知られるようなことはあってはならない〉

カッターが研究室の奥にある大型の冷蔵庫から戻ってきた。扉に取り付けられたガラス窓の向こうで、試験管と小瓶が光を浴びて輝いている。あそこがカッターの作り出した生物の遺伝子の保管場所だ――これまでに作り出した生物と、これから作り出す予定の生物の、両方の遺伝子が保管されている。

カッターの手には二本の試験管が握られていて、どちらにも濁った溶液が半分ほど入っていた。

「こっちにあるのは」そう言いながら、カッターは右手に握った試験管を持ち上げた。「君が作ったeＶＬＰ。完璧な中空の殻だ」

この研究室での最初の一時間をかけてカッターのデータの検証を行なったケンドールは、今の主張が嘘ではない証拠をすでに確認していた。この男は自分のものとまったく同じ蛋白質の殻を作り出すことに成功していたのだ。

カッターはもう片方の手に握られた試験管を掲げた。「こちらは私が作製したものだ。大きさはプリオンほどで、特異な遺伝コードを持っている」

〈つまり、この男はこれを私の殻の中に組み込もうとしているわけか〉

ケンドールはカッターの説明中の「プリオン」という単語が引っかかった。プリオンは牛海綿状脳症やクロイツフェルト・ヤコブ病などの疾病の原因となる悪性の蛋白質だ。これらの感染症の症状は必ず神経機能の異常として現れ、中でも脳に影響を及ぼす。しかも、現時点で治療法はなく、死に至ることが多い。

カッターは左右の試験管をさらに高く掲げた。「では、私たちの研究を組み合わせるための方法を教えてもらおうか。君の殻と、私の遺伝コードだ」カッターは二本の試験管を片手で握り、ケンドールの方に差し出した。

ケンドールはしぶしぶ試験管を受け取った。「君のコードの目的は？」

カッターは手袋をはめた指を一本立てて振りながら質問を遮ってから、ワークステーションを指差した。「まずは君の理論を証明してほしい。カリフォルニアでの成功がまぐれではないことを示してもらわないことにはね」

ケンドールに助力を求めることがカッターにとっては不満以外の何物でもないことは、その口調から容易に推し量ることができる。自分にはできなかったことを他人が達成したという事実を受け入れるのではなく、ケンドールの成功を幸運のおかげ、あるいは偶然の産物だと思いたいのだ。ライオンに襲われて以降、カッターの人生は大きく変わったが、どうやらうぬぼれに関しては無傷だったらしい。

「少し時間がかかる」ケンドールは引き伸ばしにかかった。「私の殻に挿入する方法を見つけるためには、君のコードの完全なＤＮＡ解析を行なう必要がある」

「解析結果のデータならそのコンピューターの中にある」

「自分の手で一から解析を行なわせてもらいたい」

カッターの顔の左半分が歪み、表情に疑念がよぎる。「なぜわざわざ繰り返す必要があるんだ？」

「手順通りに行なうために必要だからだ。君のコードを改変し、あの殻を開くための鍵となる配列を付け加えなければならないと思う」

少なくとも、今の部分に嘘はない。

理屈に合っていることを理解してくれたらしく、カッターはため息をついてからうなずいた。「じゃあ、作業に取りかかってくれ」

カッターが踵を返す前に、ケンドールは呼び止めた。「私は協力することに同意した。だからカリフォルニアでの感染を食い止める方法を教えてもらえないか？」

〈手遅れになる前に〉

カッターはしばらくその要請を真剣に考慮しているような表情を見せた。ようやくその目がケンドールの顔を正面から見据える。「解決策の一部を教えてやってもいい。ただし、君の殻を開く鍵とやらについて、もっと詳しく教えてくれるのと引き換えに、というのが条件だ。なかなか興味深い話が聞けそうだから、その分のお返しといったところだ」

ケンドールはからからに乾いた唇をなめた。ここからは慎重に事を運ばなければならない。信用させるためには、それなりの情報を提供する必要がある――カッターは頭の切れる男だ。だが、手の内をすべて明かすわけにはいかない。

ケンドールは咳払いをした。「二〇一四年五月、スクリプス研究所がマスコミの注目を集めた件は知っているかね？　ＤＮＡを構成するアルファベットに新しい文字を加えた細菌の作製と複製に成功したと発表した後のことだ」

カッターは思い出そうとするかのように眉間にしわを寄せた。「細菌のＤＮＡに人工のヌクレオチドの塩基を挿入した話のことかな？」

ケンドールはうなずいた。あれは画期的な研究だった。この惑星の多種多様な生物はすべて、粘菌類から人間に至るまで、Ａ、Ｃ、Ｇ、Ｔというわずか四つの遺伝子アルファベットに基づいている。この四文字を様々に組み合わせることにより、地球上にはこれほどまでに豊富な種が生まれたのだ。ところが、スクリプス研究所の研究者たちは世界で初めて、遺伝コードに二つの新たな文字――ＸとＹを持つ生きた細菌を作り出すことに成功した。

「それがどうかしたのか？」カッターが訊ねた。

「私もそれと似たようなことを行なったのだ」ケンドールは認めた。「ＣＲＩＳＰＲ技術を使って、ウイルスのＤＮＡの一部を切り取り、外来のＸＮＡと入れ替えた。そのＸＮＡ遺伝子の配列こそが、殻を開く鍵のような役割を果たしている」

「君の合成物に命を吹き込むわけか」カッターが笑みを浮かべた。「だから私は失敗続きだったのか。その鍵を持っていなかったのだからな」

〈この先も手に入れさせるわけにはいかない〉ケンドールは思った。

「それくらいは自分で考えつくべきだったな」カッターは続けた。「あのビリオンのカプシド、あの完全無欠の殻……君はＸＮＡ遺伝子から蛋白質を抽出することで、あの独特の組成を作り上げた。そう考えると、その殻の中に遺伝物質を挿入するためには、つまり殻にそれを受け入れてもらうためには、特定の配列を持つＸＮＡマーカーが必要になるのも当然だな」

「錠前を開くにはそれに合う鍵が必要なのと同じだ」ケンドールは言った。「そこが私の研究の突破口となったのだよ」

〈正確には、突破口の一部にすぎないが〉

「実に見事だ、ケンドール。感服したよ」

「満足したのなら、特効薬とやらについてもう少し詳しく教えてくれないか？」

ケンドールはそこにすべての希望を託していた。与えられたヒントから自らの力で解決策を突き止めることができれば、ビリオンのカプシドを武装するための秘策をカッターに教えなくてもすむかもしれない。

「まあいいだろう」カッターは同意した。「まず、君が作り出したものを滅ぼすための――中和するための方法が、ずっと君とハリントンの目の前に存在していたという話をしたことは覚えてくれていると思う。君の解決策の鍵と同じように、それもすべてはＸＮＡが関わっているのさ」

「どういうことだ？」

「残念なことに君が自らに対して投げかけなかった疑問がある。なぜあの影の生物圏はあれほどまで長い期間、南極大陸の中に閉じこもったままなのだろうか？　そのすぐ外には、攻撃的で他に類を見ない特徴を持つ彼らに対して、ほとんど無防備に等しい世界が広がっているというのに」

「その答えは？」

「君が鍵を提供してくれたら、私はその答えを教えるとしよう……その答えをカリフォルニアで活用するための方法とともに」

ケンドールはしつこく食い下がったりはしなかった。現時点でそれ以上のことはこの男から引き出せないとわかったからだ。

カッターがケンドールに背中を向けた。「君を作業に専念させてあげよう。私はもうすぐ到着するはずの来客と、話をしなければならない」カッターがケンドールの方を振り返った。「だが、戻ってくる頃には結果が出ていることを期待しているよ。私の期待を裏切ったりすると、きっと後悔することになるぞ」

ケンドールはエアロックを抜けて立ち去るカッターの後ろ姿を目で追った。その先にある研究室内では、巨漢のマテオが見張りに就いていて、ケンドールがＢＳＬ－４の施設を離れないように監視している。

ほかに選択の余地がないため、ケンドールはカッター特製の遺伝コードの調査を開始した。カッターはこの物質をケンドールの完璧な遺伝子デリバリーシステムの中に挿入しようと考えている。

しかし、これはいったい何なのか？　目的は何なのか？

〈それがわかれば、あの男を阻止する方法も見つかるかもしれない〉

少なくとも、遺伝コードの調査に取り組んでいれば、カッターに真実を伝えなくてはならない瞬間が訪れるのを少しでも遅らせることができる。その真実とは、あの男がぜひとも手に入れたいと思っている鍵が、実は手の届かない場所にあるということ。ケンドールはここでその鍵を複製することができない。鍵を合成するためには、影の生物圏に生息しているある特定の種のリンパ球が必要だ。そのＸＮＡは極めて独特で、研究室ではどうしても合成ができなかった。鍵を作るためには、生きたサンプルが不可欠なのだ。

〈しかし、いつまでその秘密を隠していられるだろうか？〉

今できるのは、可能な限り時間を引き延ばすことだけだ。

〈だが、何のために？〉ケンドールは思った。〈いったい誰が助けてくれるというのだ？〉

午前十一時五十五分

ペインターは真昼の強烈な陽光を浴びながら、ボア・ヴィスタ国際空港の外れに立っていた。痛めていない方の腕で太陽の光を遮りながら、空をじっと見上げる。もう片方の腕は三角巾で吊っていて、傷口の包帯は新しいものに取り替えたばかりだ。

空港は市街地から四キロ弱離れた場所にあり、ブラジル空軍のボア・ヴィスタ基地と施設を共用している。アスファルト舗装の裂け目から雑草が伸びていることからも想像がつくように、空港の敷地内でもこの一角はほとんど使用されていない。このあたりに滑走路はなく、駐車場に沿って並ぶかつての格納庫などの古びた建物も、かなり以前から放置されたままになっているようだ。

現在の空軍基地は空港の反対側にある真新しい施設に移っている。けれども、定期便の滑走路からは距離があり、ほとんど人目につかないこの場所の方が、ペインターの目的にはかなっていた。ブラジル空軍の兵士が数人、この付近に通じる入口で警戒に当たっていて、関係者以外が近づかないようにしている。

ペインターの背後でドレイクが落ち着きなく歩いている一方で、マルコムとシュミットは格納庫の建物が投げかける日陰で休んでいた。

「来たな」目にしみるほどの青い空を飛行する銀色がかった灰色の点に気づき、ペインターはつぶやいた。

「何でこんなに時間がかかったんですかね？」ドレイクが不満をこぼした。

　ペインターは答えなかった。この海兵隊員の気が短くなっているのは、自分自身へのいらだちのせいだとわかっていたからだ。ドレイクはジェナが拉致されたのは、カフェの店内で彼女を一人置き去りにしてしまった自分のせいだと思っている。あの状況では彼を責めることなどできないが、本人にそう伝えたところで気が休まるわけでもない。海兵隊には決して仲間を見捨てないという規範があるのだ。その一方で、ドレイクが不安を覚える本当の原因は、兵士としての意識よりも個人的な気持ちにあるのではないか、ペインターはそんな気がしていた。ともに試練を乗り越える中で、ドレイクとジェナの距離は近くなっていた。

　ドレイクがペインターの隣に並び、照りつける日差しを遮りながら空を見上げた。

　上空に浮かぶ小さな点が、二人のいる場所に向かって高速で接近してくる。南大西洋で演習中だったニミッツ級航空母艦ハリー・S・トルーマンを飛び立った飛行機が、この空港に着陸しようとしている。

　ペインターの見ている目の前で、左右の翼の先端にあるプロペラの角度が垂直から水平に変わり、速度が落ちるとともにヘリコプターに変貌した。飛行機の外見は、ペインターをカリフォルニア州沿岸部からシエラネヴァダ山脈の海兵隊基地まで輸送したMV-22オスプレイと似ている。この新型のベルV-280ヴェイラーは、MV-22と比べて小型でやや細身の設計なため、「オスプレイの息子」の異名がある。主に偵察機として機能し、最高速度が時速五百五十キロ、戦闘航続距離が約千五百キロという性能を持つ。

これから向かわなければならない場所には、うってつけの乗り物だ。

ヴェイラーが空中でホバリングした後、ゆっくりと降下を開始する。ペインターとドレイクは亀裂の入った舗装の上を後ずさりした——正確には、二枚のプロペラが巻き起こす風で押されたと言うべきだろう。ヴェイラーは袖をまくった腕に止まる蚊のごとく、そっと空港の片隅に着陸した。ステルス技術の採用によりエンジン音が抑えられているために、想像していたよりも静かな着陸だ。

機体側面の扉が開く。

約束通り、キャットは追加の支援を送り込んでくれた。防弾チョッキを着用してヘルメットをかぶった、三人の海兵隊員が姿を現す。ドレイクと二人のチームメイトが、前腕部をしっかりと絡ませて新たな仲間を出迎えた。

増援部隊のリーダーと思われる浅黒い肌の男性がペインターのもとに近づいた。「問題が発生したという話を聞きました」かすかにヒスパニック系の訛り(なま)がある。「スアレス軍曹です」自己紹介をしてから、軍曹は左右に並ぶ二人の男性を指し示した。鋭い目つきをした筋肉質の黒人男性と、赤毛の巨漢だ。「こちらはアブラムソン上等兵とヘンケル上等兵です」

　ペインターは三人と握手をした。「支援に感謝する」

　スアレスは飛行機に向き直った。「ヴェイラーは頼りになるやつですよ。全員が乗ると少し手狭かもしれませんが、何とかなるでしょう」軍曹は空にまぶしく輝く太陽を見上げた。「今日は厳しい暑さですね」

　ペインターはうなずいた。

〈これからもっと厳しくなるぞ……暑さだけではなく〉

24

四月三十日　グリニッジ標準時午後四時三分
南極大陸　ドローニング・モード・ランド

　グレイは巨大なスノークルーザーの車体前部にある運転席の背もたれに手を置きながら立っていた。大きなフロントガラスから、広大なコロッセオの地形を一望することができる。この一時間ほど、スノークルーザーは尽きることなくそびえる石化した森の中を縫いながら、石のデルタ地帯の中心部をゆっくりと横切っていた。

　現在、スノークルーザーは大きな湖の岸に沿って迂回しているところだ。湖はかなりの広さがあり、マンホールのふたほどの大きさがあるスノークルーザーの六灯のヘッドライトをもってしても、対岸を確認することができない。ただし、ヘッドライトが行く手を明るく照らしてくれるおかげで、暗視ゴーグルを使用する必要はなくなっていた。

　湖岸に沿って丈の高い真っ白なアシが生えていて、葉の先端では光り輝く細い糸状のものがゆらゆらと揺れている。ところが、スノークルーザーが近づくと、支柱のような脚で立ち上がって浅瀬へと逃げていくので、植物ではなく動物と言うべきなのかもしれない。ステラの説明では、このアシは発光する先端部分で昆虫をおびき寄せ、酸を含む触手を使って捕食するらしい。

スノークルーザーをよけるのはアシだけではない。

ここの生物はヘッドライトのまばゆい光とともに走行するスノークルーザーの存在に気づくものの、その車体の大きさとエンジンの轟音（ごうおん）に、ほとんどの捕食生物は遠巻きに見ているだけだし、臆病な種はあわてて逃げていく。

ハンドルを握っているのはコワルスキだ。普段ならこの大男の運転する車など心臓に悪くて乗れたものではないが、大型車両の運転経験がいちばん豊富なのはコワルスキだし、スノークルーザーを操るこつもすでにつかんだようだ。ここの険しい地形もさほど苦にすることなく、馬鹿でかい車を巧みに乗りこなしている。女性が相手だとどこかぎこちないコワルスキだが、エンジンとの付き合い方に関しては十分に心得ているらしい。

火のついた葉巻を上下の歯で挟んだまま、コワルスキはギアの操作に神経を集中させていた。落石に乗り上げ、全長十七メートルの車体を傾かせながらも、スノークルーザーは巨大なタイヤで岩を砕きながら前進を続ける。

「気をつけろよ」グレイは警告した。

「人の運転に後ろからあれこれ口を出さないでくれ」コワルスキが不満そうに言い返した。

「それより、あとどのくらい走らなければいけないのかを聞いてきてくれ。こいつはかなり燃費が悪いぞ。キロ単位じゃなく、メートル単位で計算しなきゃならない。ガス欠になるのも時間の問題だ」

コワルスキの太い指が燃料計をつついた。その言葉通り、針は赤い線に近づきつつある。

〈まずいな〉

ここの生物のほとんどはスノークルーザーに近寄ろうとしないが、通過後は轟音のせいで興奮状態になっている可能性がある。そんな中でこの安全な車内から外に出ることはかなり危険だ。

スノークルーザーが無事に落石地点を通過すると、グレイはコワルスキに運転を任せ、短い梯子を伝って下りた。車両の下半分の空間はかつて二つのフロアに分割されていたが、今では仕切りが撤去されて大きな一つの部屋になっていた。両側にはベンチが以前のまま残されていて、その先にある昇降口を下ろすと車両の後部から外に出られる構造になっている。

ステラとジェイソンが並んで座り、生物学の講義と思しき内容を小声で話している。グレイはハリントンのもとに歩み寄った。教授は二人から離れたところで両肘を膝に置き、頭を垂れたまま無言で座っている。

「教授」グレイは声をかけた。「ディーゼルオイルが残り少なくなってきました。裏口の第二基地まではあとどのくらいですか？」

　ハリントンが顔を上げた。顔色が悪く、疲れ切った様子で、不安のためか目はうつろだ。地獄岬からの移動中に十歳ほど老け込んでしまったかのように見える。「それほど遠くはない。裏口はコロッセオの反対側の端に位置している。見落としようがない」

　甲高い鳴き声が響いたかと思うと、何かがスノークルーザーの屋根にぶつかった。爪で金属を引っかく音が聞こえる――その何かが屋根から落下すると、音も途絶えた。

〈早く裏口までたどり着かないと〉

　ハリントンがステラの方に気遣うような視線を向けた――身を乗り出してグレイの膝をつかみ、小声で訴えかける。「何かまずい事態になった場合は、娘をここから助け出してやってくれ」

「最善を尽くします」グレイは約束した。

　その言葉を聞いても、ハリントンには安心したような様子が見られない。教授の気を紛らすために、グレイは隣に腰を下ろした。

　広々としたスノークルーザーの車内を指差す。「ところで、バード海軍少将はここで何をしていたのですか？」

「ナチの秘密潜水艦基地を探しにきたのではないかと思う――ところが、ここを発見したのだ。はっきりと断言できるのは、彼が第二次世界大戦の終結から一年後の一九四六年に南極大陸を訪れたということだけだ。十三隻の船舶、二十機以上の航空機、五千人近くの隊員が同行した」

「五千人も……なぜそんなに多くの人が?」

「これはハイジャンプ作戦と呼ばれていた。表向きの発表によれば極地訓練が目的で、南極大陸の地図の作成も兼ねていたということだが、この作戦の具体的な内容に関してはそのほとんどが極秘扱いとされた。その後、ここでは何度か核爆弾が使用された。バードの遠征を見守っていたお偉方たちは、この場所を封じ込めようとしたのではないかな。噂によると、遠征から帰還した後のバードは、まるで別人のように変わってしまい、人と接することも少なく、病気がちになったそうだ。南極の氷の上で孤独な時間を過ごしたのが原因だと言う人もいたが、もしかするとこの場所のせいだったのかもしれない」

不安と恐怖が色濃く浮かんだハリントンの目を見れば、その言葉の意味するところは一目瞭然だ。

「我々はこの洞窟を再発見するべきではなかったように思う」教授は続けた。「この秘密を掘り起こしてはならない、この秘密に手を触れてはならないというダーウィンの警告に、我々は耳を傾けるべきだったのかもしれない」

車両の前部からコワルスキの大声が聞こえた。「おい、こいつを見てくれよ!」

切迫したその口調に、四人は思わず立ち上がった。全員が急いで操縦室に駆け込む。ハリントンは大儀そうに助手席に腰を下ろした。

フロントガラスの前に目を向けると、広大な湿地帯がスノークルーザーの行く手をふさいでいた。多くの小川が流れ、池が広がっているばかりか、数カ所の滝も確認できる。これまでの石化した巨大な森は姿を消し、見張りに就く歩哨（ほしょう）のように数本の木がぽつんと立っているだけだ。頭上に視線を移すと、天井から無数の鍾乳石が垂れ下がっている。

この湿地帯には燐光性のアシが一面に生い茂っており、スノークルーザーのヘッドライトが届く先をも光で照らしている。そんな薄気味悪い湿地帯のあちこちを、奇妙な生物が動き回っていた。滑らかな革のような翼を持つ渉禽類（しょうきん）が、ディーゼルエンジンの大きな音と煙とともに姿を現した巨大なスノークルーザーを避けようと飛び立つ。アシの茂みの間を大きな影が移動していくが、その存在は通り過ぎる際の草の動きからしか確認できない。湿地帯の岸辺では、体をくねらせたり跳びはねたり這ったりしながら、様々な生物がスノークルーザーの進路から逃れていく。鋼鉄製の車体を通して絶え間なく聞こえる悲鳴のような声、威嚇（いかく）するような咆哮（ほうこう）、笛の音のような鳴き声は、ここの生物たちが騒々しい侵入者に対して正体を問いただしているかのようだ。

だが、コワルスキがグレイたちを呼んだ理由は、そのいずれでもなかった。

グレイは目の前の光景に唖然とした。

〈何だこれは……〉

アシの茂った湿地帯の間を、巨大な獣の群れが歩いていた。その数は優に百頭を超え、大きさはケナガマンモスほどあるだろうか。四足歩行で移動しているが、時折そのうちの一頭が二本の後ろ足だけで立ち上がり、襲いかかろうとするクマのような姿勢で何歩か進むことがある。危険がないか周囲を警戒しているのだろう。顔にはゾウの鼻が縮んだかのような短い鼻が付いていた。その鼻でアシをつかんで引き抜き、口の中に入れ、牛が反芻（はんすう）するかのようにゆっくりと咀嚼（そしゃく）している。

「体の側面に苔が生えているでしょ？」ステラが言った。

グレイは目を凝らした。筋肉質の体から垂れ下がっているふわふわとした覆いは、マンモスに生えていたような毛にしか見えない。しかし、その毛のようなものが様々な色合いの弱い光を発している。

「苔は私たちがパチケレクス・フェロシスと命名したあの生物と共生関係にあるみたいなの。パチケレクスは体温で光の色を変化させ、群れの間で意思の疎通を図っていると考えられているわ」

「まるでホタルみたいだな」ジェイソンの反応に、ステラが笑みを浮かべた。

だが、コワルスキはそんなのどかな光景とは見ていない。「このホタルに踏みつぶされたりしたらひとたまりもないぜ」コワルスキは隣に座る教授の方を見た。「どうなんだ？　このまま進んでも安全なのか？」

「ゆっくりと走れば大丈夫だ。ヘッドライトの光に戸惑って、通してくれるはずだ」

弱い光でコミュニケーションを取る種にとって、スノークルーザーのヘッドライトは金切り声に等しく、不格好な音痴の仲間が近づいてきたようなものなのだろう。

「過去に彼らから攻撃されたことはない」ハリントンは続けた。「しかし、一カ所にこれほどの数が集まっているのを見たのは初めてだ。これまではせいぜい数頭の群れを見かけるくらいで、我々が強い光を出し続けていれば手出しをされることもなかった」

「発情期なのかもしれないわ」ステラが意見を述べた。「きっとここは彼らの繁殖地なのよ」

「そいつはまずいな」コワルスキが返した。「群れの中の一頭がこの大きな車をメスと勘違いして、交尾の相手に選んだりしないことを祈りたいね。さかりのついたゾウに押しつぶされるなんて、最悪の死に方だからな」

「黙って教授の言う通りにしろ」グレイは注意した。「安全運転で頼むぞ」

コワルスキは小声でぶつぶつとつぶやきながら、スノークルーザーを発進させた。湿地帯の水深がありそうなところは大きく迂回し、浅瀬を選んで進む。パチケレクスの群れのほとんどは道を空けてくれたが、中には強引に割り込んできたスノークルーザーをたしなめるかのように鼻を鳴らす個体もいる。スノークルーザーと同じくらいの体高のある一頭が、ガラスを通して見慣れない闖入者をじろじろとのぞき込んだ。

「鼻持ちならないやつだな」そう言いながら、コワルスキは後ろを振り返った。「余計なことに鼻を突っ込みやがって……なんてね」

ステラとジェイソンは同時にため息をついた。

グレイはバックミラーに目を向けたまま、スノークルーザーに挑もうとするパチケレクスがいないか監視した。あの巨大生物の攻撃をまともに食らったら、この頑丈な車両でも持ちこたえられないかもしれない。

監視を続けていたグレイの目が、バックミラーに映った閃光をとらえた。群れが放つ光よりもはるかに明るい。後方にある石化した森の奥で、二つの光が輝いている。次の瞬間、別の二つの光がその左手に現れた。キセノンで輝く目のように見える。その直後、さらに二つの光が現れ、三組の光が横に並ぶ。

グレイは座席の背もたれを握る指先に力を込めた。

「新たな侵入者だ」

午後四時三十二分

〈道理であいつらを追い詰めるのにここまでの時間がかかったわけだ……〉

ディラン・ライトは大型のＣＡＡＴの運転席の後ろに立ち、果てしなく広がる湿地帯とその中を移動するパチケレクスの群れを眺めた。はるか右手前方には、まばゆい光の帯を発しながら群れの縁を移動する車両がある。暗い洞窟の床で弧を描く彗星のようだ。

〈バードの古いスノークルーザーを動かせるようにしたのか〉

一年半前にディランが部下たちとともに地獄岬から脱出した後に、修理を行なったのだろう。しかし、それももはや問題ではない。地上走行用のスノークルーザーは、スピードでは水陸両用で小回りの利くＣＡＡＴにかなわない。こちらにはより高速な小型のＣＡＡＴもある。

数の上でもディランの方が優位に立っていた。車両の数で言えば三対一。人数および武器の面でも、おそらく同じかそれ以上の割合で、こちらが有利であることは言うまでもない。

ディランは無線のイヤホンに手を触れた。左右を走行する小型のＣＡＡＴに指示を伝える。「マッキノンは右に、スーワードは左に展開しろ。相手を挟み撃ちにするんだ。俺はこのＣＡＡＴをやつらのケツにぶち込んでやる」

二人の部下から了解の言葉が返ってくる。

「行け！」命令するディランの喉の奥に、狩りに対する渇望（かつぼう）が湧き上がる。

〈さあ、けりをつけてやる〉

午後四時三十三分

ジェイソンが助手席に座る中、コワルスキがハンドルを握るスノークルーザーは湿地帯を疾走していた。アシを踏みつぶし、逃げ惑う生物を蹴散らし、行く手を遮る大きな障害物——悠然と移動するパチケレクスをかわしながら進む。大型の獣は抗議の鳴き声をあげながら、巨体にできる精いっぱいの動きで道を空ける。コワルスキは右に左にハンドルを切りながら、逃げ遅れたパチケレクスを巧みによけた。動物愛護の精神からではない。衝突すれば皮膚の厚い相手よりもこの乗り物の方に大きな被害が及びかねないからだ。

スノークルーザーが隆起した箇所を高速で乗り越えると、信じられないことにそのはずみで大型の車両がほんの一瞬だけ宙に浮いた。次の瞬間、着地とともに大きな車輪がしっかりと地面をとらえる。

ジェイソンは座席の肘掛けをしっかりとつかみながら、窓の外の監視を続けた。操縦室の反対側では、コワルスキの後ろの折りたたみ式の補助席にうずくまったステラが、スノークルーザーの左側に目を凝らしている。

右手の暗闇を光が貫いた。

「進行方向右側に敵を確認！」ジェイソンは下にいるグレイに届くように大声で叫んだ。

「こっちからも来たわ！」ステラもほぼ同時に告げた。

疾走するスノークルーザーの両側に、それぞれ二本のヘッドライトの光が伸びていた。三十メートルほど離れた左右を走る二台の小型ＣＡＡＴは、速度でも敏捷さでも図体の大きなこの車両にまさっている。スノークルーザーの先回りをして、走行を妨害しようという計画なのだろう。後方から迫る大型のＣＡＡＴも、浮力のあるトレッドで水面を滑走するように進みながら、見る見るうちに距離を縮めている。

「もっとスピードを出さないとだめだ」ジェイソンは小声でつぶやいた。

その言葉がコワルスキの耳に届いた。「アクセルはいっぱいに踏み込んでいるんだよ、坊や。車を降りて後ろから押してくれるなら話は別だが、そうじゃなきゃこれが限界だ」

ジェイソンは不安げにステラと顔を見合わせた。

追っ手を振り切ることは不可能だ。

両脇を走るＣＡＡＴが距離を詰め始めた。スノークルーザーを挟み撃ちにして、進路をふさごうと目論んでいる。銃声がとどろいた。銃弾が車体の側面に跳ね返り、フロントガラスに亀裂が入る。厚いガラスは持ちこたえた――だが、時間の問題だ。スノークルーザーは南極大陸の険しい地形を考慮した設計がなされていて、雪崩や氷の崩落にも耐えられるようにできているが、第二次世界大戦当時の最新技術なので限界がある。

何とかしてこの罠(わな)から逃れる必要がある。そのためのチャンスは今しかない。ハンターたちをスノークルーザーにできるだけ引きつけることができたこの機会を利用するしかない。

「準備してください！」ジェイソンは下にいるグレイに向かって叫んだ。

ステラが左前方を指差した。「あそこを見て……あれよ！」

ジェイソンはうなずきながら大声を出した。「進行方向左側！　左側に大物あり！」

「やれ！」グレイが叫び返した。

コワルスキがハンドルに身を乗り出した。「しっかりつかまってろよ」

午後四時三十五分

グレイはスノークルーザーの車内にあるベンチの最後部でシートベルトを締め、車体の後方に体を向けて座っていた。向かい側のベンチにはハリントン教授が座り、同じようにシートベルトで体を固定している。

スノークルーザーが右に急カーブを切り、車体が片側に傾いた。右側のタイヤだけで湿った石をこすりながら、なおも右に曲がるうちに車体がさらに傾き、後部が左側に大きく振られる。

グレイは横転を覚悟し、固唾をのんだ――だが、スノークルーザーは何とか持ちこたえ、体勢を立て直すと、再び四つのタイヤで走り始めた。

「今だ！」グレイはハリントンに向かって叫んだ。

教授は座席の真上にある黒い大きなボタンを押した。

奥の壁の最上部にあったボルトが吹き飛んだ――後部扉が倒れて開き、脱出用のスロープに変わる。スロープの先端が地面にぶつかった。ガタガタと大きな音を立てて跳ね、浅い水たまりや流れを突っ切るスロープを引きずったまま、スノークルーザーは走り続ける。

鋼鉄と石のぶつかる音や怯えた群れの鳴き声に負けじと、ハリントンが声を張り上げた。

「あれのことに違いない！」

教授が指差す方向を見ると、その先にはひときわ体の大きなパチケレクスが、怒りの雄叫びをあげながら疾走していた。群れのほかの仲間と比べると、一回りどころか二回りも大きな体をしている。その巨体のさらに向こう側を走る小型のＣＡＡＴのうちの一台は、スノークルーザーの突然の方向転換に対応しようとしているところだ。

グレイは巨大なパチケレクスの臀部にＤＳＲの狙いを定めた。後を追うＣＡＡＴが獣と並走する位置に達するまで待つ――グレイは引き金を引いた。

音響ライフルの反動がグレイの肩を直撃する。衝撃波が後方にも伝わり、歯がうずくような感覚に襲われる。音の銃弾はパチケレクスの側面に命中した。命中したと確認できたのは、それまで深紅に輝いていた皮膚が、まるでペイントボールの直撃を食らったかのように青い光を放ち始めたからだ。

パチケレクスはうなり声をあげながら後ろ足だけで立ち上がると、音と苦痛から逃れるために身をよじった。再び四本の足を地面に着け、衝撃とは反対方向に走り始めた巨大生物の目の前にいたのが、並走していたＣＡＡＴだった。

パチケレクスは群れへのこの新たな侵入者に怒りの矛先を向けた。獣が頭を下げ、ＣＡＡＴの側面に突っ込むと同時に、骨と鋼鉄のぶつかり合う音が響く。小型のＣＡＡＴのキャタピラが地面から浮き上がり、車体が横向きに回転しながら宙を舞った。ＣＡＡＴは水たまりを飛び越え、側面を下にして向こう岸に着地し、火花を散らしながら岩の上を滑っていく。

〈まず一台〉

人数で敵に劣っているため、グレイはこの厳しい環境を武器として利用し、ハンターたちに差し向ける計画を立てた。

コワルスキが衝突現場の方に急ハンドルを切ったため、車体の後部が再び激しく振られた。シートベルトを締めたグレイの体もその動きに合わせて揺さぶられ、危うくＤＳＲを離してしまいそうになる。スノークルーザーは敵の追撃を逃れるため、新たに生じた罠の隙間を目指した。

　スノークルーザーが轟音とともに衝突現場の近くを通過した。後方に見える大型のＣＡＡＴの姿が次第に小さくなっていく。グレイは遠ざかるヘッドライトの光を見つめながら、車内にいるに違いない宿敵の顔を思い浮かべた。

〈いつでもかかってこい……〉

午後四時三十六分

　ディランの目はスノークルーザー後部のスロープの先にいる人影をとらえた。ＣＡＡＴのヘッドライトが、シートベルトで固定され、長いライフルを手にした人物を照らし出す。距離があるうえにほんの一瞬だったので、はっきりと確認できなかったが、ディランは二十四時間前に目撃した男を思い浮かべた。スキードゥの上から発砲したあの男のせいで、ツイン・オッターは危うく墜落するところだった。

　あの時のアメリカ人に違いない。

〈あいつは生き延びやがったのか……そして基地までたどり着いた〉

　ディランは男に対してかすかな敬意を抱いた。ハリントンを捕まえるのにここまで手こずった理由もこれで納得がいく。あのじいさんには有能で腕利きの助っ人がいたというわけだ。

ディランの指が知らず知らずのうちにハウダー拳銃の銃尻に触れ、年代物の武器のグリップを握り締めた。来たるべき決戦に備えなければならない。

衝突現場に近づくと、小型のＣＡＡＴの運転手が速度を落とした。ヘッドライトの光に照らされて、横転した小型のＣＡＡＴが見える。キャタピラは虚しく回転を続けている。激突の衝撃で車両後部の脱出用スロープが開いてしまっていた。発砲音に合わせて、車内から光が漏れる。

誰かがまだ生きている。まだ戦っている。

戦う相手がいるからだ。

光と騒音で興奮と怒りの高まった地獄岬の生物が、開いた後部扉から横転した車内に入り込み、肉と酸の饗宴に浸っていた。不気味な影が幾重にも重なり、うごめき、地を這い、体をくねらせている。車内にいる負傷者の血のにおいに引き寄せられているのだろう。一人の男が必死にもがきながら、押し寄せる死の波に抗って車外に飛び出してきた。うろこ状の皮膚を持つクモのような生物が、肩から首にかけて貼り付いている。長い脚が皮膚に深く食い込み、しっかりととらえて離さない。

こちら側の部隊のリーダーのスーワードだ。アシの茂みをかき分けながら、接近するヘッドライトに向かってくる。無言で助けを求めるかのように、片方の腕が上がる。

「どうしますか？」運転手がさらに速度を落としながら訊ねた。

その時、大きな黒い影が発光するアシの先端すれすれに飛来し、スーワードの脇腹をくちばしで貫いたかと思うと、そのまま上空に運び去った。

あの横転したＣＡＡＴには、ほかに三人が乗っていた。

だが、すでに車内の銃声はやんでいる。

〈どうすることもできない〉

ディランは前方に注意を向け、遠ざかりつつあるスノークルーザーの後部を指差した。まだ果たさなければならない任務がある。

「このまま進め」

午後四時三十九分

グレイはＤＳＲを手に、開いたままの後部扉の警戒に当たっていた。スロープは損傷が激しく、元通りに閉じることはできない。スノークルーザーに引きずられたまま洞窟の床をこする先端部分は、跳びはねたり火花を散らしたりしている。外の世界との境目がなくなったため、車内は大きな危険にさらされていた。グレイは近づきすぎた影を見つけるたびに音響ライフルの引き金を引いたが、膝ががくがくと揺れるようなスピードと、ディーゼルオイルの煙およびエンジンの轟音が、彼らにとっての最大の防御となっていた。

その騒音を切り裂くように、甲高い音が鳴り響いた。

コワルスキがスノークルーザーのクラクションを鳴らし続けている。

〈今度は何が？〉

グレイが肩越しに振り返ると、ジェイソンとステラが操縦室に通じる梯子を駆け下りてくるところだった。

「コワルスキが呼んでいます！」そう伝えてから、ジェイソンはステラの方にうなずいた。「僕たちがここを守りますから」

ステラが父親のもとに駆け寄った。「お父さんも一緒に行ってあげて」

「ちょっと待ってくれたまえ」教授は車内にあった第二次世界大戦中のものと思われる双眼鏡で暗闇の先をのぞいていた。双眼鏡を下ろすと、後方を指差す。

「どうやらライトは我々から離れつつあるようだ」

向き直ったグレイは、教授の言葉が正しいことに気づいた。

ＣＡＡＴのヘッドライトが大きく左を向き、その動きに合わせて車体が湿地帯の先へと、広大なコロッセオの闇の奥へと遠ざかっていく。

〈どこへ行く気だ?〉

ハリントンは再び双眼鏡でその動きを追った。「CAATの屋根に何かが固定されている。どうやらあれは——」

すさまじい爆発音が教授の言葉をかき消した。地下空間内にこだまする轟音に、スノークルーザーの外の生物たちの鳴き声やうなり声がぴたりとやむ。かなり遠くで発生した音のようだ。

雷鳴の名残のように音が次第に小さくなる中、グレイはハリントンの顔を見た。「今のはあなたの地中貫通爆弾ですか?」

恐怖がグレイの喉を締め付ける。

〈ライトがこの地下空間の入口側を崩壊させたのだろうか?〉

ハリントンは大きく目を見開いた——だが、グレイとは別の恐怖のせいだった。「いいや、そうではない。地中貫通爆弾が爆発したのであれば、今の何倍もの大きな音がしていたはずだ。この洞窟群全体が大きく震動していなければおかしい」

〈それなら、いったい何が?〉

教授はグレイの心の中の疑問に答えた。「ライトは事前に小さな爆弾を仕掛けていて、そのスイッチを入れたのだと思う。地獄岬の基地の壁を破壊できる程度の爆弾だ」

「なぜそんなことを?」

ハリントンはＣＡＡＴが姿を消した方角を指差した。「さっき君に伝えようとしていたのだが……彼の車両の屋根には大きなディスクが半ばシートをかけられた状態で固定されていた。あれはおそらくＬＲＡＤ用のパラボラアンテナだと思う。基地を防御していた我々のアンテナと比べると四倍の大きさはあるはずだ」

グレイはライトのＣＡＡＴが消えた先を目で追った。あのまま進むと、この失われた世界のさらに奥深くへと向かうことになる。

その瞬間、グレイはライトの計画を理解した。

爆発によって地獄岬の施設の壁に開いたであろう大きな穴を思い浮かべる。その穴は、ここの生物圏と外の世界とをつなぐ通り道だ。〈ライトがこの洞窟群の奥深くにまで入り込み、あの大型のＬＲＡＤを洞窟の入口側に向けて使用すれば……〉

「やつはこの世界を外に解き放つつもりなんだ」グレイは声に出した。音響兵器によって追いやられたこの世界の生物たちが、新たにできた穴に向かって殺到する様が頭に浮かぶ。

ハリントンの顔面は蒼白だった。「攻撃性の高いこの地のＸＮＡ種が現在の我々の生態系に解き放たれたら、計り知れない規模の危害が及ぶ」教授は首を横に振った。「あいつはいったいなぜそんなことを？」

「理由を考えるのは後回しです」グレイは促した。「今はそんな事態にならないようにすることだけを考えないと」

ステラがうなずいた。「私たちが裏口にたどり着いて地中貫通爆弾を作動させ、洞窟群の入口側を崩壊させられれば、何もかも封じ込めておくことが可能よ。ライトが大型のＬＲＡＤのパラボラアンテナをどこに向けようとも関係ないわ」

それに賭けるしかない。

再びスノークルーザーのクラクションが鳴り響いた。今度はいつまでも鳴りやまない。グレイは跳びはねるスロープを指差しながら、クラクションに負けじと大声で叫んだ。

「ジェイソン、ステラ！　中に何も入れるんじゃないぞ！」

ハリントンの考えが正しければ、一分一秒たりとも無駄にはできない。

ジェイソンとステラがうなずいたのを確認してから、グレイはハリントンを従えて大きな車内の前部に走った。先に梯子を駆け上がり、後に続く教授に手を貸す。

コワルスキが顔をしかめたまま振り返り、クラクションから手を離した。甲高い音がようやく鳴りやむ。「何をぐずぐずしていたんだよ」太い腕が前に向けられた。「なあ先生、あれが裏口かい？」

スノークルーザーの巨大なヘッドライトの光が暗闇を貫き、前方の壁面高くにまるで鋼鉄製のフジツボのごとく貼り付いた施設を照らし出していた。天井を伝うゴンドラのケーブルも、あの小さな基地に通じている。いくつもの箱型の部屋が密閉された通路でつながっており、まるで宇宙ステーションが地上に着陸したかのように見える。

んだのだよ」

「あれが第二基地だ」ハリントンがうなずいた。「天然の亀裂を利用してあの建物を埋め込んだのだ。亀裂は地表近くまで通じていたから、あとは地面までトンネルを掘るだけですんだのだよ」

〈そうやって裏口ができたわけか〉

「だとしたら、問題があるな」そう言いながらコワルスキは腕を下げ、目の前に広がる地形に注意を向けさせた。

スノークルーザーと裏口との間には広い川が流れていた。流れはかなり速く、水面から突き出たとがった岩や石筍(せきじゅん)の間で渦を巻いている。水深もあると思われ、スノークルーザーでは渡れそうもない。

ただし、望みがないわけではない——正確には、まったく望みがないとは言い切れない。

「あれをどう思う?」コワルスキが訊ねた。

左手に視線を向けると、木と鉄でできた古い橋が川に架かっている。コロッセオを横断する間にも、同じような橋の残骸を何度か目にしていた。ここを最初に探検したアメリカ人が造ったものだろう。かなり困難な作業だったことは想像に難くない。

グレイはハイジャンプ作戦に関するハリントンの説明を思い返した。バードがあんなにも多くの船舶、飛行機、人員を必要としていたのもうなずける。ここに足を踏み入れることは、火星探検に匹敵する一大事業だ。

スノークルーザーが橋に向かって突き進む中、グレイは橋の建築資材として使用されている鉄道の枕木が、数カ所で腐食したり落下したりしていることに気づいた。すでに残骸と化していたほかの橋の姿が浮かぶ。

「持ちこたえられると思うか？」コワルスキが訊ねた。

ハリントンは下唇を嚙んだ。楽観的な答えの根拠を懸命に探しているように見える。「この古い橋はスノークルーザーの重量や大きさにも耐えられるように設計されていたはずだ」

〈ただし、それは七十年前の話だ〉

しかし、ほかに選択肢は見当たらない。裏口まではまだ三百メートル近い距離がある。ライトの計画を阻止するために少しでも早く裏口までたどり着くには、スノークルーザーのスピードが不可欠だ――車両の中という比較的安全な場所の必要性に関しては言うまでもない。

「この橋に賭けるしかない」グレイは決断した。「勢いをつけて突っ込めば、橋が壊れる前に渡り終えられるはずだ」

「仰せの通りに」コワルスキが返した。

大男は再びアクセルを踏み込み、残り少なくなったディーゼル燃料を消費してさらにスピードを上げた。

グレイは下の二人に声をかけた。「何かにしっかりつかまれ！」

グレイは危険な賭けに打って出る前に、ジェイソン、ステラ、ハリントンの三人にスノークルーザーを降りてもらおうかとも考えた。しかし、そんなことをすれば時間も手間も燃料も余計にかかる。それにこれから行なおうとしている賭けよりも、三人をここに置いていく方が安全だとは思えない。

〈かえって危険なはずだ〉

「手を離すなよ！」グレイが叫ぶと同時に、スノークルーザーが川に到達し、橋を渡り始めた。

前のタイヤが枕木を踏みしめるのに合わせて、グレイの体に緊張が走る。だが、頑丈な支えは持ちこたえた。グレイはゆっくりと息を吐き出しながらも、最悪の事態に備え続けた。スノークルーザーが高速で渡る橋は五十メートルもないが、はるかに長く見える。

バックミラーをのぞいたグレイは、通過する車両の重みで二本の枕木が砕け、橋の下で渦巻く川に落下したのを目撃した。しかし、巨大なタイヤは小さな隙間を問題にしない。スノークルーザーは余裕で橋を渡り続ける。スピードと勢いがグレイたちに味方していた。

あいにく、運は味方してくれなかった。

何かが火を噴きながら水面近くを飛行し、スノークルーザーの方に近づいてくる。

グレイの目はその発射元をとらえた。遠方に見える光の塊は、もう一台の小型ＣＡＡＴだ。大型のＣＡＡＴの後を追わずに、先回りしてここでスノークルーザーを待ち伏せしていたのだ。

周囲の危険を顧みずにＣＡＡＴの操縦室から上半身を突き出した人影が両手で抱えているのは、煙を噴き上げているロケットランチャーだ。

発射されたロケット弾が橋の前方に命中すると同時に、古い枕木が吹き飛び、鉄の破片が飛び散る。

ブレーキをかける間もなく、スノークルーザーは爆発でできた大きな隙間に突っ込み、川に転落した。

第四部　文明退化

25

四月三十日　アマゾン時間午後零時四十五分
ブラジル　ロライマ州

〈あんな小柄な女性がこれほどまで厄介な存在になるとは〉

建物の端の影の中に立つカッター・エルウェスは、若い女性がヘリコプターの機内からテプイの頂上におそるおそる降り立つのを見守っていた。女性は片手をかざして太陽の光を遮り、野球帽を深くかぶり直した。ゆったりとしたブラウスの上にベストを羽織り、髪はポニーテールにまとめている。

〈魅力的でないとは言えないな〉

だが、その後に続いてヘリコプターを降り、女性の肘をつかんだ美女とは比べ物にならない。妻の双子の妹の姿を目にして、カッターは顔をほころばせた。外見はアシュウとうり二つだが、妹のラヘイは温和な姉とは正反対の性格で、石のような冷たい心の持ち主だ。今もカッターの存在に気づいているものの、まったく感情を表に出さない。黒曜石のような瞳を向け、囚人をカッターの方に引き寄せるだけだ。

身柄を拘束して持ち物を調べた時に発見された女性のパスポートの内容は、すでにファックスでカッターのもとに送られている。経歴をざっと調査しただけで、この新たな客人に関して興味深い事実がいくつも明らかになった。女性の名前はジェナ・ベック。カリフォルニア州の公園管理局に所属し、モノ湖で勤務している。ケンドール・ヘスの研究施設があった場所だ。

偶然の一致とは思えない。

マテオからの報告によれば、ドクターの拉致を目撃した可能性のあるパークレンジャーがいるとのことだった。同じパークレンジャーとの頂上での銃撃戦の経緯についても話を聞いている。

この女性がそのパークレンジャーなのだろうか？

〈なかなか面白いじゃないか〉

もっと詳しく知りたいという興味を覚え、カッターは建物の入口を兼ねた洞窟の外に出た。上空に輝く灼熱（しゃくねつ）の太陽をもってしても、頂上の自宅をすっぽりと包むもやはまだ完全には晴れていない。

カッターは自分の存在に気づいた女性の顔に、いくつもの感情がよぎるのを目にした。軽く目を見開いたその表情から、ある一つの心の動きが読み取れる。

認識。

〈彼女は私のことを知っている〉

この女性がモノ湖近くの研究施設を間の悪い時に訪れたことが一連の出来事の引き金となり、アメリカ人のチームがボア・ヴィスタに現れ、死んだはずの人間について聞き回る事態になったのだろうか？　この疑問からさらなる多くの疑問が浮かんでくるが、答えを聞き出すのは後の楽しみに取っておくとしよう。

カッターは女性に歩み寄り、握手をしようと手を差し出した。

女性は差し出された手を無視した。「あなたがカッター・エルウェスね」

この期に及んで策を弄してももはや意味がないと判断し、カッターは軽くお辞儀をして認めた。

「君はジェナ・ベック」カッターは返した。「多くの悲しみを引き起こしてくれたパークレンジャーだ」

驚いた相手が眉間にしわを寄せる表情に、カッターは軽い喜びを覚えた。だが、女性はすぐに冷静さを取り戻した。

「ドクター・ヘスはどこにいるの？」周囲を見回した女性の視線が、カッターの背後にある建物に向けられる。

「彼は無事で、元気にしている。私のために仕事をしているところだ」

女性の顔に疑いの色が浮かぶ。

カッターは自らの質問を相手に投げかけた。「どうやって私のことを発見したのかな、ミズ・ベック？　死んだことにしておくために、いろいろと手を打っておいたはずだったのだが」


女性はすぐには口を開かず、答えを秤にかけているような表情を浮かべた。だが、顎を突き出した強気な態度から察するに、真実を伝えることに決めたようだ。

「エイミー・サープリーのおかげ」女性は答えた。「あなたがドクター・ヘスの研究施設に送り込んだスパイよ」


カッターはその答えを予想していた。ダークエデンの若き支持者に何度か連絡を取ろうと試みたものの、応答がなかったからだ。破壊工作の最中に命を落としたのかもしれないと思っていたのだが、どうやら彼女は身柄を拘束されたらしい。

「それで、エイミーは今どこに？」あの女は当局にどこまで話をしたのだろうか？　だが、カッターは深く憂慮（ゆうりょ）しているわけでもなかった。エイミーはこのテプイを訪れたことがないし、計画の真の規模については何も知らない。

「死んだわ」女性は答えた。「カリフォルニアで自らが解き放った何かに感染して」


協力者の死に対してどのような思いを抱いたか、カッターは自分の心の内を探ったものの、特別な感情は何も浮かばなかった。「エイミーは危険を承知していた。彼女はダークエデンの忠実なる戦士で、目的の遂行に喜びを感じていた」

「死ぬ間際は喜んでいるように見えなかったけど」

カッターは肩をすくめた。「つらい犠牲が必要な場合もある」

〈これからも多くの犠牲が必要だ。この若い女性もいずれそのことを学ぶだろう〉

カッターは囚人を連行するようラヘイに合図をしてから、女性に背を向けた。だが、自宅の玄関に向かって歩き始めた時、扉の隙間から小さな顔がこちらをのぞいていることに気づいた。息子のジョリは、見知らぬ人間に対して強い好奇心を抱く。その責任の一端は自分にある。息子をこのような隔絶された状態に置いているせいだ。

カッターは息子に手を振り、家の中に戻るように促した。

ジョリがこの客人に会う必要はない。

「ドクター・ヘスに会わせてちょうだい」女性は食い下がった。「それまでは何も言わないから」

どれほど虚勢を張ろうとも、ラヘイの手にかかれば一時間もしないうちに話すようになるだろう。だが、そんな必要はない。

カッターは振り返った。「これからどこに行くと思っているのかな？」

午後零時四十八分

〈まさか……〉

ケンドールはマテオの監視下に置かれた状態で、研究室のコンピューター画面を見つめていた。

カッターが設計した遺伝コード――彼がビリオンの殻に挿入しようと考えている遺伝コードの解析を終えた後、防護服を脱ぎ、ＢＳＬ－４の施設の外にあるワークステーションの前に戻ったところだ。

ケンドールはＣＲＩＳＰＲ／Ｃａｓ９技術を使用して、カッターの遺伝コードを遺伝子単位にまで、ヌクレオチド単位にまで分解した。その結果、遺伝コードは簡単なものだと判明した。どのウイルスにも一般的に見られる、一本のＲＮＡ鎖だったのだ。

おそらくカッターはごくありふれたウイルスを選び、この陥没穴の内部に生息するキメラ種の合成に使用した技術を用いて、新しいコードを挿入したのだろう。

しかし、元のウイルスは何だったのか？

その謎の解決は難しいことではなかった。遺伝コードを識別プログラムにかけたところ、ノロウイルスと九十四パーセントの一致という結果が出たのだ。ノロウイルスはクルーズ船など大勢の人が集まる場所で流行することが多い。自然界で最も感染力の高いウイルスの一つとされ、わずか二十個ほどのウイルス粒子で人間に感染する。飛沫感染、空気感染のほか、汚染された表面に触れただけでも感染するおそれがある。

感染力の強い生命体を作り出したいのであれば、ノロウイルスはそのための格好の選択肢となる。その一方で、このウイルスにはごく普通の消毒剤や漂白剤、洗剤が極めて有効なため、感染を未然に防ぎやすいという側面もある。

〈しかし、もしこのウイルスが私の手による殻で武装したら、食い止める術はなくなる〉

それでも、たとえノロウイルスに感染したとしても、健康な人であれば死に至るような事例は数少ない。インフルエンザに似た症状を引き起こす程度だ。そのことからより大きな懸念が生じる。

〈カッターはノロウイルスに何を加えたのだ？〉

〈遺伝コードの残りの六パーセントを構成しているのは何なのか？〉

残りの物質は特定の蛋白質コード遺伝子が繰り返し配列されているように思われた。その蛋白質が何かを突き止めるために、ケンドールは自身の発見をモデリングプログラムにかけ、コードをアミノ酸に変換し、そのアミノ酸の鎖からコンピューターが蛋白質の最終形態の三次元モデルを作成した。

ケンドールの目の前にあるのがその三次元モデルだ。コンピューターの画面上で、ゆっくりと回転している。

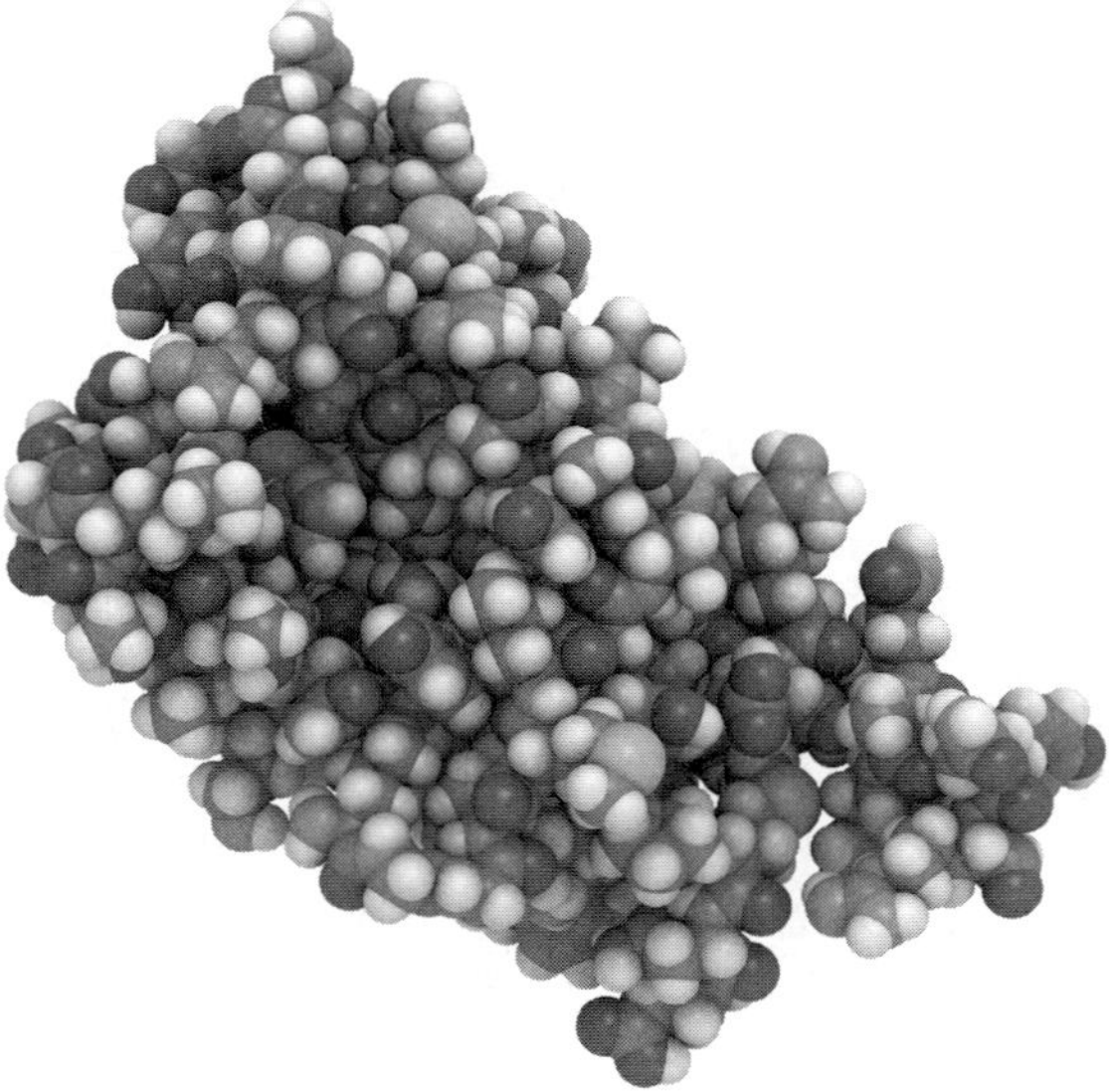

少し手を加えられているものの、ケンドールは折りたたまれた構造を持つこの独特の蛋白質を認識することができた。識別プログラムからも、その正体が確認された。

〈何ということだ、カッター。君はいったい何を企んでいるんだ？〉

その思いが聞こえたかのように、研究室の扉が開いてカッターが姿を現した。二人の女性が同行している。一人はカッターの妻だ――いや、妻のように見えるが、どこか違和感を覚える。カッターの妻が持つどこか官能的な魅力に欠けているし、言葉に出さずとも夫と妻との間に垣間見られた愛情が微塵もうかがえない。

ケンドールはふと思い当たった。この部族には変わった特徴があることを。

ここにいるのはカッターの妻の双子の姉妹に違いない――マテオのもう一人の妹だ。

しかし、顔に傷のある男のこの女性に対する反応は、アシュウを目にした時の様子とはまったく異なっていた。マテオはこのもう一人の妹と視線を合わせようとしない。その態度からは、なぜか緊張と怯えが感じられる。

ケンドールがその理由に考えを巡らせるよりも早く、二人目の女性の姿が目に留まった。服装と物腰から推測する限り、アメリカ人に間違いない。だが、この女性にはどことなく見覚えがある。以前に会ったことがあるのだろうか？　けれども、いつ、どこで出会ったのかはわからない。

カッターが二人の女性を紹介した。「ケンドール、こちらは私の義理の妹のラヘイだ。そして、私の隣にいるこの若く麗しい女性は、君のご近所さんとでも言ったらいいかな。カリフォルニアのパークレンジャーの、ミズ・ジェナ・ベックだ」

不意に記憶がよみがえり、ケンドールは驚いて目を見開いた。確かにこの女性とは、短時間だが会ったことがある。リーヴァイニングのボディ・マイクスで、コーヒーを飲みながら話をした女性だ。湖での研究に関して、あれこれ質問された覚えがある。ケンドールは混乱する頭で必死に考えた。

〈その女性がここでいったい何をしているんだ？〉

顔に浮かんだ怒りの表情とよそよそしい態度から、この女性が一連の事件でのカッターの共犯者だとは思えない。

ジェナが歩み寄り、気遣うかのようにケンドールの肘に触れた。「大丈夫ですか、ドクター・ヘス？」

あまりの衝撃で質問にどう答えたらいいのかすらわからず、ケンドールは乾き切った唇をなめることしかできなかった。

カッターの視線がコンピューターの画面に向けられる。「ああ、ケンドール、私が留守にしていた間にずいぶんと作業が進んだようだね」

ケンドールはゆっくりと回転する蛋白質の画像の方を振り返った。「これはプリオンの一種だ、そうだろう？」

「やるじゃないか。まさにその通りだ。もっと詳しく説明すると、クロイツフェルト・ヤコブ病を引き起こす感染性蛋白質に手を加えたものさ。この疾患は人間に対して進行の早い認知障害をもたらす」

ジェナが二人の顔を交互に見た。「いったい何の話なの？」

ケンドールには十分な説明をしている時間がなかった――もっとも、自分でもまだ完全に理解できているわけではない。プリオンは蛋白質の断片にすぎず、それ自体には遺伝コードがない。患者に感染すると、プリオンはほかの蛋白質――通常は脳内の蛋白質を破壊する。そのため、プリオン病は一般的に広く拡散することはまれだ。

だが、それはこれまでの話だ。

ケンドールはカッターに向き合った。「君は感染力の強いノロウイルスの遺伝子を操作し、この致死性の高いプリオンを短時間で広範囲にばらまけるようにしたのだな」

「最初に断わっておくが、必ずしも致死性が高いわけではないよ」カッターは訂正した。

「プリオンの遺伝構造に手を加えたので、命に関わるものではない。初めに約束したじゃないか、私の合成物の直接的な結果として、人間や動物が殺されることはないと」

「それなら、君の目的はいったい何だ？　君は自分が作り出したものを私の頑丈な殻に挿入し、遺伝コードの抹消をほぼ不可能な状態にすることが望みなのだろう？　殻の中に収納されたら最後、食い止める方法のないまま急速に拡散するはずだ」

「確かにその通り。だが、私は君の作り出した殻が小さいことにも大いに着目した。血液脳関門すらも楽に通り抜けられるような、超小型の遺伝子デリバリーシステムだ。それを利用すれば、この小さなプリオン製造工場を感染者の神経系に送り込むことが可能になる」

ケンドールは戦慄が顔に出るのを抑えることができなかった。女性のパークレンジャーもある程度は話の内容を理解したのか、顔から血の気が引いている。プリオン病には治療法がなく、脳機能への障害は恒久的に残る。典型的な症状としては、全体的な認知障害と進行性の高次認知機能の喪失があげられ、聡明な人も植物人間同然の状態になってしまう。

ケンドールはカッターの作り出した疾患が人々の間に拡散する様を想像した。自らの研究室から解き放たれたあの生物と同じく、食い止める術のないまま、ウイルスが人間の神経機能を破壊し尽くしていくのだ。

カッターはケンドールの目に浮かぶ困惑の色に気づいたようだ。「怖がることはないさ、我が友よ。私はプリオンから致死性を取り除いただけでなく、一定の段階に達したら自己破壊するように手を加えた。患者の脳を破壊し尽くしてしまわないようにね」

「その目的は？」

「ある種の贈り物だよ」カッターは笑みを浮かべた。「この贈り物を受け取った感染者は、より質素な、より自然と調和した形で、高次認知機能から解放されて残りの人生を過ごすことができる」

「言葉を変えれば、我々を動物と同じ状態にするというわけだな」

「それによって地球はよりよい環境になる」カッターは応じた。

「そんなのは非人道的な行為だわ」言葉を絞り出しながら反応するジェナも、怯えている様子だ。

カッターはジェナの方を見た。「君はパークレンジャーだ、ミズ・ベック。誰よりもよく理解しているはずじゃないのかな。非人道的な行為こそが人類のためになるのだよ。もはや我々は倫理を振りかざすだけの獣も同然じゃないか。我々が宗教や政府や法律を必要としているのは、その卑しい本性を少しでも抑えようとしているからにほかならない。私の意図は知性という名の疾患を取り除くことにある。人類こそがより力強い存在で、この惑星にとってよりふさわしい存在だ、などという思い違いをさせるような欺瞞を排除することにある」

カッターは大きく腕を振った。「我々は森を焼き払い、海を汚染し、氷冠を融かし、二酸化炭素を大気中に排出する……我々人類こそが、地球上で最大規模の大絶滅を引き起こす大きな原動力となっているのだ。今のままの道を歩めば、人類自身が絶滅の時を迎えるのは必至じゃないか」

ケンドールは反論しようとしたが、カッターが遮った。

「ラルフ・ワルド・エマーソンが的確に述べている。『人類が終わりを迎えるとすれば、文明が原因となって死に絶えることになるだろう』とね。我々はすでにその一歩手前にまで達している。だが、人類が苦しみ悶えながら滅んだその先には何が残ると思う？　汚染され尽くして何もかもが死に絶えた惑星じゃないのかね？」

ジェナがカッターの独演会に敢然と立ち向かった。「でも、その文明の中にこそ……私たちが生まれながらに持つ知性の中にこそ、私たちを救うための、この惑星を救うための可能性があるのよ。恐竜は地球に接近する小惑星に気づかなかったけれど、私たちは今起こりつつあることに気づき、変えようと闘っているじゃない」

「君は狭量な文明観の持ち主のようだね、お嬢さん。恐竜は一億八千五百万年にわたって地球上に君臨していたが、現生人類が現れたのはたかだか二十万年前だ。それに文明に至っては、わずか一万年の歴史にすぎない」

カッターは大げさにかぶりを振った。「社会というのは支配のための破壊的な幻想であって、それ以上の何物でもない。しかも、それによってもたらされた結果を見るといい。文明という名の短い実験の間に、種としての人類は生態系を完膚なきまでに崩壊させる間際にまで達してしまった。そんな事態を引き起こしたのは人間自身だ。争い続ける国家や、欲望にまみれた政治から成るこの産業化した世界の中で、君は何かが変わるだろうと本気で考えているのか？」

ジェナは大きなため息をついた。「変えようとしなければいけないのよ」

カッターは鼻で笑った。「そんなことができるはずはない。間に合うように変わるのは不可能だ。よりよい方法は何か？　この世界に必要なのは文明退化だ。地球上のありとあらゆるものが滅ぶ前に、この愚かな実験を停止させることだ」

「つまり、それが君の計画なのか？」ケンドールは訊ねた。「この伝染病をばらまき、人類から知性を奪うことが？」

「文明という病にかかった人類を治療する、そういう考え方の方が好ましいな。自然のままの動物だけが残り、すべての生物が同じ土俵で戦うことになる。『適者生存』のみが、この世界の掟となる。それにより、今よりも強く、今よりも健全な世界が生まれる」

カッターをにらみつけるジェナの顔には、疑念がありありと浮かんでいる。「それであなたはどうするわけ？」ジェナが問いただした。「この治療とやらを受けるつもり？」

カッターは肩をすくめたが、表情からは問いかけに対するいらだちがうかがえる――それを目にして、ケンドールはジェナに好感を抱いた。カッターは答えた。「少数の人間は除外されなければならない。移行を監視する必要があるからな」

「なるほどね」そう応じるジェナの口ぶりは、カッターを偽善者と糾弾しているも同然だった。「ずいぶんと都合のいい考え方だこと」

痛いところを突かれたカッターは、怒りをあらわにしながらケンドールの顔を見た。「そろそろ時間だ、我が友よ。例のビリオンの殻で武装するための手法を見せてもらえないかな」

ケンドールは若い女性の態度を見習った。「できない」正直に答える。

「見せることができないのか？　それとも見せるつもりはないという意味か？」カッターが訊ねた。「君にはずいぶんと辛抱強く接してきたつもりだ、ケンドール。かつて我々は友人だったからな。だが、君が全面的に協力するように仕向ける方法はいくらでもあるんだぞ」

　カッターが義理の妹を一瞥した。ラヘイの黒い瞳が、その指示を待ち望んでいるかのように輝く。

「君の要請を受け入れるか断るかの問題ではないのだ、カッター――こちら側に選択肢があるのなら断っているかもしれないが、そういうことではないのだ。君が望んでいる鍵は、我々の手の届かないところにある、単にそういうことなのだよ。合成することはできない。ここではできない。私が作製した殻を開くために必要なXNA配列は、自然界にしか存在しないのだから」

〈君がそんなにも愛する自然界にしか〉

「どこだ？」

「君ならわかるはずだ、カッター」

　カッターが目を閉じながらうなずいた。「もちろんだとも……南極大陸だな。あの影の生物圏に生息する特定の種が、例の鍵として機能する独特の遺伝コードを有しているということか」

　この化け物の頭の回転の速さに、ケンドールは改めて舌を巻いた。

　カッターは目を開いた。「その種というのは？」

　ケンドールは何の感情もこもっていない相手の視線を正面から受け止めた。ここから先は一歩も譲るわけにいかない。カリフォルニアの研究施設にスパイを送り込んでいたカッターのことだから、ハリントンの基地にも息のかかった人間あるいはチームを潜入させていたに違いない。地獄岬に関して、すでに詳細な情報を得ているはずだ。この男に真実を伝えたら、こいつの頭の中にある恐るべき遺伝子のパズルに最後のピースを提供してしまうことになる。

〈それだけは何としてでも阻止しなければ〉

ケンドールの顔に浮かんだ強い決意に気づいたのか、カッターは悲しげにかぶりを振った。「仕方ないな。そういうことなら、手荒なやり方で臨まざるをえない」

ケンドールの膝ががたがたと震え始めた。これからどんな拷問を受けることになろうとも、耐え抜かなくてはならない。

だが、カッターはラヘイに合図を送りながらジェナの方を見た。「手始めは彼女からだ。ケンドールには見学してもらうとしよう。どんな運命が待っているか、理解してもらうために」

午後一時

「あと一時間です！」ヴェイラーの操縦士の隣に座るスアレスが前から声をかけた。

ペインターは首を曲げ、包帯を巻いた肩越しに窓の外の景色を見た。離陸前にイブプロフェンを数錠飲み、三角巾を外したものの、これくらいの小さな動きでもダガーナイフで突き刺されたかのような痛みが走る。ペインターは過ぎゆく地形を眺めた。低い音を発しながら回転するティルトローターの下には、一面の緑が広がっている。前方のどこかに目的地が、死んだはずのカッター・エルウェスという男が暮らしていると思われるテプイがある。

〈ジェナとドクター・ヘスもそこにいてくれればいいのだが〉

残り時間は刻一刻と少なくなりつつある。

ペインターは衛星電話を耳に押し当て続けていた。「リンダールの動きを抑える方法はないのか?」

リサが答えた。「この一時間で予報が変わりつつあるの。しかも、よくない方に。当初の予想よりも前線の動きが速くて、午後の半ばには山間部に雨雲が到達すると見込まれているわ。風速と雨量から、今回の嵐は前回と比べて三倍から四倍の強さがあると予測されている。脅威が差し迫っているため、核という選択肢の予定時刻が日没から正午に繰り上げられたわ」

〈正午……〉

ペインターは腕時計を確認し、頭の中で時差を計算した。今からわずか二時間後だ。しかも、テプイに到達するまであと六十分かかるから、ケンドール・ヘスを見つけ出し、広がりつつある脅威への核以外の対処法を発見するための時間は、ほんのわずかしか残されていないことになる。

ほぼ不可能な任務だということは認めざるをえない。ペインターはまわりにいる海兵隊員に視線を向けた。両側にはスアレス軍曹の二人の部下、アブラムソンとヘンケルが座っている。向かい側の座席では、ドレイクがマルコムおよびシュミットと小声で話をしている。ペインターは同行する精悍(せいかん)な男たちの姿を心強く思った。

それでも……

「基地から退避する時間は?」ペインターは訊ねた。

「すでに始まっているわ。州兵が夜明けから周辺一帯をくまなく捜索して、退避命令に従わない頑固な地元住民を移動させているところ。基地のスタッフは研究室の分解を始めていて、こうして話している間もジョッシュの移送が進められているわ」

「それで、君とニッコは?」

「リンダールのことは信用できない。最後の最後までここに残るつもり。私たちが無事に脱出できるように、サラ……ジェサップ伍長が小型ヘリを手配してくれたわ」

「必要以上に長居するなよ」そう警告するペインターは、リサを案じるあまり口の中がからからに渇いていた。

「そこまでするつもりはないわ。爆弾の準備を進めている核のチームの最新情報は、エドムンドが定期的に教えてくれている。まだ最終的な計算を進めている段階みたい。無人ヘリコプターで爆弾を運搬し、頂上から盆地にかけて最大限の効果を期待できる高度で爆発させる計画らしいわ。チームはその最後の詰めを行なっているところよ」リサの声がこわばった。「ペインター、お願い、絶対に何かを見つけて……解決策は無理だとしても、避けられない事態を少しでも先延ばしにできる希望でいいから」

ペインターは大きなため息をついた。かなり厳しい要求だ。たとえこの脅威に対する解決策を——生物由来の未知の中和剤のようなものを発見できたとしても、差し迫った核爆発を阻止するのに間に合うような短時間で使用できる状態にまで合成できるのだろうか？

「できる限りのことはする」ペインターは約束した。

通話を終え、衛星電話を膝の上に置く。

ドレイクが表情から何かを読み取ったに違いない。「当ててみましょうか？　アメリカからの知らせはよくないものだったんでしょう？」

ペインターはゆっくりとうなずいた。

〈最悪の知らせだ〉

肩のうずきをこらえつつ、ペインターは再び窓の外に目を向けた。ようやくはるか彼方の地平線近くに、山の影が確認できるようになった。

〈あそこの状況がいくらかでもましならいいんだが〉

午後一時五分

「今度は少し痛いかもしれないよ」カッター・エルウェスが告げた。

ジェナは研究室の椅子に座らされていた。部族の男で巨漢のマテオが、体を押さえつけている。あの頂上のゴーストタウンでの襲撃を率いていたのと同じ男だ。頬から顎にかけて紫色の傷跡があるから一目でわかる。何もかもがここと関係していたのだ。

「やめてくれ」ケンドールが訴えた。「頼むから」

振り返ったカッターの手には、拳銃に似た形の器具が握られている。ワクチンの接種に使用される無針注射器だ。上部には口を下にした状態で容器が取り付けられており、その中には琥珀色の液体が入っている。

インフルエンザの予防接種を受けるのではないことくらい、容易に想像がつく。

「生物学的な鍵となるＸＮＡ種の名前を教えてくれるだけでいいんだぞ」カッターがケンドールに告げた。「そうすれば、こんな不快な作業を続けずにすむ」

「だめよ」ジェナは声をあげた。左右の肩に指が深く食い込み、黙るように警告するが、ジェナは脅迫を無視した。「彼が望む情報を教えてはだめ」

ケンドールはかなり心が揺れた様子だったが、やがて決心を固めたのか両腕を組んだ。

「それなら仕方がない」カッターがつぶやいた。

黒い肌をしたラヘイという名の女性が、ジェナのブラウスの袖を肩までまくり上げた。

カッターは無針注射器の先端をジェナの肩に押しつけた。「最後のチャンスだ、ケンドール」

正視できなくなったのか、ケンドールは視線をそらした。

カッターは小さく肩をすくめ、引き金を引いた。圧縮ガスの噴き出す音とともに、鋭い痛みがジェナの皮膚を貫き、骨にまで達する。

ジェナが小声で毒づくと同時に、マテオが手を離した。ジェナは腕をさすりながら立ち上がった。「今のは何？」

カッターが注射器を持ち上げると、容器の中に残った液体が揺れる。「殻で覆われていないRNAウイルスだ」

ジェナはさっきの会話を思い返した。「あなたが作り出した遺伝コードね。脳に影響を及ぼすとかいうやつ」

「その通り。しかし、この状態では感染力がそれほど強くないし、環境ストレスにもろい。だからケンドールの作った殻が必要なのだ」

ジェナは理解した。この男が合成しようと目論んでいるのは、人類を石器時代に——あるいは石器時代以前の状態にまで戻してしまいかねない超強力なウイルスだ。

「ただし、殻に覆われていなくても」カッターが付け加えた。「神経機能に及ぼす影響に変わりはない」

ジェナは息をのんだ。質問を投げかけたものの、その答えを聞くのが怖い。「私に残された時間は？」

「三十分以内に影響が出始めるはずだ。微熱、軽い頭痛、首筋の痛み……それから数時間のうちに、退行現象は加速度的に進行する。通常はまず言語機能に影響が現れ、それに続いて複雑な思考ができなくなり、ついには自我が失われる。その後に残るのは原始的な欲求と生存本能だけだ」

ジェナは腹部に冷たい恐怖を覚えた。

「つまり……つまり、あなたはこれを人間相手に実験したことがあるのね？」ジェナは訊ねた。この男は非道な行為を必死に正当化しようとするに違いない。

だが、カッターは落ち着き払って答えた。「徹底的に行なわせてもらったよ、お嬢さん。結果をつぶさに観察するために」

ケンドールがジェナの腕に手を触れた。「許してくれ」

カッターがラヘイの方を見た。「ミズ・ベックを実験用のケージに連れていけ。レベル・

ブラックだ」

その命令を聞くと、女性は口角をわずかに上げ、薄気味悪い笑みを浮かべた。感情を表に出したラヘイを見たのはこれが初めてだ。

そのことが何よりもジェナの恐怖を募らせた。

ラヘイがジェナの上腕部をつかみ、扉の方へと引きずり始めた。扉の近くにいた部族の別の男にも、ついてくるように合図をしている。男はライフルを携帯していた。ライフルには黄色い棒が取り付けられていて、銃剣のように銃口よりも前に突き出ているU字型の先端部分は銅でできている。

ジェナはその形に見覚えがあった。

家畜に電気ショックを与える牛追い棒だ。

ジェナは武器から十分に距離を置くように用心しながら、ラヘイに連れられて研究室を出た。その先にある長いトンネルは、山の中心部に通じているように思われる。トンネルの終わりには厳重に鍵のかかった扉がある。扉を抜けた先は屋外だった。

ジェナは太陽の光に手をかざした。真上に位置する太陽の強烈な光が、陥没穴の入口らしき部分から降り注いでいる。巨大な穴の壁面は段差のある庭園になっていて、ラン、アナナス、花をつけたつる植物などが一面に生い茂っている。穴の底に目を向けると、緑色の森が太陽の光を浴びて輝いていた。ここから底まではフェンスで仕切られたいくつもの階層に分かれていて、壁面に彫られた石の通路が螺旋状にその間を結んでいる。

ラヘイに押されて、ジェナは金属製の足場から石の通路に通じる梯子を下りた。梯子の下には覆いのあるゴルフカートが停まっている。後部座席に押し込まれたジェナの隣にラヘイが並び、武装した見張りが運転手の隣に座った。

全員が乗り込むと、ゴルフカートは電動モーターの音を響かせながら下り坂になった通路を走り始めた。いくつものゲートを通り抜けたが、車が近づくたびにゲートは自動的に開く。おそらくカートに埋め込まれたＲＦＩＤチップか何かに反応しているのだろう。

最初はこの庭園に特に変わった様子は見られなかったが、いくつかの階層を通過するうちに、ジェナは奇妙な点に気づき始めた。熱帯雨林の生態にはそれほど詳しいわけではないが、ここにはこれまでに見たことのないような動植物が生息している。最初のうちは微妙な差異だった。クルミほどの大きさのハチ。ひとりでに花びらが開いたり閉じたりする壁一面の黒いラン。透き通った池に潜った小型のボアには、体の側面にえらがある。

穴の底に向かって移動するにつれて、より大型の生物が姿を現し、それとともに一目でわかる異常が目につくようになった。シマウマに似た縞模様を持つネズミが、オポッサムのようにしっぽを使って通路の上の枝につかまり、一列になってぶら下がっている。ゲートが完全に開くのを待っている間、太いつる植物がゴルフカートの車体に向かってとげを発射する。次のカーブを曲がると、大型のインコの群れが通路から飛び立ったが、ありとあらゆる色合いを持つその羽毛を見ていると、目がくらくらしてくる。

そのうちの一羽が群れから離れて高く飛び上がった——次の瞬間、まるで発作を起こしたかのように動きが止まり、数メートル落下した後、再び羽ばたきながら群れのもとに戻っていった。

ジェナは頭上に目を向けた。それぞれの生物を決められた階層内に閉じ込めておくために、カッターは電子的なタグあるいはチップを使用しているのだろうか？　ジェナはその可能性に考えを巡らせた——何でもいいから考え事に神経を集中すれば、少しでも恐怖を紛らすことができる。

走り続けるカートがいくつもの階層を抜けるにつれて、空気中の温度と湿度が高くなっていく。額に汗がにじみ、背中を汗のしずくが流れ落ちる。

ジェナははるか頭上に見える陥没穴の入口を眺めた。すでに一キロ以上は下ってきているはずだ。

〈二度とここから出られないかもしれない〉

絶望から注意力が散漫になっていく——だが、ようやく陥没穴の底に密生した森の上に到達し、ジェナは再び景色に目を向けた。木々に覆われた森は野球場二つ分くらいの広さがありそうだ。

最後のゲートを通過したゴルフカートが、林冠の下に吸い込まれていく。

〈レベル・ブラックにようこそ、というわけね〉ジェナは暗い気分で思った。

でも、ここには何がいるのだろう？

通路を下るにつれて、周囲が暗くなっていく。頭上のまばゆい日差しも、ここまで来ると鈍い緑色の光となって届く程度だ。暗さに目が慣れてきたジェナは、木々の幹に幾重にも連なって生えているキノコが、うっすらと輝いていることに気づいた。穴の底を見ると、小さな池や細い流れがかすかな光を反射している。大きな葉を持つ丈の高いシダの群生があちこちにあり、森の中に通じる一本の砂利道の両側にも貼り付くように生えている。

ゴルフカートはその砂利道に入り、ジャングルの中心に向かい始めた。

ようやくヘッドライトが点灯する。

その明るい光を頼りに、ジェナは壁のように密生した左右の草の先をのぞこうとしたが、遠くまで見通すことはできなかった。時折カートのバンパーがシダに触れると、葉とゴムのような茎が丸くなりながら引っ込み、ジャングルの奥への視界が開ける。

だが、相変わらず同じような植物が見えるだけだ。

ジェナはあきらめて前方に注意を移し、どこに連れていかれるのだろうかとぼんやり考えた。ヘッドライトの光を浴びたハエがいっせいに飛び立つ。葉から水が滴り落ち、花びらがゆらゆらと揺れる。

この階層に入った時から、運転手と見張りとの間の無駄話がぴたりとやんでいる。二人の恐怖が手に取るように感じられ、ジェナの心臓の鼓動が大きくなる。

三十メートルほど前方に、何か大きな物体が上から落下し、道路上に飛び散った。その現場に近づくと、ゴルフカートは砂利道の上の塊をよけて先に進む。

のぞき込んだジェナの目に映ったのは、ヤギあるいはシカの血まみれになった骨だ。死骸にはまだいくらか肉が付着していて、顔の部分に残った片目がそばを通り過ぎるゴルフカートをうつろに見つめている。

窓に顔を押しつけたまま、ジェナは絡み合った太い枝や緑の葉で覆われた薄暗い樹上を探した。

けれども、何も見つからない。

〈いったい誰が、それとも何が――〉

息苦しいまでの静けさをすさまじい咆哮が切り裂いた。縄張りを侵された怒りと飢えに満ちた叫び声だ。それにこたえるかのように、森の奥深くからもいくつもの鳴き声が聞こえ、ゴルフカートを包み込む。

恐怖に怯えながら、ジェナはラヘイの顔を見た。

ラヘイの顔には再び笑みが浮かんでいた。

26

四月三十日　グリニッジ標準時午後五時
南極大陸　ドローニング・モード・ランド

「みんな、大丈夫か?」グレイは叫んだ。「返事をしろ!」

スノークルーザーの操縦室の床で体を起こし、支柱に頭をぶつけた時にできた傷を指で押さえながら、グレイはほかに怪我がないか全身を確認した。前に目を向けると、ひびの入ったフロントガラスの向こうで濁流が渦を巻いている。スノークルーザーは爆破された橋から転落し、橋脚の間をすり抜け、タイヤを下にして川に落下していた。

〈しかし、どうして完全に水没していないんだ?〉

コワルスキは助手席の前に投げ出されたハリントンを助け起こしていた。教授の額には大きなこぶができていて、目つきがぼんやりとしているから、意識も朦朧としているに違いない。

下の方からジェイソンの呼びかける声が聞こえた。「誰か手を貸してください!」

必死の叫び声にすぐさま反応したグレイは、操縦室から下に通じる梯子に飛びついた。開いたままの後部扉から、川の水が車内に勢いよく流れ込んでいる。大きな黒い柱状の岩が浸水した床を貫通し、天井に突き刺さっていた。グレイは牙のような形状の石筍が何本も川の水面から顔を出していたことを思い出した。落下したスノークルーザーの車体はその中の一本に串刺しにされた状態になっているようだ。

石の棒が突き刺さってくれたために、強い流れで川の深みへと引きずり込まれずにすんでいるのだろう。

ジェイソンはステラを助けようと格闘していた。天井近くのパイプに片手でしがみつき、もう片方の腕をステラの胸に巻き付けている。ステラの頭はふらふらと揺れていて、顔の半分が血で赤く染まっている。車内で水が渦を巻いているため、ジェイソンは今にも流れに引き込まれてしまいそうだ。

危険にさらされているのはジェイソンたちだけではない。

強い流れに押されてスノークルーザーの車体が動き、石筍を軸にしてわずかに回転した。すぐ横にあった木製の橋脚が引きちぎられ、壊れた橋の破片が次々と川に降り注ぐ。この危なっかしい状態がいつまでも持つとは思えない。

グレイが渦を巻く黒い水に飛び込もうとした時、ジェイソンが叫んで制止した。

「何かが水の中にいます！」

グレイは暗視ゴーグルを装着し直してから肩にかけたDSRの銃口を前に向け、赤外線ライトのスイッチを入れた。光線が照らし出す水中の深みに目を向ける。スノークルーザーの水没した鋼鉄製の床に光が反射する。水中を捜索していたグレイは、開いた後部扉から何本もの触手が侵入し、車内を探っていることに気づいた。しかし、タコの足とは異なり、この触手には吸盤の代わりに鋭いはさみ状の突起が付いている。不用意に近づいた魚が一匹、目にもとまらぬ速さの攻撃を受け、真っ二つに切り裂かれてしまった。短い触手が魚の肉片をつかみ、車外に引きずり出す。

グレイはこの触手の持ち主にお目にかかりたいとは思わなかった。

「動かないように！」グレイはジェイソンに声をかけた。

間の悪いことに、意識を取り戻しかけたステラがパニックを起こし、ジェイソンの腕の中でもがき始めた。数本の黒い触手が水中をくねりながら二人に近づく。

グレイは音による攻撃を考えたが、敵の体がスノークルーザーの外に隠れている状態で触手を狙っても効果があるのかわからない。しかし、その思いからある案が生まれた。この生物のほとんどは、振動や音に敏感だ。音の銃弾を一発放つだけでは姿を隠した捕食者にあまりダメージを与えられないかもしれないが、効果を増幅させることができたらどうだろうか？　スノークルーザーの車両全体を音響発生装置に変えればいいのだ。

「ジェイソン、合図をしたらこっちに逃げてこい」

顔は恐怖で歪んでいたものの、ジェイソンはしっかりとうなずいた。

グレイはDSRの銃口を水面から外し、天井に向けた。密閉された空間内なので、ジェイソンが気を失ってしまう危険がないわけではないが、勝負に打って出るしかない。グレイは引き金を引いた。鋼鉄製の天井にぶつかった衝撃波がスノークルーザーの車内に反響し、車体が鐘のように鳴り響く。

その音にひるんだジェイソンが、パイプから手を離してしまい、水中に落下した。触手が痙攣(けいれん)を起こしたかのように震え、車外に逃げていくのを見ながら、グレイも水の中に飛び込んだ。川の水が車内に流れ込んでいるおかげで、ジェイソンの体がグレイの方に流されてくる。ジェイソンはステラをしっかりと抱きかかえたままだ。

グレイは二人の体を受け止めた。ジェイソンとともにステラの体を引っ張りながら、梯子まで泳ぎ着く。水中に落下したことでステラはすっかり意識を回復し、自力で梯子を上ることができた。コワルスキが上から手を伸ばしてステラを引き上げると、待っていたハリントンが娘をしっかりと抱き締めた。

「大丈夫よ」父親の胸に顔をうずめながらステラはつぶやいた。

だが、安心するのはまだ早い。

グレイはジェイソンに続いて操縦室に戻り、屋根のハッチを指差した。「上に出るんだ！」

スノークルーザーの車体が流れに押され、再び大きく揺れた。

「ちょうど橋の残骸の間に挟まった状態になっている」グレイは説明した。「残った橋脚部分をよじ登って橋の上に戻り、向こう岸まで渡ればいい」

コワルスキが最初に外に出た。梯子を使うまでもなくハッチを開け、機関銃を持ったまま軽々と体を引き上げる。屋根の上に出ると、コワルスキは教授と娘を引っ張り上げた。ジェイソンとグレイも急いで後を追う。

屋根の上に立ったグレイは、橋の上まで楽に登れる程度に橋脚が残っていることを確認し、安堵のため息をついた。

「お客さんだぜ」コワルスキがむっつりとした口調で告げた。

振り返ったグレイの目に映ったのは、川に沿って高速で近づいてくるヘッドライトだった。待ち伏せをしていたＣＡＡＴだ。爆発で全員を始末できたかどうか、確認しにきたのだろう。

グレイは向こう岸に見える裏口の方角を指差した。「ジェイソン、ステラと教授を連れて第二基地に向かってくれ。地中貫通爆弾を作動させ、この場所を密閉するんだ。コワルスキと俺がＣＡＡＴの相手をする」

「何をするつもりなんですか？」ジェイソンが訊ねた。

「あいつらは俺たちを待ち伏せした……そのお返しをしてやらないと失礼に当たるからな。

うまくいけば、あの乗り物を奪い取れるかもしれない」

グレイを見つめるジェイソンの眉間にしわが寄る。「ライトの後を追うつもりなんですね？」

「万が一、何らかの理由で地中貫通爆弾が作動しなかった場合に備えて、あの男がＬＲＡＤでこの洞窟群の生物を暴走させ、外の世界に解き放つような事態は阻止しなければならない」

ジェイソンはうなずき、スノークルーザーの前部近くにある橋の支柱に向かった。グレイはコワルスキとともに車体後部の先にある鋼鉄と木が絡み合った橋脚の残骸を目指した。

コワルスキが三人の方を振り返った。「二手に分かれてうまくいったためしがあったっけな？」

午後五時七分

橋を渡り終えたジェイソンはずぶ濡れのまま、ステラとハリントンとともに奥の壁の高い位置にある第二基地を目指していた。ＤＳＲは一つしか残っていない。川に落下した際に、ステラは持っていた武器をなくしてしまっていた。だが、赤外線ライトが一つあるだけでも、暗視ゴーグルを使用すれば十分に視界が利くから、真っ暗闇の中を歩かなくてもすむ。

〈満月の夜にハイキングをしているみたいだ〉

ジェイソンは目的地を観察した。「裏口」は壁面の高い箇所にできた亀裂にはめ込まれた箱型の研究室の集合体だ。壁から突き出した形で設置されている部屋もあるので、おもちゃのブロックが建物の側面にくっついているかのようにも見える。

「どうやってあそこまで登るんだい？」ジェイソンは訊ねた。

天井に沿って延びているケーブルから推測するに、いつもはゴンドラを使ってあの鋼鉄製のペントハウスまで行き来していたのだろう。

ステラは父親の手を握って歩いていた。二人とも傷を負い、出血し、ぼろぼろの状態だが、膝が埋まるくらいの高さのある苔の茂みをかき分け、靴が吸い込まれるほど厚く張った藻を踏みしめながら、前に進み続けている。

ステラは空いている方の腕で第二基地を指差した。「梯子があるの。壁に埋め込まれた鋼鉄製の段が、洞窟の床から基地まで通じているわ」

橋から三十メートルも進まないうちに、何かがきしるような大きな音を耳にして、ジェイソンは肩越しに振り返った。川の流れと橋に引っかかったスノークルーザーとの戦いに決着がついたようだ。バード海軍少将の古い車両は橋の残骸と石筍から引き剝がされ、回転しながら川の深みに沈んでいった。

そのさらに先に目を向けると、ヘッドライトの閃光が橋の反対側に近づきつつある。ジェイソンはグレイの待ち伏せの成功を祈った。失敗した場合は、フロート付きのキャタピラで川を横断できるＣＡＡＴに簡単に追いつかれてしまうだろう。

そのことを意識しながら、ジェイソンは二人に急ぐよう促した。

「左」ステラが警告した。

ジェイソンはＤＳＲを動かし、言われた方向に赤外線ライトを向けた。いくつもの暗い影が平原を横切りながら近づいてくる。オオカミの群れのような動きで、大型犬と同じくらいの大きさだ。

少なくとも十頭以上いる。

「あれは何？」ジェイソンは訊ねた。

ハリントンが答えた。「厄介な事態だ」

午後五時九分

グレイは暗がりの中で腹這いになっていた。この地獄も同然の世界に存在する生物のことを考えると、あまり愉快な経験ではない。数メートル離れた地点にいるコワルスキの荒い息遣いからも、この状況を楽しんでいないことは明らかだ。

橋脚をよじ登って橋の上に出た後、グレイは赤外線ライトのスイッチを切り、光を出さない作戦を取ることにした。橋のこちら側に自分たちが存在している事実を、接近中のCAATに察知されてはならない。二人は何も見えない中、手探りで地面を這い、橋から二十メートルほどの地点にあった岩にたどり着くと、その陰に身を隠した。体温で検知されにくくするために、全身に藻を塗りたくってある。

真っ暗な中、何かが皮膚の上を横切ったり、顔の近くで羽音がしたりする。汗や頭部から滴る血のにおいに引き寄せられているのだろう。嚙まれたり刺されたりもする。グレイは何度も手で追い払わなければならなかった。

ありがたいことに、それほど長く待つ必要はなかった。

CAATが煌々とヘッドライトを照らしながら近づいてきたため、暗視ゴーグルを使用する必要はなくなった。

地上を疾走してきたCAATが橋の手前で急カーブを切り、キャタピラをスキッドさせながら川岸で停止する。

少し間を置いて、助手席側の扉が勢いよく開いた。中から出てきた人影が、キャタピラの上で身軽に体を回転させ、音もなく着地する。男は暗視ゴーグルを装着し、川の流れを、続いて向こう岸を捜索した。

「目標を三人発見！」男がイギリス訛りの声で叫んだ。「移動中で……裏口に向かっている模様」

運転手が舌打ちをした。「あいつら、不死身なのかよ」

外に出た兵士が川の流れを観察した。「流れがかなり危険なので、ＣＡＡＴでは無理かもしれません。引き込まれてしまう可能性があります」

「わかった」どうやら運転手がこの部隊のリーダーのようだ。その声には強いスコットランド訛りがある。リーダーは別の隊員に命令した。「クーパー、ＡＷＭを用意しろ。ここの後片付けは任せた」

グレイの体に緊張が走った。ＡＷＭはアークティック・ウォーフェア・マグナムの略で、イギリスの狙撃銃の寒冷地対応版だ。ジェイソンたちを一人ずつ始末するつもりらしい。

グレイは二人目の兵士が助手席側から出てくるまで待った。男は地面に下りると、ボックスマガジンを装塡し、ライフルを肩の高さに構えてスコープをのぞき込んだ。

「問題ありません」男はリーダーに報告した。「三人とも遮るもののない場所にいます。楽に狙えますよ」

〈それはこっちも同じだ〉

「今だ」グレイは小声でささやき、前方に飛び出した。

右側からコワルスキが発砲する。機関銃の吐き出した銃弾が、狙撃者の胸を切り裂いていく。男の体が倒れるよりも早く、コワルスキは機関銃の向きを変え、橋の近くにいたもう一人の兵士を撃ち抜き、川の中に吹き飛ばした。

グレイはＣＡＡＴに向かって走り、開いたままの扉を目指した。至近距離からＣＡＡＴの車内に向けて音響ライフルを発砲すると、耳をつんざくような音の弾丸が密閉された空間内に響き渡る。

車内からあがる悲鳴を聞きながら、グレイはＣＡＡＴに転がり込んだ。

だが、運転手はすでに反対側の扉から脱出した後だった。意識は朦朧としているはずだが、危険を察知するだけの判断力は残っていたに違いない。だが、もう一人はそこまで素早く対応できなかったようだ。グレイは男の喉にダガーナイフを突き刺し、ひねった。ダガーナイフを引き抜く。男は息を詰まらせながら喉を手で押さえ、床に倒れ込んだ。

グレイは車内を見回した。

ほかには誰もいない。

〈四人だけだ〉

フロントガラスの先に視線を移すと、川沿いを走るリーダーの男が見える。ＣＡＡＴの車体を利用しながら、コワルスキから直接狙われない場所を選んで移動している。男は走りながら無線を取り出した。

あの男が連絡を入れ、襲撃されたことを報告すれば、このＣＡＡＴをトロイの木馬として利用しながらライトに近づくという作戦が水の泡になる。

グレイは運転席側の扉から飛び降り、音響ライフルを構えたが、この距離では衝撃波の効果は大して期待できない。機関銃を両手に抱えて弾帯を引きずりながら、コワルスキがＣＡＡＴの後部を回ってこちら側に走り込んできた。

だが、リーダーはすでに無線を口に当てている。

〈間に合わない〉

次の瞬間、黒い何かが川の中から鞭のように飛び出し、男の胸に巻き付いたかと思うと、岸から川に引きずり込んだ。男は手足をばたつかせながら抵抗したものの、水音だけを残して水中に姿を消した。

グレイははさみのような突起が付いた触手に見覚えがあった。銃声が――ＤＳＲと機関銃の両方の音が、あの生物をこちら側の川岸に引き寄せたのだろう。さっきあの怪物にお見舞いしてやった一撃は、ショックを与えただけでなく、かなりいらつかせる効果もあったらしい。

〈地獄においても復讐は甘美なり、ということか〉

午後五時十一分

　ジェイソンはステラと教授と並んで走っていた。向こう岸の銃声は聞こえたし、グレイとコワルスキの様子は気になるものの、迫りくる捕食生物の群れから注意をそらしている余裕はない。ＤＳＲを構えた姿勢のまま、ジェイソンはステラと教授の盾になっていた。群れに向かって発砲するものの、音の銃弾を浴びても一時的に獣たちの勢いが弱まるだけで、数秒程度の時間稼ぎにしかならない。さらにまずいことに、繰り返し発砲しているうちにＤＳＲの側面にある電源メーターが赤く点滅し始めた。

〈バッテリーが切れかかっている〉

「僕があいつらを引きつける」ジェイソンは息を切らしながら伝えた。泥と藻のこびりついた靴が重く感じる。「二人は裏口に急いで」

　ジェイソンは速度を落としながら、そのまま壁に向かうよう二人に合図した。

「先に行って、お父さん」ステラが片手で教授の背中を押しながら、もう片方の手でベルトの間に挟んであったナイフを取り出した。「私はジェイソンを助けるから」

「一緒にいる方がいい」ハリントンも立ち止まり、激しく息をしながら説明を始めた。「レオクス・デピリスはアフリカのライオンと似た生物だ。あいつらは弱い獲物を分断しようとする。それに私もこのまま壁まで走り切れそうもない。ここで迎えうつしかなさそうだ」

ジェイソンの放った衝撃波を食らった先頭のレオクスが、鼻先をバットで殴られたかのような反応を見せた。ほかのレオクスは左や右に飛びのき、攻撃を受けた仲間がショックから回復するまで速度を落として待っている。

〈あれが群れのボスだな〉

敵の様子がよく見えるようになってきた。肩が筋肉で盛り上がり、体高は人間の腰くらいまである。毛の生えていない皮膚は油を塗ったかのように黒々としていて、赤外線ライトの光を浴びて虹色に輝いている。頭部はオオカミのように長く、上顎と下顎が後頭部の近くでつながっているため、ナイフのような牙が生え揃った口を信じられないほど大きく開くことができる。その姿を見たジェイソンは、写真で見たことのある今では絶滅したフクロオオカミ、別名タスマニアタイガーを連想した。

群れのボスの喉から、身の毛もよだつような咆哮がとどろいた。こちらを威嚇しているのは明らかだ。どうやらこの暗い世界では、声が大きいほど度胸が据わっているということらしい。

群れは左右の間を狭め、先ほどまでよりも慎重に歩み寄りながら、最後の距離を一気に詰める機会をうかがっている。

ジェイソンがＤＳＲを構えると、ボスが速度を落とす。

〈賢いな……脅威を認識できるのか〉

ジェイソンが期待できるのは、至近距離から音響兵器を使用することで相手へのダメージを大きくし、あわよくば群れがもっと楽に仕留められる別の獲物に目を向けてくれることくらいだった。音響ライフルの電源メーターを確認したところ、あと一発分くらいしか残ってなさそうだ。その一発にすべてがかかっている。群れをできるだけ近くまで引きつけてから発砲しなければならない。

ジェイソンは群れのボスに狙いを定めた。本当の敵はこいつだ。

父親を守ろうと、ステラがジェイソンの隣に並んだ。

「それを渡して」ステラが小声でささやく。

ジェイソンは躊躇した。

「考えがあるの」ステラは譲らない。

ジェイソンはあきらめてDSRを手渡し、代わりにナイフを受け取った。「たぶんあと一回分しか残っていない」

「だったら、この種の上下関係についての私の考えが正しいことを祈っててちょうだい」

ステラはDSRの銃床(じゅうしょう)と銃身の接続部分から小型マイクのようなものを引き出した。それを見たジェイソンは、ハリントンから説明を受けた時のことを思い出した。この武器は音の銃弾を発射するだけではなく、拡声器のように声を増幅したり、逆に遠くの音を拾ったりもできるという話だった。

ステラは音響ライフルの銃尻を肩に添え、マイクを唇に近づけた。銃口を音もなく接近する群れではなく、天井に向ける。

そして、吠えた。

群れのボスの鳴き声をそっくりに真似た声が、引き金を引くと同時に百倍に増幅され、威嚇の咆哮となって洞窟の天井にまで響き渡る。

音が地下空間内にこだまする。

野生の雄叫びにボスの動きが止まり、警戒の姿勢を取る。反響する声の音量に圧倒されているのは明らかだ。

ジェイソンの頭の中に、少し前に頭に浮かんだばかりの思いがよみがえる。

〈この暗い世界では、声が大きいほど度胸が据わっている〉

ボスがジェイソンたちから距離を開き始めた。一歩、また一歩と後ずさりをするが、決して背中は見せない。群れもボスの動きにならい、落ち着かない様子で左右に広がりながら、ゆっくりと後退を続ける。

次の瞬間、何かの合図が聞こえたかのように、群れはいっせいに背中を向け、甲高い鳴き声をあげながら暗闇の中に走り去った。あまり騒々しくない獲物を狙う方がいいと判断したのだろう。

ジェイソンはステラの顔を見た。「すごいじゃないか」

ステラはただ肩をすくめ、バッテリーの切れかけたＤＳＲを返したが、ジェイソンは彼女が自然と浮かびそうになる笑みをこらえていることに気づいた。三人は再び壁を目指して歩き始めた。赤外線ライトをかろうじて点灯させるだけのバッテリーは残っているようだが、完全に切れてしまうのは時間の問題だろう。

ジェイソンは足を速め、残る百メートルの道のりを数分で踏破した。はるか頭上を見ると、二灯の非常灯に照らされた第二基地がぼんやりと輝いている。

近くの岩の壁に目を移すと、鋼鉄製の段が埋め込まれている。裏口までたどり着くためには、建物にして十数階分の高さがあるこの梯子をよじ登らなければならない。

かなりの距離がありそうだ。

ステラが洞窟の内部を指差した。「ほら、あそこ！」

ジェイソンは新たな攻撃を予期して身構えながら振り返った。だが、ステラは川の向こう岸に見える光を指差していた。ＣＡＡＴだ。川に沿って走りながら離れていく。

固唾をのんで待つジェイソンの耳に、短いクラクションの音が三回届いた。

あらかじめ決めてあった合図。

グレイとコワルスキは無事だ。敵のＣＡＡＴの奪取に成功し、ディラン・ライトの追跡にかかろうとしている。

〈僕たちの明かりが壁まで達するのを確認してから、出発したに違いない〉

向こうからこっちが見えているかはわからなかったものの、ジェイソンは片手を高く上げた。

〈幸運を祈ります〉

その言葉は自分のために取っておいた方がよかったかもしれない。

ジェイソンが腕を下ろすと同時に、赤外線ライトが点滅して消え、暗闇が三人をのみ込んだ。

27

四月三十日　アマゾン時間午後一時二十二分
ブラジル　ロライマ州

〈私は何ということをしでかしてしまったのだ〉

　ケンドールは研究室のワークステーションの前に腰掛けていた。大型のＬＣＤモニターから目を離すことができない。画面には木に設置されたライブカメラからの映像が流れている。コントラストの強い白黒の映像は、高感度センサーで録画しているものだろう。画面に映っているのは鬱蒼（うっそう）とした森で、つる植物が垂れ下がり、密生した林冠が太陽の光を遮っている。レンズは砂利の敷かれた空き地に向けられていた。

　その中央には高さのあるケージが三個、並べられていた。危険を知らせる標識は、ケージに電気が流れていることを警告している。カッターの不気味な庭園の境界部分にあったフェンスと同じだ。

〈ここは穴の底に当たる階層なのだろう〉

外の世界から隔絶されたこの熱帯雨林を、上から眺めたことは覚えている。しかし、森の中にはいったい何がいるのか？

画面に映るジェナが中央のケージに押し込まれる。両手を体の前で組み合わせ、ケージのバーに触れないようにしているのは、危険を察知しているからに違いない。

ラヘイがケージの扉を閉めた。

「お仲間のミズ・ベックにはそろそろ感染の最初の兆候が現れている頃だろう」カッターがケンドールの背後を歩きながらつぶやいた。その先にはマテオの姿がある。「頭痛と、おそらく首の痛みといったところか」

「頼むからこんなことはやめてくれ」ケンドールは懇願した。

映像の中のラヘイが二人の男とともにケージから離れた。男たちは電気ショック用の牛追い棒が付いたライフルで警戒しながら、ジャングルを監視している。三人は急いでゴルフカートに乗り込むと、方向転換させ、元来た道を戻り始めた。

「君はなぜ彼女をあそこに連れていったのだ？」ケンドールはカッターの方を振り返りながら訊ねた。「なぜ一人だけ置き去りにしたのだ？」

「いやいや、彼女は一人ぼっちではないよ」

ケンドールが画面に身を乗り出すと、今のカッターの言葉が聞こえたかのように、大きな何かがカメラの前を通過した。あまりに俊敏な動きのため、巨大な鉤爪と長い体毛がほんの一瞬、画面をよぎっただけだ。それでも、この生物の正体を認識できたケンドールは、恐怖のあまり再び椅子に座り込んでしまった。

「君はまさか……」うめき声が漏れる。

カッターは肩をすくめた。「まだ初期段階の実験で、君の保護主義的な論文を参考にさせてもらったよ。君があの中で使っていた言葉は、確か『脱絶滅』だったかな。MAGEとCAGEの手法を用いて、この熱帯雨林にもともと生息していた種の遺伝コードを改変し、古代の祖先を復活させただけの話だ」

それが理論的に可能であることは、ケンドールも知っていた。世界各地の研究所がその目標に向けて動いており、数年以内には成功するだろうと言われている。すでに複数の研究機関がゾウのDNAからケナガマンモスを復活させる方法に取り組んでいるほか、どこにでもいるハトから絶滅したリョコウバトの再生を試みているところや、はるか昔に死に絶えた野生のオーロックスを現在の牛の遺伝子から新たに生み出そうと研究しているグループもある。こうした取り組みは「再生と復活」や「ウルス・プロジェクト」など、様々な名称で呼ばれており、口で卵を孵化させるオーストラリアのカエルの脱絶滅を目指す研究は、死からよみがえったラザロの名を冠して「ラザロ・プロジェクト」と命名されている。

〈しかし、カッターがここで成し遂げたのは……〉

「彼女をあそこに置き去りにしてはならない」ケンドールは主張した。

「とりあえずのところは、通電ケージの内側にいるから安全だ。あと三十分もすれば、症状が進行して彼女はもっと退化した存在になる。そうすれば、知性という病巣を取り除かれた時、この新しい世界が人類にとってどのようなものなのか、君も垣間見ることができるはずだ」

ケンドールは涙がこぼれそうになった。この化け物はこれからジェナの身に降りかかる運命を無理やり見させるつもりなのだ。

「だが、君はそのすべてを止めることができる」カッターは続けた。「君が作り出した頑丈なビリオンの殻を開くために必要な遺伝子の鍵を持つXNA種を教えてくれさえすればいい。その名前で……すべては終わる。その先は私に任せてもらおう」

この最後の重要な情報を手にしたら最後、カッターは生物学のパズルの残りを解明してしまうことだろう。

「あまり時間をかけない方がいいぞ」カッターは画面を指差した。「ミズ・ベックを苦しめている症状には特効薬があるが、一時間以内に投与しないと神経への損傷が永遠に残ることになる」

「治療法があるのか?」ケンドールは息をのんだ。

「その通り」カッターはBSL-4の施設の奥にある大型冷蔵庫に視線を向けた。「私が合成したものとは対極の関係にある蛋白質だ。プリオンによってもたらされた神経への損傷を修復することができる。ただし、今も言ったように、タイムリミットがある。その時間を過ぎると、ミズ・ベックは元に戻れない」

ケンドールには若いパークレンジャーのことよりも大きな心配事があった。「もし私が名前を教えれば、カリフォルニアで広がりつつある脅威を食い止める方法も教えてくれるのだな？」

カッターは顎を手でさすった。おそらく考え込んでいるふりをしているだけだろう。「私は約束を守る男だ。確かに、最初はそのように伝えた。しかし、それはミズ・ベックがここに到着する前の話だ」

「どういう意味だ？」

「私の知りたいことを教えてくれたら、君に選ばせてあげるとしよう。君の研究施設から解き放たれた脅威を根絶するための方法を教えてほしいか……それとも、ミズ・ベックを助けてほしいか。ただし、両方はだめだ」

ケンドールは画面を見つめながら、いずれは真実をカッターに伝えることになるのだと悟った。結局は情報を引き出されるのであれば、今すぐに伝えたところで同じことだ。

カッターに向き直ったケンドールは、敗北感に満ちた声で教えた。「君が必要としているのは南極大陸のとある種の血液だ」

「どの種だ？」

「ヴォリトクス・イグニス」

今度はカッターの顔に本気で考え込むような表情が浮かんだ。「あの熱を持ったウナギか。かなり捕獲は大変そうだな。手遅れになる前に連絡を入れておく必要がある。どうやら計画を急ぎすぎたようだ。『先走ってしまった』と言うべきかな」

カッターがその場を離れようとした。

「カッター、約束は？」

カッターが立ち止まった。「そうだ、失礼した。どっちの特効薬を優先するのかな？　ミズ・ベックか……それとも世界か？」

ケンドールは画面に視線を戻し、ケージの中でうずくまる小柄な女性の姿を見つめた。それと同時に頭の中には、カリフォルニアの山間部に拡散する破壊の猛威が浮かぶ。

〈許してくれ、ジェナ〉

ケンドールはカッターに向き直った。「私が作り出したものを殺すにはどうしたらいいのだ？」

「それなら実に簡単な話だ。南極大陸の地下のあの生物圏がなぜこれまで外の世界に広がらなかったのか、その理由を考えたことがなかったのかい？　もちろん、過去に流出がまったくなかったわけではないだろう。小規模ながらも、一部の生物が抜け出したことはあったはずだ。けれども、大規模な脱走劇に至ることはなかった。大量の生物が逃げ出すような事態にはならなかったんだよ」

ケンドールは必死に答えを探した。南極大陸の持つ特性とは何か？　あの生物圏を氷の下に閉じ込めているのは何か？　塩分を含む海水なのか、氷なのか、低温なのか？　だが、そのような要因に関しては、これまでに研究施設で実験済みだ。

「氷点下の温度も、様々な塩分濃度も、南極大陸の周辺海域に存在する重金属も試した」

ケンドールは認めた。「しかし、どうしてもあれを殺せなかったのだ」

「その理由は、君の考え方が小さすぎるからだ、我が友よ……君が昔から抱えている問題はそこだよ。木ばかり見ているから、自分が森の中にいることに気づかない。狭い見方をやめて、地球規模で考えないと」

カッターはケンドールを試すかのように、片方の眉を吊り上げた。

ケンドールは相手の言葉の意味を考えた。

〈地球規模で〉

カッターは何を言わんとしているのだ？

不意にケンドールは思い当たった。

午後一時二十四分

　ケージのバーに近づきすぎないように注意しながら、ジェナはうなじをさすった。頸椎（けいつい）の鈍い痛みは筋肉の痙攣に変わり、頭蓋骨の内部に熱い針で突き刺されたかのような苦痛が走る。目にも痛みがあり、森の深い緑色が不自然なまでにまぶしく映る。

　ジェナはこうした症状の意味を理解していた。

〈もう始まっている〉

　このあとに起こることに怯えながら、ジェナは頭の中で呪文のように言葉を繰り返した。

〈私はジェナ・ベック。母はゲイル、父はチャールズ。Dストリートとリーヴァイニング・アベニューの角に住んでいる。飼い犬の名前はニッコ、彼の誕生日は……〉

　ジェナは痛みと闘いながら自分を構成するあらゆる情報にしがみつき、記憶力の低下の兆候を探った。

〈でも、実際にそれが始まった時、そのことを自覚できるのだろうか？〉

　ジェナは大きく深呼吸し、ジャングルの濃厚な香りを吸い込みながら、自分自身を見つめ、パニックに陥りそうになる気持ちを抑えようとした。周囲からは水の滴る音、鳥の羽ばたく音、枝のしなる音、葉のこすれ合う音が聞こえる。

　ジェナはあることに違和感を覚えた。意識の片隅がそのことを訴えかけてくる。ここはあまりに静かすぎる。鳥の歌声も、サルの鳴き声も、下草の間を小動物が移動する音も聞こえない。

その時、感づかれたことを察知したかのように、左手の方角から枝の折れる音が聞こえた。ジェナは音のした方向に素早く視線を向けたが、見えたのは影の動きだけだ。空き地の周囲を取り巻くシダの壁の隙間に目を凝らす。

だが、何も見えない。

けれども、ジェナにはわかっていた。さっきの怒りに満ちた咆哮を思い出す。この独房に自分を連行した護衛たちの過剰なまでの警戒が頭に浮かぶ。

〈ここにいるのは私一人じゃない〉

午後一時二十五分

〈地球規模で考える……〉

最初からそれが答えだったのか？

ケンドールは目を閉じ、自転するこの惑星を思い浮かべた。地殻の下にはマントルが、その内側には融けた鉄から成る外核があり、そのさらに内側の固体の鉄から成る内核は、月の三分の二の大きさに相当する。外核を構成する融けた鉄の熱対流とそれによって発生する電流が、地球の自転によるコリオリの力と相まってダイナモ効果をもたらし、この惑星を広大な磁場ですっぽりと包み込んでいる。

「磁場だ」ケンドールは言った。「影の生物圏を南極大陸に閉じ込めているのは磁場だ」

「地球磁場が最も強いのはこの惑星のどこかな？」

「極地だ」ケンドールは北極点と南極点から勢いよく噴き出す磁場が、地球を取り囲んでいる様を想像した。「あと、最も弱いのは赤道付近だ」

「だが、ほかにも弱い場所があるんじゃないのか？」

ケンドールはその答えが地獄岬の場所と関係しているに違いないと考えた。氷のはるか地下には灼熱の世界があり、奇妙な生物にとって格好の生息地となっている。硫黄臭が立ちこめ、泡立つ池のある世界。

ケンドールはカッターを見上げた。「地熱帯だ。地球磁場は火山活動のある地域では弱くなる」

「その通り。それらの地域の地下にある融けたマグマは強磁性を保てないため、地球磁場が局地的に弱くなる。言ってみれば、強い磁場という海に浮かぶ島のようなものだ」

ケンドールは地獄岬を島だと想像した。南極大陸のより強い磁場が、その島を取り囲んでいる。しかし、磁場の違いだけで生物があの場所にとどまっていると考えるのには無理があるようにも思える。何らかの原因であそこの生物は磁場に対して極端に敏感なのだろう。あそこの生物の本質に関わる何かが原因なのだ。

「XNAだ」ケンドールは声に出すと、居住まいを正した。「あそこの全生物が基づいている遺伝子の螺旋構造は、糖であるデオキシリボースを根幹としていない。ほかの生物には見られない、特有の性質だ。糖に代わって、ヒ素とリン酸鉄を用いている」ケンドールはカッターを見据えた。「鉄だ、そうなのだろう？　XNA生命体が磁場に極めて敏感なのは鉄のせいだ」

「X線回折と光電子分光を使用して、その鉄の構造を調べてみた。XNAの螺旋構造の内部には、背骨を構成する脊椎（せきつい）のように、鉄のナノリングが連なっていたのさ」

「ある特定の強さ以上の磁力にさらせば、その背骨を粉砕することが可能なはずだ」ケンドールは期待を込めた目でカッターを見た。「君はすでにその強さを計算したのか？」

「ああ……検証もすませた。それほど画期的な話ではないよ。君の国の食品医薬品局も、水中や食品中の細菌、ウイルス、カビなどを殺すのに、振動磁場で試験を行なっているじゃないか。その研究結果を参考にさせてもらい、今回の事例に最も有効な磁力を突き止めたにすぎない」

ケンドールは自身の研究施設で作り出したあの生物が、人工のカプシドの内部でしぼんでいき、その後にはヘビの抜け殻のように容器だけが転がっている様子を思い浮かべた。

「この対抗策がなかったなら」カッターは続けた。「君の生命体を解き放ったりはしなかった。君と同じように、私だって君の合成したもので世界が破壊されるのを望んでいないからね。実際のところ、君がミズ・ベックの特効薬の方を選んだとしても、私からこの答えを教えていただろうな。救おうとしている世界がその前に滅んでしまっては困るじゃないか。そうだろう?」

ケンドールは映像に視線を向けた。一瞬、狼狽したものの、動揺を抑えつける。まだ危険が回避されたわけではない。「それなら、私からカリフォルニアの当局に磁力による解決策を教えることも認めてくれるんだな?」

「そのうちにな」

「そのうちに、とはどういう意味だ?」

「聞いた話によると、君の頭脳明晰な同胞たちは、あの山間部で核を爆発させようと考えているらしいじゃないか。愚かとしか言いようがないな。君もわかっているように、核を使用したところで何の効果もない。君が作った生物をより広範囲に拡散させ、あの地域が今後数十年にわたって放射線で汚染されるだけだ。だが、人間というのはそういう生き物だ。頭で考える前に破壊しようとする。だから我々は種として滅びゆく運命にあるのだ」

「しかし、君は言ったではないか。私の作り出したものが世界を破壊することは望んでいないと」

「望んでいないとも。たとえ核を使用した後でも、君が解決策を教えれば、後片付けがいくらか長引くだけの話だ。まあ、当分の間は作業に忙殺されることになるだろうな」

「放射線は？　それによる被害は？」

「地球はこれまでも人類から受けた浅い傷で滅ぶようなことはなかったし、今回も無事に切り抜けるだろう」カッターはため息をついた。「それに注意がそちらに向いてくれれば私にとっても都合がいい。人々の目がそこに集まっている間に、破滅がまったく別の方向から迫ることになる」

〈ここでの君の研究から、ということか〉

「ちょっと席を外してもかまわないかな。電話を一本、入れないといけないのでね。ヴォリトクスの血液サンプルを手遅れになる前に入手しないと」

「手遅れになる前に？」

カッターは間を置いてから答えた。「君はあの地下世界を隠し続けてきた、ケンドール。閉じ込めたまま、その潜在能力を抑えつけてきたが、そのようなことはもう終わりにしなければならない」

ケンドールにとって、これ以上の動揺と衝撃はなかった。「何を……君は何を企んでいるのだ？」

「あの邪悪ながらも美しく、魅惑されるほど攻撃的な生物圏を、この世界に解放してやるつもりだ。そろそろ彼らがあの隔絶された島を離れる潮時だろう。もちろん、移行の過程で先ほど話をした磁力の束の影響を受け、死に絶える生物がいるはずだ。しかし、君も承知のように、自然は最大の革新者でもある。あれだけの数と多様性があるのだから、一部の種は適応して生き延び、我々の世界にXNAの屈強さと突然変異性をもたらす。それこそが、来たるべき厳しい時代を生き延びるための格好の特質となるのさ」

ケンドールはあれほど多くの外来種の突然の襲来が環境に与える影響を想像した。攻撃的な生物圏が、すべてこの世界に解き放たれる。地球の生態系に壊滅的な余波が及ぶだろう。

「君の発見したあの地下の古代世界と、地上の現代世界とを闘わせる。その争いが繰り広げられている頃合いを見計らって、今度は私がここで作り出した種を広範囲に拡散させる。それにより、新たに斬新な遺伝子の置換が生じ、種をまたいで転移する能力を与えることにより、進化の過程が加速される。それによって生まれる究極の進化のるつぼは、適者生存を至高の掟とした世界となる。古代中国の戦略思想家だった孫子の言葉を借りれば、そのような混乱の中にも好機あり、ということだ」

ケンドールはただ呆然とするしかなかった。

「君は私のそばにいてもいいぞ、ケンドール。移行の過程を、新たなエデンの創世を、その目で見るといい。人類の退化を気にすることなく」

ケンドールの頭の中には、燃え広がる山火事のように蔓延するプリオンにより、原始時代に戻った人類の姿が浮かんだ。

瞳を得意げに輝かせながら、カッターはワークステーションに戻った。「来たるべきその争いを一足先に見せてあげよう。知性という病を取り除かれた人類が、ようやく自然の掟に従う姿を」

カッターが宗教のようにあがめる掟とは何か、ケンドールにはわかっていた。ジャングルの掟だ。

カッターがキーボードを叩いた。

画面に映るジェナのケージの扉が開いた。

午後一時二十九分

「あとどのくらいかかるんだ?」ペインターはスアレス軍曹に呼びかけた。

「もう三十分ほどです」

〈長すぎる〉

ペインターは座席で落ち着きなく体を動かした。上腕部が焼けつくように熱く、その痛みが不安に拍車をかける。残り時間が少ないことを意識しないようにするのは無理だ。カリフォルニアで核が爆発するのは今から九十分後。

〈それなのに、じっと座っていることしかできない〉

一分間が経過した後、スアレスが叫んだ。「司令官、前に来てこれを見ていただいた方がよろしいかと」

気を紛らせる材料と体を動かせる理由に安堵しつつ、ペインターは座席のハーネスを外し、首をすくめながら前に移動した。ドレイクも同じようにハーネスを外し、ペインターに続いてヴェイラーのコックピットに入った。

「どうした？」ペインターは訊ねた。

スアレスはペインターに双眼鏡を手渡し、はるか前方に見えるテプイを指差した。まだ距離がありすぎて細かいところまでは確認できないだろうと思ったものの、ペインターは従った。

軍曹はもう一台の双眼鏡を見つけ、ドレイクにも差し出した。

ペインターは遠方のテプイに焦点を合わせた。山腹は雲に覆われている。

「頂上の北端を見てください」軍曹が伝えた。操縦士にも指示を出す。「少し向きを変えてくれ」

操縦士が機体を左右に動かす中、ペインターは負傷した肩を壁に押し当ててバランスを取りながら意識を集中させた。

最初は特に何も見えなかった。頂上の南側に風化した岩肌とまばらに生えた木々があるだけだ。しかし、ヴェイラーが再び向きを変えた時、太陽の光を反射して何かがきらめいた。頂上の北の縁沿いにある石柱の中だ。

ドレイクが口笛を鳴らした。「あれだけ反射するということは、金属製の何かだな」

「数分前から気になって観察していたのですが」スアレスが説明した。「風力タービンではないかと思います」

〈風力タービン？〉

ペインターは双眼鏡をのぞいたまま目を凝らしたが、細かい特徴までは確認できず、同じ結論に達することができない。しかし、若い軍曹の方が視力はいいだろうし、ヴェイラーによる空中査察の経験をはるかに多く積んでいる。

ペインターは軍曹の判断を信じた。頂上に風力タービンがあるならば、何者かがあの山に拠点を築いていることになる。

その可能性があるのは一人しかいない。

〈カッター・エルウェスだ〉

「もう少し速度を上げられないのか？」ペインターは訊ねた。

新たな情報に、一刻も早く目的地に着陸したいとの思いが高まる。

「すでに最高速度で飛行中です」操縦士が答えた。
スアレスが腕時計を確認した。「あと二十七分です」

午後一時三十三分

ケージの扉が発した音で、ジェナは痛みで朦朧とした状態から我に返った。頭蓋骨に突き刺すような苦痛を覚えながら、顔を上げる。ゲートの上で点灯していた赤い光が、緑色に変わっていた。

扉が数センチだけ開いた。

ジェナは立ったままその場を動かなかった。何か裏があるのではと思ったからだ。靴のゴム底で扉のバーを軽くつつく。電気は伝わってこない。ジェナは扉を大きく押し開け、ケージの外に出た。靴底で踏みしめた砂利が音を立てる。

その小さな音に驚き、ジェナはその場に凍りついた。痛みの走るうなじで産毛（うぶげ）が震える。自分のことを見つめる視線を感じる。ジェナは森の中に延びる砂利道を凝視しながら、この一帯を仕切るゲートと電気の流れるフェンスを思い浮かべた。

〈あそこまでたどり着けたとしても、まだ閉じ込められたままだ〉

ジェナは再びケージに向き直った。囲いの中に戻り、鍵をかけておくのがいちばん安全なのかもしれない。けれども、ケージに電気が流れていたのには理由があるはずだ。鋼鉄製のバーだけでは、この森に生息する何かに耐えるだけの強度がないという意味だろう。

それでも、何もないよりはましだ。

ジェナは一歩、また一歩とケージに近づいた——すると目の前で扉が閉まり、磁石の力でロックがかかった。ライトが再び赤に変わる。

〈閉め出された……〉

ジェナは懸命に考えようとした。何か計画を立てようとした。けれども、頭がぼんやりとした状態で、一つの考えに長く注意を向けておくことができない。集中力の欠如を痛みと恐怖のせいにしようと思ったものの、より深刻な容体の前兆なのかもしれないという不安がぬぐえない。

ジェナは静かな森にささやきかけた。「私はジェナ・ベック。母はゲイル、父はチャールズ。Dストリートとリーヴァイン・ロードの角に住んで……」

〈待って。本当にそうだっけ？〉

ジェナは緑色の切り妻屋根のあるヴィクトリア様式の小さな家を思い浮かべた。

〈大丈夫、家は覚えている〉

その記憶から力を得る。「飼い犬の名前はニッコ、彼の誕生日は……」

口から小声の言葉が漏れるのに合わせて、一歩ずつ足を踏み出し、砂利道とは別の方角に空き地を横切る。ただし、それは意識したうえでの決断ではないように思える。隠れるように、開けた場所から離れるように、本能が告げている。ジェナはその本能を信じることに決めた。空き地の端に達し、薄暗い木々の間に分け入るうちに、呪文のように唱えていた声が自らの心への独白に変わっていく。

〈いちばんの友人はビルとハッティ〉年配の先住民の女性の姿を、頭の中で鮮明によみがえらせようとする。〈ハッティはパイユート族の中のクケ……〉すぐに言葉が浮かばず、友人の所属する部族名を思い出そうと努める。いらだちで足がもつれそうになる。どうにか思い出す。

〈クケディカディよ……そうだわ〉

ジェナは行く手をふさぐシダをどかそうと手を伸ばした――だが、うっかりここの植物の変わった特徴を忘れていた。ジェナの手に触れたシダが収縮して葉を丸め、茎までもボール状に巻き取られていく。

収縮したシダのほんの数メートル先に、巨大な生物が姿を現した。四足歩行でサイのような大きさだが、クマのように毛が生えており、長く太い尾を持っている。前足の先端には大きく湾曲した五本の鉤爪が並んでいた。大きな口元と太い首は筋肉の塊だ。茶色の瞳が、じっとジェナのことを見つめている。

ジェナはその場から動けなくなった。生理学を習得しているので、目の前にいる生物がナマケモノの仲間であることはわかる。ブラジルの熱帯雨林に生息する動作のゆっくりとした樹上性の草食動物だ。しかし、この生物は巨大で、体の大きさは現代のナマケモノよりも古代の祖先に近い。はるか昔の先史時代の動物のように思えるが、この種が絶滅したのはほんの一万年前のことだ。

〈メガテリウム〉ジェナは思い出した。〈地上性の巨大ナマケモノ〉

けれども、ここまで下りてくる時に見かけたほかの動植物と同じように、この生物も自然のままの姿なのではなさそうだ。その予想を裏付けるかのように、口を開くと太く鋭い牙があらわになった。骨から肉を引きちぎるのに適した形状だ。

これは草食動物ではない――この世界に産み落とされた新たな肉食獣だ。

うなり声とともに、メガテリウムは二本の後ろ足で立ち上がった。体高は優に四メートルはある。短い腕が目にも留まらぬ速さで動くと、若い木が真っ二つに切り裂かれる。

ジェナは倒れそうになりながら後ずさりした。

喉の奥から絞り出すかのような鳴き声がジェナの周囲のジャングルのあちこちから湧き起こり、石の壁に反響する。そのせいで、しっかりと考えることができない。

それでも、ジェナは頭上から道路に投げ落とされたヤギの死骸を思い出した。あれには何らかの警告の意味が込められていたのかもしれない。

その警告を思い出し、顔を上に向ける――樹上から自分に向かって落下してくる影に気づき、ジェナは悲鳴をあげた。

28

四月三十日　グリニッジ標準時午後五時三十三分
南極大陸　グローニング・モード・ランド

「こいつの準備ができるまで、あとどのくらいかかるんだ?」ディランは手に握った無線で組み立て途中のLRADアンテナを指し示しながら訊ねた。

大型のCAATのライトが照らし出しているのは、一枚の重量が三十五キロほどある六枚の巨大なパネルをフレームに取り付けようとしている三人の男たちだ。別の二人が携帯型ディーゼル発電機からのケーブルを接続した。ディランはコロッセオの最深部に近いこの場所を選び、パラボラアンテナを洞窟群の入口の方角に、すなわち地獄岬の基地がある側に向けて設置するように指示していた。

ここまでは順調だ。

あの基地には数名の部下を残してある。発破により新たなトンネルが貫通したことで、基地を経由して外の世界に通じる出口がすでに開いている。ただし、誤って地中貫通爆弾を爆発させてしまっては元も子もないので、慎重な作業が要求された。そのため、想定していたよりも時間がかかってしまった。

しかし、作業は無事に終了した。

あとはこの失われた世界の生物たちを、新たにできた出口に向かって殺到させるだけだ。組み立て中のＬＲＡＤ４０００Ｘは、鼓膜が破れるような百六十二デシベルの音圧を五キロ先まで響かせることができる。この洞窟内部の音響効果を考慮に入れれば、それ以上の距離まで届くはずだ。

「あとどのくらいかかるんだ？」ディランは重ねて訊ねた。

「もう十分ほど時間をください！」そう答えながら、部下の一人がコードを引っ張って発電機を作動させた。

ディランはモーター音にかき消されないように大声で叫んだ。「クライストチャーチとライリー、おまえたちは俺と一緒に来い！　あのＣＡＡＴの屋根に固定されている小型ＬＲＡＤを取り外す必要がある。あいつのポータブルバッテリーと、４０００Ｘ用のリモコンを忘れるなよ」

ディランの要求は当初の予定には含まれていなかったものの、命令を疑問視する声は聞かれなかった。ディランも部下たちも、これから自分たちが行なうことでどんな事態が引き起こされるかを承知している。これまで隔絶されていたこの攻撃的な生物圏をより広い世界に解き放つことにより、生態系にどのような影響が及ぶかも理解している。しかし、支払われる報酬の額に比べれば、そんなのは些細な問題だ。環境被害への対応策は、ほかの人間が考えればいい。

それでも、ディランは計画の全体像を知らされていないことに、一抹の不安を覚えていた。つい今しがた受けたばかりの指示で、その不安が募る。ディランは手に握った無線に視線を落とした。地獄岬の基地を経由して南アメリカから入った連絡だ。どうやらカッター・エルウェスは、任務の大詰めの段階で指示を一つ追加する気になったらしい。交渉の末に高額の危険手当を勝ち取った後、ディランは計画の変更に同意し、不安を頭から一掃した。

二十万ポンド余計にもらえるのであれば、たいていの不安は吹き飛ぶ。

クライストチャーチがパラボラアンテナを小脇に抱えてCAATの屋根から飛び降りた。直径約六十センチはあろうかというアンテナを、ラグビーボールのように軽々と運んでいる。実際のところ、筋肉質の太い脚とがっしりした手のクライストチャーチは、ラグビーのフルバックのような体格だ。一方、バッテリーパックを手に持ち、丸めたケーブルを前腕部に巻き付けたライリーは、彼と比べて頭一つ背が高い一方で、体重は五十キロ以上少なく見える。

二人がやってくると、ディランはCAATよりもさらに奥深くを指差した。この先の洞窟は未知の世界に等しい。「狩りをする必要が生じたらしい」

「獲物は？」ライリーが訊ねた。

「ヴォリトクスだ」

　部下の二人が顔を見合わせた。狩りを楽しもうという表情には見えない。二人の気持ちはわからないでもないが、命令は命令だ。それに難しい要求だからこそやりがいがある。ディランはホルスターに収めたハウダー拳銃の銃尻に手のひらを添えた。ここで最も攻撃的な——しかも最も危険な生物を相手に、自分の手腕を試すのも悪くない。

〈そうは言っても、この地獄さながらの場所では〉ディランは携帯型のＬＲＡＤを一瞥した。〈慎重には慎重を期す必要がある〉

「隊長！」部下の一人が呼びかけた。その男が指差す方向を見ると、二つのヘッドライトがこちらに向かって近づいてくる。

　マッキノンのチームが戻ってきたのだ。

〈ようやく戻ってきたか〉

「彼らがここに着いたら」ディランは指示を出した。「撤収の準備を始めろ。連絡を入れる必要が生じた場合に備えて、無線のこのチャンネルを空けておけよ」

　この場所での作業への指示を徹底させてから、ディランは出発した。それでも、完全に不安を払拭（ふっしょく）することができず、いつも以上にぴりぴりしている自分がいる。コロッセオのさらに奥に向かって流れる川に沿って五十メートルほど進んだ後、ディランは部下たちの作業現場を照らす光の方を振り返った――続いてこの広大な空間を横断中の二つのヘッドライトに視線を移す。

マッキノンからはしばらく前に、ハリントンのスノークルーザーの待ち伏せに成功したという詳しい報告を受けている。その後、筋金入りの兵士のスコットランド人は、生存者がいないことを確認しに向かった。しかし、それ以降、副官からは何の連絡も入っていない。

南アメリカから想定外の指示に気を取られていたため、連絡が途絶えたことを今まで深く考えていなかった。しかし、やはり……

ディランの脳裏にスノークルーザーの後部から発砲するしぶといアメリカ人の姿が浮かんだ。

「ちょっと待て」ディランは二人の部下に伝えた。無線を取り出し、マッキノンのチャンネルに周波数を合わせる。「こちらはライト。マッキノン、状況を報告せよ」

三十秒待ち、もう一度問いかけを繰り返す。

返事はない。

大きくため息をつきながら、ディランは作業現場を呼び出した。すぐに応答がある。

「隊長?」

「ＬＲＡＤの組み立て作業は終わったか？」

「完了しました」

「マッキノンに呼びかけ続けるんだ。彼の車両が三十メートルの距離まで近づいても反応がない場合は、ＬＲＡＤを作動させろ」

「しかし、そんなことをしたら彼のチームが気を失って――」

「いいからやれ。動きが止まったらＬＲＡＤを切り、完全武装で接近したうえでマッキノンのＣＡＡＴを確保せよ」

「了解しました」

　ディランは無線を口元から離した。

〈これ以上の不意打ちはごめんだ〉

　ディランは前方を指差した。「ヴォリトクスを捕獲するぞ」

午後五時四十三分

　暗視機能の備わった双眼鏡を使用して、グレイは巨大なＬＲＡＤのパラボラアンテナの周囲で作業を進める男たちの姿を凝視していた。九人が残っている。少し前、ディランが二人を引き連れて洞窟群のさらに奥へと向かっていった。

〈数的に厳しいな……いくら相手の不意を突いたとしても〉

「準備はいいか？」グレイは相手に聞こえるように半ば叫びながら訊ねた。

大きなエンジン音をあげるCAATを運転しているのはコワルスキだ。広大な地下空間を横断する短い間に、このキャタピラの付いた乗り物の運転のこつをのみ込んでいる。

「いつでも来い」大男はその存在を確認するかのように、膝の上に置いた機関銃を軽く叩いた。

グレイはDSRを握り締めた。すでにバッテリーはほとんど切れかけている。

ダッシュボードの無線が再び甲高い音を発した。「マッキノン、応答せよ。声は聞こえているが、通信機器の故障で応答できないのであれば、ヘッドライトを点滅させせよ！」

コワルスキがグレイの方を見た。

この三分間で三度目の呼びかけだ。

「相手にするな」グレイは指示した。「余計に怪しまれるだけだ」

前方に見える元イギリス軍のX中隊は、機器の故障で通信不能になったと考えているのかもしれない——実際、戦闘中にアンテナが損傷している。しかし、今の呼びかけは敵の垂らした餌なのではないかとグレイは踏んでいた。通信機器が受信はできるものの応答はできないように故障するという状況は考えにくい。

〈今は耳も口もふさがれているふりをするのが得策だ〉

「だいぶいらついているみたいだぜ」コワルスキがつぶやいた。

　ほかに選択肢はない。グレイたちは避けられない運命に身構えながら、前進を続けた。

そして、その時は訪れた。

　悲鳴とともに周囲の世界が炸裂し、フロントガラスが振動する。グレイの両耳にアイスピックで突き刺されたかのような痛みが走る。視界の端が暗闇に包まれる。胃液が喉を逆流し、めまいが平衡感覚を狂わせる。

　小刻みに震える窓の向こうを見ると、ＣＡＡＴの周囲の世界が大混乱を来たしていた。大音響から逃れようと、生物たちがパニックに陥っている。跳びはねたり這ったりしながら、巣から飛び出してくる。見上げるような高さの一頭のパチケレクスがＣＡＡＴの前を走り抜けたが、涙のにじみ始めたグレイの目にはかすんだ映像としか見えていない。すぐに細かい姿が確認できなくなり、音による攻撃から逃れようと雪崩を打った動きだけが目の前を通り過ぎていく。

〈これ以上は耐えられない……〉

　隣に座るコワルスキがハンドルに突っ伏した。

　ＣＡＡＴが速度を落とし、停止する。

　やがてグレイの体も横に傾き、助手席側の窓にもたれかかった姿勢になる。その頭に、最後まで残った不安が浮かぶ。

自分に対してではなく、仲間たちへの不安。

〈ジェイソンがもう裏口に着いていればいいんだが〉

午後五時四十四分

〈頼むから止めてくれ……〉

ジェイソンは洞窟の壁面の途中にぶら下がっていた。片方の肘を岩の壁面に固定された梯子の段に引っかけ、両脚のつま先も段にしっかりと乗せてある。もう片方の腕を頭に巻き付けておかないと、音のせいで頭蓋骨が真っ二つに割れてしまいそうだ。鼻水が涙と混じって流れ落ちる。

はるか向こうのコロッセオの最深部近くで星のように輝く光は、ディラン・ライトのチームが作業を進めている地点を示している。梯子を上りながら、ジェイソンは光の方角を何度となく振り返った。十分に遮蔽(しゃへい)された第二基地までたどり着く前に、イギリス人たちが作業を終え、ＬＲＡＤを作動させるのではないかと気が気ではなかったからだ。

ほんの少し前、その嫌な予感が現実のものとなった。

ジェイソンは洞窟の床にもう一つの小さな光があることに気づいていた。グレイが奪取した小型のＣＡＡＴだ。梯子を上りながら、ジェイソンは光がゆっくりと前進するのを目で追っていたが、今ではその動きが完全に停止してしまっている。発生源からあれほどの近距離で浴びる衝撃波の激しさなど、想像すらしたくない。

ジェイソンは気力を振り絞って首を曲げ、顔を上に向けた。ステラと父親は数メートル上にいる。教授のベルトからは小さな懐中電灯がぶら下がっていた。ＤＳＲのバッテリーが切れた後、三人に残されている光はステラのバックパックの中にあったこの懐中電灯だけだ。梯子を上る際に段がよく見えるように、ステラは懐中電灯を父親に渡していた。

だが、それが間違いだった。

始まった時と同じように、音が唐突に鳴りやんだ。不意を突かれたジェイソンの左右のつま先が、ほんの一瞬、滑って段から外れる。ジェイソンはあわてて再び足を掛け、あえぎながら両手でしっかりと段を握り締めた。音の圧力で壁に押しつけられていた体が、鳴りやんだ拍子に支えを外されたかのような感覚だ。

衝撃波を浴びたことが原因の錯覚にすぎないことはわかっている。それでも、ジェイソンは梯子にしがみついたまま、ふた呼吸してから再び顔を上げた。

父親の懐中電灯の光でシルエットになったステラの顔が、ジェイソンの方を見下ろしている。

なステラの表情に反応して言葉を返す。

「大丈夫だ」耳がまだがんがんと鳴っていて何を言われたのかよくわからないが、不安げなステラの表情に反応して言葉を返す。


そんなステラの肩越しに、壁沿いを飛行する何かが見える。

ハスタクスだ。

大音響によるパニックも冷めやらないハスタクスが、空の縄張りに侵入してきた明るい光に気づき、攻撃を仕掛けてきたのだ。飛来したハスタクスの翼が、ハリントンの体をかすめる——その衝撃で教授は梯子からはじき飛ばされた。

ジェイソンがなす術なく見つめる中、教授の体がまるでスローモーションの映像を見ているかのように回転し、目の前を通過し、眼下の暗闇に姿を消す。見えるのは落ちていく光だけだ。

ステラが悲痛な叫び声をあげた。落下した父親の後を追おうとするかのように、片方の腕を下に伸ばしている。

「動かないで！　僕が下に行く！」急いで梯子を下り始めたものの、ジェイソンは教授が無事だとはとても思えなかった。「厳しいことを言うようだけど、君は第二基地に行かなければならないんだ、ステラ。爆弾を作動させてくれ」

だが、もう手遅れなのではないだろうか？

下に目を向けると、すでに生物たちの大移動が始まっていた。生物発光に照らされて、さっきの音源から逃げようとするたくさんの影が確認できる。あれだけ短時間の大音響でも、深刻な影響が及んだ可能性は否めない。ここで始まったパニックが拡散し、増幅され、まるで下り斜面を転がり落ちる雪玉のようにふくれ上がりながら、出口に通じる長いトンネルへと伝わっていくはずだ。

ジェイソンはライトたちの居場所を示すはるか遠くの光の方に目を向けた。断言できることが一つある。さっきの轟音はあれで終わりではない。大音響が鳴り響くたびに、パニックにいっそう拍車がかかる。はるか向こうの出口が封鎖されない限り、外の世界は破滅を迎える。

「待って！」ステラが涙声で呼びかけた。「私には無理――」

言い聞かせている時間はない。「君がやらなければならないんだ！」

「いいから、私の話を聞いて！」

ジェイソンは足を止め、ステラの方を見上げた。

「私は……パスワードを知らないの」ステラは声を詰まらせながら伝えた。「知っているのは父だけなのよ」

ジェイソンはその可能性を考慮していなかった。当然、ステラもパスワードを知っているものだと思い込んでいたのだ。ジェイソンは左右のつま先の間に視線を向けた。その先の梯子の下には、小さな光が見える。ジェイソンは目を閉じ、気持ちを落ち着けるために深呼吸をしてから、再び目を開いた。

「いいから上に行くんだ」ジェイソンは伝えた。「必要な準備をすませておいてほしい。僕もできるだけ早く後を追うから」

「わかった」ステラは消え入るような声で答えた。

〈頼んだよ〉

上に行ったところでステラには何もできないかもしれないが、梯子の下で倒れている教授の姿を彼女に見せるわけにはいかない。娘に見せられるような状態にあるとは思えない。

ジェイソンは急いで梯子を下りた。ステラの父親にまだ息があることを祈りながら。

29

四月三十日　アマゾン時間午後一時四十五分
ブラジル　ロライマ州

ジェナは頭上から落下してきた影をよけようと、よろめきながら後ずさりした。目の前に着地したものの正体をすぐには理解できず、口から漏れた悲鳴がやむ。現れたのは十歳、あるいは十一歳くらいのひょろっとした少年で、髪は黒く、鮮やかな青い色の瞳をしている。少年は裸足で、半ズボンをはき、上はTシャツにサファリベストという格好だ。

少年はジェナに駆け寄って手をつかみ、引っ張りながらついてくるように促した。

「来て……」

もう片方の手には、長い黄色の牛追い棒が握られている。

少年は牛追い棒を大きなシダの方に向けた。シダは再び葉と茎を伸ばし始めたため、その奥にいる巨大な獣の姿が見えなくなりつつある。

後ろ足で立ち上がっていたメガテリウムは、再び四本の足を地面に着けていた。肩をいからせ、毛を逆立てる。黒と茶色の縞模様をした体毛は、この薄暗い原始林では格好のカムフラージュになる。

メガテリウムが太く鋭い牙をむいた。

少年が牛追い棒のボタンを押した。U字型の先端部分に電気が通じ、青白い火花が走る。激しく飛び散る火花は、この牛追い棒が通常のものよりも強力なことを示している。

メガテリウムの目つきが険しくなる。剃刀(かみそり)のように鋭い大きな鉤爪が、やわらかな森の土壌に深く食い込む。

少年が再びジェナの腕を引っ張る。

ジェナは少年とともに後ずさりした。

獣はより慎重に、二人から距離を置きながら後を追い始めた。少なくとも、すぐには襲いかかってこないようだ。ジェナは左右の様子をうかがった。自分たちの動きに合わせて、枝が折れたり葉がこすれたりする音が聞こえる。

ここにいるメガテリウムはあの一頭だけではない。

足を速めながら、二人は砂利の敷かれた空き地に戻った。その中央に並んだ三つのケージには、まだロックがかかっているし、電気も流れている。ケージの中に隠れることはできない。

それでも、少年は通電ケージの手前まで戻った。ケージを背にしていれば、少なくとも背後から攻撃される心配はない。

身を守ってくれるのはケージだけではないのかもしれなかった。

メガテリウムは空き地の手前まで達すると立ち止まった。砂利に触れた片方の鉤爪を引っ込める様子から、この場所を警戒しているのは明らかだ。森の中で暮らすこの肉食動物は、開けた場所に出ることが不安なのだろうか？　それとも、過去の痛みの記憶が残っているせいなのだろうか？　牛追い棒のことを認識しているのは間違いなさそうだ。

少年は小首をかしげ、ケージの状態を調べた。

三つのケージとも、赤い光が点灯している。

顔をしかめていることからすると、少年はこの状況を予期していなかったらしい。頭上の林冠の方に目を向けている。低く垂れ下がった枝が何本もあり、ケージの上によじ登れば簡単に手が届きそうだ。

「あなたはそっちの方に行きたかったの？」少年がどの程度まで英語を話せるかわからなかったものの、ジェナは訊ねた。「木の上の方に？」

うなずいたところを見ると、少年は意味を理解したようだ。だが、その目は恐怖に怯えている。

おそらくこれまでにも何度かこの森を探検した経験があり、安全な距離を保つ方法を学んできたのだろう。高い場所にとどまり、細い枝を伝って移動すれば、大型の肉食動物に捕まる心配はない。小動物ならば牛追い棒を使って追い払えるはずだ。

ここから脱出するにはいい作戦だが、ケージを利用できなければ話にならない。

ジェナは近くにあるつる植物を指差した。ほかにも何本ものつるが枝から垂れ下がっている。「あれなら登れそうよ」

「だめ」

少年は体をかがめ、砂利の中から大きめの石をつかむと、つるに向かって投げつけた。石が命中した途端、ぴくりと収縮した緑色のつるから樹液で輝く鉤状のとげが突き出る。

「毒がある」少年は説明した。「刺されるとすごく痛くて、死んじゃう」

何も考えずに森の中に分け入ったさっきの自分を思い出し、ジェナは寒気を覚えた。しばらく見ているうちに、とげが再び引っ込んだ。確か同じような鉤状のとげを持つつる植物が、オーストラリアの熱帯雨林に生えていたはずだ。ジェナは名前を思い出そうとしたが、頭の中の霧が次第に濃くなり、考えることがますます難しくなっていく。

空き地の端に目を戻すと、メガテリウムが前足を砂利の上に戻し、鉤爪を深く食い込ませていた。動きを妨げていた恐怖心が、次第に薄れつつあるようだ。

少年がジェナの手をつかみ、きつく握り締めた。

ほかにもいくつもの影が空き地の周囲を移動しながら忍び寄ってくる。

ジェナは少年を引き寄せ、自分の体を盾にして守ろうとした。少年に小声でささやく。

「名前を教えて」

午後一時四十八分

カッターの研究ノートを食い入るように見つめていたケンドールは、不安に満ちた声を耳にして顔を上げた。声のした方を見ると、カッターの妻が研究室に入ってくるところだった。妻は取り乱した様子で、夫の姿を目にすると腕を差し出した。

「ア・チュ・ヴュ、ジョリ?」

「ジョリだって?」カッターはワークステーションの前から妻の方に歩み寄りながら、フランス語で聞き返した。「君と一緒じゃなかったのか?」

アシュウは首を横に振った。

ケンドールはどこまで読んだかわからなくならないように、読みかけのページに指を置いた。ノートを見せてくれるというカッターの気が変わらないうちにと思い、この数分間、急いで記述を読み進めていたところだ。ノートの内容はXNA鎖を破壊するための磁力の実験に関するもので、鉄の背骨を粉砕するのに必要な波長が記されている。ケンドールはカッターの調査結果をメモ帳に書き留めた。〈静磁場で少なくとも〇・四六五テスラの磁力

を生成すること〉

「カメラを調べればいいじゃないか」カッターは妻を安心させようと肩に手を触れた。「あの子のことだから、どこかを探検しているのさ。そういう年頃だ。好奇心が旺盛だし、男性ホルモンも増え始める頃で、子供と大人の狭間で自分の立ち位置を見つけようとしているんだよ」

カッターがケンドールのもとに近づき、手を振って場所を空けるように合図した。「それを読むのは後にしてくれ」

ケンドールはノートやメモを持ったまま、キャスター付きの椅子ごとワークステーションの前から移動した。ジェナがケージの外に出て森の中に迷い込むのを見て以降は、モニターの明るさを落としてある。その先に何が待ち構えているか、見たくなどなかったからだ。カッターがキーボードに触れると、再び森の中の空き地の映像が表示される。

ノートのページに注意を戻そうとしたケンドールの目が、画面上の動きをとらえた。ジェナが空き地に戻っていて、ケージを背にして立っている。ただし、映っているのは彼女一人ではない。

片手でジェナの手を握り、もう片方の手で牛追い棒を構える少年がいる。

カッターが画面に顔を近づけた。「ジョリ……」

駆け寄ったアシュウが画面に表示された映像を見て、喉を抑えながら恐怖に怯えた声を漏らした。

カッターが振り返り、アシュウの両肩をしっかりつかんだ。優しいながらも有無を言わせぬ力強さで、妻をマテオのもとに押し戻す。「ここでじっとしていなさい、いいね。私が息子を連れ戻す」

ケンドールは画面を凝視し続けた。すると、黒い大きな影が空き地に姿を現した。だが、森と空き地の境目から先に進もうとしない。その正体ははっきりとわからないが、おそらく先ほどほんの一瞬目にした生物だろう。ケンドールの頭に、鉤爪と濃い色の長い体毛がよみがえる。

メガテリウムだ。

最終氷期から現代によみがえった動物。

「見たまえ！」ケンドールの声に、室内の三人の注意が画面に向けられる。

カッターが近づき、画面を一瞥すると同時に、舌打ちをした。

空き地の周囲ではほかにもいくつもの影が動いている。

「今から下りていっても間に合いっこないぞ」ケンドールは言った。「だが、ジェナを見たまえ。彼女がしていることを」

午後一時四十九分

〈さあ、早く……〉

ジェナはカメラに顔を向けていた。木の上に固定されたカメラは、この空き地を撮影している。ここに連れてこられた時から、ジェナは自分の行動が監視されているに違いないと感じていた。予想通り、少年はカメラの設置場所を知っていた。

ジェナはカメラのレンズを見上げ、片手でケージを指し示しながら、もう片方の手を喉の前で水平方向に動かした。

〈早くケージの電気を切って〉

ジョリが呼びかけた。「光が緑になった!」

〈やっと通じたわ〉

ジェナはケージに向き直った。選択肢は二つある。ケージの中に隠れて誰かが再び電気を流してくれるのを待つか……あるいは、この子がいつも使っているルートをたどって木の上によじ登るか。

それほど難しい決断ではない。

ジェナはメガテリウムに視線を向けた。体の前半分は空き地に、後ろ半分は森の中にあり、ちょうど境界線上に位置している。立ち上がった時の体高は四メートル以上あったし、鉤爪は一本が五十センチ近い長さだ。通電していようといまいと、細い鋼鉄製のバーに自分の命を――自分と少年の命を託す気にはなれない。

しかも、警戒しなければならないのは目の前にいる一頭だけではない。

周囲には少なくとも四頭のメガテリウムがいる。

ジェナはケージの屋根を指差しながら伝えた。「上に行って」

ジョリはジェナに牛追い棒を渡すと、サルのように身軽にケージをよじ登った。少年がケージの屋根に達すると、ジェナは牛追い棒を返した。ジョリは屋根の上にうずくまり、空き地から見えるメガテリウムに向かって電気の火花をかざしながらジェナを守ろうとする。

ジェナはケージをつかみ、下から一段目のバーに足を掛けた――次の瞬間、一頭のメガテリウムがケージの裏側の森の中から飛び出し、こちらに突進してきた。

ジェナは勘違いに気づいた。

群れがケージに近づこうとしなかったのは、恐怖心からではない。

メガテリウムはケージに流れる電気が切られ、しかもすぐには再びスイッチが入らないと確認できるまで待っていた。そのことを確かめるために利用したのが少年の動きだ。ジョリが屋根の上にいる間は、攻撃を仕掛けても電気ショックを受けないとわかっているのだ。

「ジョリ！　ジャンプ！」

メガテリウムがケージの裏側に体当たりする直前、ジェナは扉を開いた。ケージの中に転がり込み、扉を閉める。頭上に目を移すと、ジョリが屋根からジャンプして枝をつかみ、身軽に体を回転させて枝の上にまたがった。

少年の足の下でメガテリウムの体が三つ並んだケージに激突し、全体が片側に傾いた。メガテリウムは後ろ足で立ち上がりながら鉤爪をケージの上端に引っかけ、そのまま押し倒そうとする。扉のある側を下にして倒れたら、ケージの中に閉じ込められてしまう。

「ジェナ！」

枝に足を引っかけてぶら下がったジョリが、ジェナに向かって牛追い棒を投げた。だが、唯一の武器はきれいに隙間を通り抜けることなくバーに当たり、傾いたケージの側面を転がり、巨大な生物の左右の前足の間を落ちていく。ジェナは手を伸ばして牛追い棒の持ち手部分をつかみ、その先端を見上げるような高さのメガテリウムの体に向けた。体毛の少ない腋の下に突きつけてボタンを押すと、U字型の先端から勢いよく火花が散る。皮膚が焦げるのではと思うほどの激しさだ。

メガテリウムはうめき声をあげながら後方に飛びのいた。ケージが元の位置に戻る。メガテリウムは体をよじりながら四つ足の姿勢に戻り、痛む腋の下をなめながら後ずさりした。

ジェナは再びケージの外に飛び出し、空き地全体に見せびらかすかのように牛追い棒を大きく振り回した。

空き地に入り込んでいたメガテリウムは、唇を歪ませてジェナのことをにらみつけた。しかし、しばらくすると静かに後ずさりを始め、森の中に消えていく。その目は激しい怒りに燃え、「これで終わりだと思うなよ」と告げているかのようだ。

ジェナはその隙を利用し、扉を伝ってケージの屋根によじ登った。さらに枝に飛びつき、木々の上にいるジョリと合流する。

「ついてきて」少年が言った。「でも、注意してね」

ジョリは林冠に向かってジェナを先導した。頑丈そうな枝からより細い枝に移ると、ジェナの体重で大きくしなる。やがて十分な高さに達したのか、ジョリは登るのをやめ、遠くに見えるこの階層のゲートに向かって進み始めた。おそらくこの少年は、あのゲートを通り抜ける方法も知っているのだろう。

〈でも、その先は?〉ジェナは思った。〈まだこの空に浮かぶ島に閉じ込められたまま……その間も、ウイルスは私の意識を蝕み続ける〉

ジェナはその不安を頭の中から排除した。問題には一つずつ対処すること。今のジェナにはそれが精いっぱいだ。

ジョリは二人がたどっている道筋に詳しいらしく、隣の木の枝との間隔が近くて飛び移れるところや、つるに手足を絡ませて横断できる場所を選んで進んでいる。二人はジャングルの林冠部分の移動を続けた。

「だめだよ！」楽に飛び移れそうな隣のマホガニーの木に向かおうとしたジェナを、ジョリが制止した。少年は幹の裏側にある大きなハチの巣を指差した。「スズメバチ」

ジェナはうなずいた。これ以上刺されるのはごめんだ。

ジョリはそれとは別のもっと難しそうなルートに案内してくれたが、その間もジェナはハチの巣から目を離さなかった。枝の間を抜けて飛来した一羽の小さなスズメが、泥を固めて作った巣に接近しすぎた。ハチの群れが巣からいっせいに飛び立ち、小鳥を包み込む。ハチに刺されるたびに、スズメの飛行が不安定になっていく。ハチが全身にたかった状態のまま、スズメは森の地面へと落下していった。

「針には毒があるの？」ジェナはジョリに訊ねた。少年もスズメの姿を目で追っている。

「ううん」ジョリは両腕を左右に広げてバランスを取りながら、網の目のように張ったつるの上を歩き始めた。向かい側に到達してから少年は答えた。「針は……」なかなか単語が出てこないらしく、手で腹部をさすっている。「食べ物を溶かす液体を出す」

ジェナは今まで以上に警戒しながらハチの巣を眺めた。

〈消化液だわ〉

あのスズメバチの針は、クモの毒と同じような物質を生成するのだろう。

「内側から食べられちゃうんだよ」ジョリは誰でも知っている当たり前のことを説明するかのような口調で警告した。

二人は無言のまま、さらに二十メートルほど進んだ。その間に聞こえるのは、この庭園のより高いところに生息しているオウムをはじめとした鳥のさえずりだけだ。その時、左手の方角から弱々しい鳴き声がジェナの耳に聞こえた。その悲しげな調子に引き寄せられて、ジェナは声の方に近づいた。

「だめだよ」ジョリは再び警告した。「とっても危ないから」

その言葉に従うべきだと思ったものの、鳴き声はすぐ近くから、隣の木から聞こえてくる。ジェナはマホガニーの幹を回り込み、目の前にある葉の茂った枝をかき分けた。

すぐには小さな鳴き声のもとを突き止めることができなかった。少し離れたところにある数本の枝から、何本ものつるが垂れ下がっている。ジェナの目が動きをとらえた。小さな子供のものと同じくらいの大きさの、毛に覆われた手が一本、手招きをするかのように、訴えかけるかのように伸びている。鉤爪を持つ指が開いたり閉じたりしているが、自らの意志によるものではなく、痛みをこらえての動きのようだ。その腕の付け根に向かって視線を移動させると、つる植物が作った輪の中に閉じ込められた子グマほどの大きさの体がある。ジェナのいるところからも、つる植物の鉤爪に似たとげと滴り落ちる鮮血が見える。体を動かすとつるの締め付けが強まり、小動物から再び悲鳴に似た鳴き声が漏れる。

その光景にジェナは胸を痛めた。

ジョリがジェナの腕を押し下げると、枝が元の位置に戻り、視界が遮られた。「ジャングルの掟」少年が言った。

ジェナは少年が強がっていることに気づいた。教訓を与えようとするかのような口調だが、その顔にはどこか悲しげな表情が浮かんでいる。

少年は再び樹上を伝って歩き始め、ジェナについてくるように促した。

「どうして私を助けてくれるの？」ジェナは問いかけた。「ジャングルの掟は私にも当てはまるんじゃないの？」

ジョリが立ち止まり、振り返った。ジェナの顔をちらりと見たものの、すぐに視線を自分の手に落とし、顔をそむける。「あなたはきれい。だから、ジャングルの掟は……」少年は首を左右に振った。「当てはまらない」

その深い言葉を残して、ジョリは再び歩き始めた。

午後一時五十五分

カッターは陥没穴に通じるハッチを勢いよく通り抜けた。武装した二人の男がすぐ後ろからついてくる。カッターは無線で指示を出し、二台のカートを準備させていた。一台のカートには武装したマクシ族の男たちが四人、乗り込んでいる。もう一台のカートの前には義理の妹が立っていた。

ラヘイはこの騒動の全責任がカッターにあるかのような眼差しでにらみつけてきた。この女性はヘビのような冷たい心の持ち主だが、ジョリのことは愛している。ラヘイの心にいくばくかの温かさをもたらすことができるのはジョリだけだが、その愛情が憎しみを駆り立て、子供を守ろうとするメスライオンに変貌させてしまうこともある。

もっとも、今のカッターはその変化を歓迎していた。

一行は電動式のカートに乗り込むと、猛スピードで通路を下り始めた。各階層を仕切るゲートが完全に開くまで待たずに、車体をゲートにこすりながら先を急ぐ。

カッターは暗い木々の中に消えていく息子の映像を頭の中から振り払うことができなかった。あの森は極めて危険な生息地だ。〈自分が作り出した生き物を使ってジョリの好奇心をあおるなんて、私は何を考えていたのだろうか?〉

その理由の一端にうぬぼれがあったことは否めない。息子の幼い顔に浮かぶ尊敬と畏敬の念が見たかったのだ。これまでの働きと野望に対して必要な称賛は、それだけでよかった。見てくれる人間が一人いれば十分だった。その一人がジョリならば、何も言うことはなかった。

緊張と恐怖の高まりに合わせて、呼吸が苦しくなっていく。そんな様子を察したのか、ラへイがカッターの膝を握り締めた。まるでナイフのように深く食い込む指が、言葉の代わりに「しっかりして」と伝えている。

ジョリのために。

ようやく最後のゲートまで到着すると、二台のカートはその先で停車した。「ゲートを開けたままにしておけ」カッターはカートから降りながら指示した。「もしジョリが怪我をしていたなら、一秒たりとも時間を無駄にしたくない」

運転手の一人をカートとゲートの見張りとして残し、カッターたちは下り勾配の通路を走りながら森の中へと進んでいった。

カッターは口に手を当て、この厳しい世界に向かって大声で呼びかけた。「ジョリ！　どこにいるんだ？」

午後一時五十六分

ケンドールは防護服の最後のジッパーをしっかりと締め、BSL-4の施設に入った。あわてた様子で研究室を飛び出していったカッターからは、例の破壊の遺伝コードを殻に挿入するための準備に取りかかるようにとの指示を受けている。それよりも気がかりなのは、夜までにはヴォリトクスのサンプルが届くから、そのつもりでいるようにと伝えられたことだ。

ケンドールは逆らったりしなかった。この隔離された部屋に入る必要があったからだ。外の研究室に目を向けると、顔を寄せ合って小声で話をするマテオとアシュウが見える。互いに慰め合う兄と妹の姿だ。今にも壊れてしまいそうな妹の体を、巨漢の兄が包み込むように立っている。アシュウは兄の強さと支えを頼りにしている。

ケンドールは二人を殺さなければならないことを思い、心が痛んだが、何としてでも電話がある場所まで行く必要があった。カリフォルニアで進行中の事態の解決策を、自らの手による生物を遺伝子レベルで破壊可能な磁力の値を、外の世界に伝える手段があるところまでたどり着かなければならない。

少年の件で混乱している今の状況は、またとないチャンスだ。

カッターでさえも、あの天才にしては珍しくミスを犯した。

ケンドールはポケットを叩いて中身を確認した。全員の注意がそれている隙に、テーブルの上からくすねた物体が入っている。ケンドールは部屋の奥にある大型の冷蔵庫の前に立ち、扉を開き、棚に並んだ小さな容器を眺めた。ありがたいことに、几帳面（きちょうめん）なカッターはきちんと仕分けをしてラベルも貼ってくれている。ケンドールは必要なものをすぐに見つけ、十数個の小瓶をつかむとポケットに押し込んだ。

肩越しに振り返って確認すると、マテオはまだ妹を慰めている。

〈それができるのもあと一、二分だ〉

ケンドールは施設の奥に並んだ作業用の部屋の一つに向かった。カッターが作り出した生物の細胞の研究や解剖のために使用されている場所だ。ケンドールはX線装置やPETスキャナーの前を通り、銅で遮蔽されたMRI用の部屋に入った。

MRI――核磁気共鳴画像法。

何という皮肉だろうか。磁気は世界を救う鍵であると同時に、カッターの破滅への第一歩にもなるとは。

ケンドールは巨大な磁石が入った円形の装置に囲まれたテーブルを見つめた。非常に強力な磁石のため、訓練や注意の不十分な人間が装置を操作した場合には、大きな被害を及ぼしかねない。巨大な磁石の扱いを誤れば、負傷ばかりか死亡事故につながるおそれもある。しかし、この装置が危険な理由はほかにもある。

ケンドールは扉近くの壁面にあるクエンチボックスに近づき、ばね式のカバーを引き開けた。MRI用の磁石は液体ヘリウムで冷却する。緊急の場合は液体ヘリウムを急速に放出させて磁力を弱めるが、これは狭い空間内では大きな危険を伴う作業だ。密閉され、しかもテプイの地下深くにあるBSL-4での危険性は言うまでもない。

ほとんどの病院では気化したヘリウムの排出用のクエンチ管を外に通しているが、ケンドールがすでに調べたところ、カッターは事故などありえないと高をくっているのか、そのような対策を講じていない。

ケンドールはＭＲＩ室から顔を突き出し、研究室の様子を確認した。いるのはマテオ一人だけで、ケンドールのことを監視している。どうやらアシュウは部屋を出ていったようだ。

ケンドールはマテオの目を見ながら、冷却装置のボタンを押した。

すぐに扉を抜けて外に飛び出し、腹這いの姿勢で床の上を滑る。

噴出と同時に気化した液体ヘリウムが八百倍に膨張し、背後ですさまじい大爆発を起こした。押し出された空気の衝撃でＢＳＬ‐４のガラスが研究室側に吹き飛び、マテオの顔面に突き刺さる。磁石の塊が音を立てて飛び、ＭＲＩ室の隣の部屋に並んでいた酸素タンクにぶつかる。火花に引火した酸素が火の玉となり、気化したヘリウムの冷たい白い雲と競うように、割れた窓から研究室側に噴き出した。

ケンドールの想定よりもかなり大規模な爆発だった。

ケンドールは両膝を突いた姿勢になり、続いて何とか立ち上がった。急いで出口を目指す。エアロックを使うよりも、割れた窓から出る方が早い。

〈もはや隔離された状態にあるわけではないし〉

マテオの巨体が床に倒れていた。火の玉の直撃を食らった顔面は黒焦げで、髪の毛も燃えてしまっている。窓を抜けて研究室に出ると、ケンドールはマテオの体をまたいだ。上のフロアに戻り、電話を探さないといけない。

その時、脚が何かに引っかかった。

見下ろすと、指が足首をしっかりとつかんでいる。

肉が黒焦げになった顔面で目だけを爛々と輝かせながら、マテオがつかみかかってきた。

ケンドールは逃げようとしたが、マテオはもう片方の手に握っていた割れたガラス製のシリンダーを、ケンドールの脇腹に突き立てた。

30

四月三十日　グリニッジ標準時午後五時四十七分
南極大陸　ドローニング・モード・ランド

「前方に幼体の巣を発見」ＤＳＲを動かして赤外線ライトを川岸に当てながら、クライストチャーチが報告した。

ディランは停止を命じ、暗視機能付きの双眼鏡でその場所を調べた。約二十メートル前方に、川から突き出した形の水たまりができていて、ダムによって流れと仕切られている。ビーバーの作るダムと似ていなくもない。

ただし、このダムは骨でできている。

折れた頭蓋骨や肋骨のほか、朽ちかけた死骸を泥で固めたダムは人間の腰くらいの高さがあり、弧を描くように伸びて浅い水たまりと川を区切っている。その水たまりの中でうごめいたり、死骸のダムによじ登ったりしているのは、数百匹ものナメクジのような生物だ。その筋肉質の体の大きさは、太い親指程度からディランの前腕部くらいにまで多岐にわたる。そのうちの数匹は近くの川岸に這い上がり、苔や藻類をむさぼり食っている。「幼体」などという名前だけは可愛らしく聞こえるが、その中でも比較的大きな一匹がばねのように体を曲げて川岸からジャンプし、水たまりに飛び込み、薄気味悪いダムの隙間から川の深みに姿を消した。

それを見たディランは虫酸が走った。

巣の中は一分ほど前に鳴りやんだ大音響のせいでまだかなりの興奮状態にあるようだ。このトンネルはＬＲＡＤの後方に位置しているものの、反響した音波はこのあたりまでも伝わってきた。ディランも超低周波を耳にして、黒板を爪で引っかいた時に似た歯のうずくような感覚に襲われた。

「もう十メートル接近してからＬＲＡＤの準備をする」ディランは指示した。

「そこまで近づくのですか？」ライリーが聞き返した。

いつものディランならば命令に対する疑問の声を許しはしないが、今回に限ってはこの若い部下を責めなかった。ディラン自身もこの気味の悪い小さなハンターを忌み嫌っている。こいつらは嫌悪の対象でしかない。

しかし、今は一匹でいいから捕獲しなければならない。

「前進しろ」ディランは命令した。

三人は注意深く足を踏み出しながらゆっくりと進んだ。幼体は集団で攻撃する。幼体の巣にちょっかいを出すと、アリ塚を怒らせたような状態になる。脅威に反応して幼体がいっせいに巣から飛び出すことを、ここの研究者たちは「噴出」という用語で呼んでいた。それはディランが今までに見た中でも有数の恐ろしい光景で、勢いよく襲いかかるこの肉食動物は空中を数十メートルも飛行する。

ライリーが不安を覚えるのも無理はない。

しかし、ディランも腕利きのハンターだ。自ら先頭に立ち、音を立てずに前進する。ようやくディランは片手の拳を上げると、クライストチャーチとライリーに対して自分の右側に移動し、携帯式のＬＲＡＤを準備するように合図した。

二人は慣れた様子で手際よく作業を進めた。クライストチャーチがパラボラアンテナを高く掲げ、ライリーが電源ケーブルを接続する。ケーブルをつなげ終わると、ライリーは仲間の肩の後ろに回り込み、バッテリーパックを手に抱えた。

ディランは巣を指差してから親指を立てた。

ライリーがスイッチを押す。ＬＲＡＤはほんの一瞬、作動音を発した後、盛りのついた魔女の悲鳴のような音を巣に向かって浴びせた。ほとんど間を置かずに反応があった。本格的な「噴出」ほどの激しさではなかったものの、地獄の奥底から何かが飛び出してきたかのようなその光景には目を奪われる。数百もの灰色の生物がうごめき、飛び跳ね、巣から逃げ出し、川に飛び込んでいく。衝撃波から逃れようと、水たまりの中から、あるいは川岸から、仲間の後を追って次々と川に飛び込む様子は、木の葉がリーフブロワーで吹き飛ばされているかのようだ。

ディランは頭の中で三つ数えてから、首の前で手を水平に動かした。

ライリーがバッテリーのスイッチを切り、クライストチャーチがアンテナを下に向ける。

ディランは水たまりに駆け寄った。あの不気味な巣に近づいているのだと思っただけで、股間を締め付けられるような不快感を覚える。水たまりを探したディランは、骨のダムの端で必要なものを発見した。

音のショックで気絶した一匹の幼体が、ぐったりとしている。

針のように鋭い歯を持つ円形の口に触れないように注意しながら、ディランは手袋をはめた手で幼体をつかみ上げた。頭部が下になるようにして持つ。口の周囲の分泌液は皮膚がただれてしまうほど強い酸を含んでいて、手袋など簡単に溶かしてしまうからだ。

餌を手に入れたディランは川岸に急いだ。幼体は意識を取り戻しつつあり、体の節の間にあるムカデの脚に似た付属器官を動かし始めている。

幼体が激しく身をよじり出したので、ディランはダガーナイフを取り出し、幼体の腹部を切り裂き、川の流れの上に差し出した。

どす黒い血が川面に滴り落ちる。

幼体がもがくのをやめるまで待ってから、ディランはその体を水際に近い川岸に横たえた。体の中央に釣り糸を巻き付け、急いで後ろに十歩下がる。

位置に就くと、ディランは部下たちに自分の右側に来るように合図し、ＬＲＡＤのスイッチを入れて骨のダムの方へ向けておくように指示した。待っている間にほかの幼体たちがいっせいに巣に戻ってくるような事態は避けなければならない。だが、幼体とは異なり、ここにおびき寄せようとしている生物には音による攻撃も効果がない。

ディランは片膝を突き、アサルトライフルを肩から外して足もとにそっと置いた。この獲物を狩るには別の武器の方がいい。

ディランはホルスターからハウダー拳銃を抜いた。すでに二連の銃身のそれぞれに、５７７弾を一発ずつ装塡済みだ。一世紀以上前の代物で、祖先がサイやトラを狩る際に用いた銃だが、決して手入れを怠ることなく最高の状態に保っているので、この先さらに一世紀が経過してひ孫の手に渡った時も、十分使用に耐えるはずだ。

けれども、ここでの狩りの対象はライオンのような大人しい動物ではない。

予想よりも早く獲物がやってきた。唯一の兆候は水面を岸に向かって近づくＶ字型の波だ。やがて太い触手に支えられたまぶしく光る球体が、川の中から水面上に姿を現した。高熱の球体は鮮やかな青、きらきらと輝く緑、血のような赤といった様々な色合いの光を発している。

この暗黒の世界に暮らす生物たちが、その恐ろしさに気づくことなく派手な光に魅了され、引き寄せられるのも当然だろう。だが、ディランは光のショーを無視して、親指で一方の銃身の撃鉄を起こした。

光る球体が川岸に降下し、水際の岩の上をしばらくさまよった後、ナメクジに似た幼体を発見した。幼体はヴォリトクス・イグニスの子供で、成長するとこの恐るべきハンターになる。

球体が動かなくなった幼体を探った。その動きにはどこか優しさが感じられ、球体が触れても幼体の皮膚が焼けることはない。母親のヴォリトクスは酸の強さを自由に操れるのかもしれない。この生物の成長過程についてはほとんどわかっていない。あまりにも攻撃的で危険なために、十分な調査ができていないからだ。しかし、ヴォリトクスのメスに強い母性本能があることは、ここの研究者たちによって明らかになっている。

ディランがつけ込もうとしているのはその点だ。

ディランは片手を下ろして釣り糸をつかむと、死んだ幼体を水際からこちら側に引き寄せ、メスから距離を取った。幼体がまだ生きており、岸を這って動いていると思い込ませて、ヴォリトクスをおびき寄せようという作戦だ。

遠ざかる幼体の動きに合わせて球体が移動し、触手を伸ばしてその後を追おうとする。なおも追跡を続けるメスは、ついに水中からその姿を現した。

〈あと少し〉

ヴォリトクスが頭から川岸に這い上がると、魚雷のような形状の体があらわになる。大きさはシャチと同じくらいだが、頭部の先端にはウナギのような円形の口がある。すぼめた唇に似たその口の中には、鉤状の歯が底なしの井戸のようにどこまでも連なっている。

ディランは釣り糸から手を離し、その手でもう片方の手を支えながら狙いを定めた。岸に乗り上げた巨体の触手の付け根に銃口を向ける。あのあたりには脳と直結している大きな神経節がある。

あそこを狙えば、一発でこの化け物を仕留められる。

たとえ外したとしても、もう一方の銃身にも弾を込めてある。

〈今までに二発続けて外したことはない〉

ディランが引き金に指を掛け、力を入れようとしたその時――

――トンネル内に銃声が聞こえてきた。

驚いたディランの手が微妙に動き、同時にハウダーの銃口が火を噴いた。狙いのそれた銃弾が川岸の岩に当たって火花を散らし、ヴォリトクスに命中することなく暗闇に消える。

トンネルの入口側からは絶え間なく銃声が響いてくる。機関銃を連射している音も聞こえる。

〈いったい何が？〉

午後五時五十二分

グレイはＣＡＡＴの車内からショットガンをぶっ放し、また一人、敵の胸を撃ち抜いた。兵士の体が後方に吹き飛ばされる。グレイは弾切れになったショットガンを外に投げ捨て、座席の横にあったヘッケラー＆コッホ・アサルトライフルを手に取った。

〈武器を満載した敵の乗り物の奪取にまさるものはない〉

もちろん、自前の武器を持参していなかったわけではない。

運転席の先に目を向けると、ＣＡＡＴのキャタピラの上にうずくまったコワルスキが、装甲の施された運転席側の扉を開いて盾代わりにしていた。扉の上に機関銃の銃身を乗せれば、狙撃に格好の場所になる。

車両の周囲には死体が散乱している。

全部で七人。

残った二人の兵士は、ＣＡＡＴに向かって乱射を続けている。ここから先に通じるトンネルに向かうのをあきらめ、コロッセオの奥深くに逃げ始めた。光を避け、暗闇に乗じて姿をくらまそうとしている。

グレイは二人に向かって発砲したが、すぐに敵の姿は見えなくなった。

「次はどうする？」コワルスキが訊ねた。

グレイは二人が逃げた先を見つめた。「ここの見張りを頼む」二人がこの拠点を取り返そうとして、戻ってこないとは限らない。「俺はライトの後を追う」

コワルスキは機関銃を手に持ち、キャタピラから地面に飛び降りた。銃口を大型のＣＡＴに向ける。「乗り換えようぜ。裏口にたどり着こうと思ったら、あの川を渡らないといけないだろう？」

賢明な判断だ。裏口近くの橋で待ち伏せをしていた時、小型のＣＡＴで危険な流れを横断することに対して敵の兵士が不安を口にしていたことを思い出す。大型のＣＡＴの方が安全だろう。

「警戒を怠るなよ」グレイは声をかけた。

「おまえの方もな」コワルスキはコロッセオから延びるトンネルの方に視線を向けた。「あの連中が油断をしているとは思えないぜ。二度も続けては期待できない。しかも、今度はライトがいるからな」

グレイは黙ってうなずきながら、耳栓を外した。

偽装は完璧なまでに成功した。最初に作業中の敵の姿を発見した時、グレイはＤＳＲに備わった指向性マイクを利用して、敵の兵士たちの会話を盗み聞きした。その時、ライトは無線で誰かと話をしていた。こちら側の声だけしか聞こえなかったものの、ライトが新たな指令を受けたことははっきりわかった。部下とともに撤収する前に片付けなければならない重要な作業らしい。

具体的な内容は不明だが、それを阻止しなければならない。

また、接近中のこのＣＡＡＴが応答しなかった場合、敵がＬＲＡＤを使用して車内の人間を気絶させ、車両を奪い取る計画でいることも聞き取ることができた。その情報を得たグレイとコワルスキは、ＣＡＡＴの車内にその対策のための器具――耳栓と消音イヤホンを発見した。多くのＣＡＡＴに携帯型のＬＲＡＤが備わっているここでは、緊急時のためのそうした器具が標準装備となっているのだろう。

あとは気絶を装って座席でぐったりしていればよかった。しかも、衝撃を抑えるための装備を使用していても音による攻撃はかなりの苦痛だったので、さほどの演技力が必要なわけでもなかった。敵はグレイたちの策略にまんまと引っかかり、警戒を緩めた。勝利を確信した元イギリス軍の兵士たちが笑いながら近づくのを待って、グレイとコワルスキはＣＡＡＴの両側から武器を突き出して発砲し、油断し切った敵を始末したのだった。

しかし、偽装が通用するのもここまでだ。

ライトにも短い銃撃戦の音が聞こえたはずだ。待ち構えているに違いない。

〈覚悟はできている〉

トンネルに向かいながら、グレイははるか右側を一瞥した。壁のかなり高い地点に、非常灯の小さな光が瞬いている。もうジェイソンたちは裏口まで到達しているはずだ。大地を揺るがすような地中貫通爆弾の炸裂音がすでに響いていてもおかしくない。

だが、これまでのところ、何も聞こえない。

〈何をぐずぐずしているんだ？〉

午後五時五十三分

ジェイソンは梯子のいちばん下の段から飛び下り、暗闇で輝く小さな光に駆け寄った。真っ暗な中、かなり急いで梯子を下りたため、二回も危うく踏み外しそうになった。けれども、今は慎重な行動を心がけている場合ではない。

ジェイソンはぬかるみと苔の上を急ぎ、ハリントン教授が倒れている場所までたどり着いた。仰向けに倒れた教授の目は開いているものの、瞳からは生気が失われている。唇の端から血が流れ、体の下敷きになった片方の腕は不自然な角度にねじれていた。

〈ああ、そんな……〉

ジェイソンは泥と藻類に足首まで浸かったまま、教授の体のそばでひざまずいた。肩に手を触れながら、まぶたを閉じてあげなければと思い、もう片方の手を伸ばす。

〈どうか安らかに〉

だが、瞳がかすかに反応し、ジェイソンの指の動きを追った。気泡の混じった血が左の鼻孔から流れ出す。

〈まだ生きている!〉

だが、長い時間が残されているとは思えない。細い首に見える突起は、頸椎骨折によるものだろう。

「教授……」

ハリントンの青ざめた唇が動いたが、言葉は出てこない。

人生最後の瞬間を安らかに迎えさせてあげたいとは思うものの、状況は急を要する。どうしても必要な情報がある。ジェイソンはハリントンの頬を両手でしっかりと抱えた。

「教授、パスワードが必要なんです。話ができますか?」

ハリントンの目がジェイソンの顔をとらえた。その瞳には恐怖が宿っている——しかし、間近に迫った死に対する恐怖ではない。その瞳がはるか上にある第二基地の方に、娘のいる場所の方に動く。

「大丈夫です」ジェイソンは伝えた。「心配いりません。ステラは無事に裏口まで到達しました」

到達したかどうかは確認できていないが、心に安らぎをもたらすための嘘は罪に当たらない。

　その言葉を聞くと、教授の目から不安の色が薄らいだ。全身から力が抜け、その体がやわらかい土壌に沈み込む。苔や藻類が石の床を厚く覆っていたおかげで、教授は即死を免れたに違いない。

「パスワードを教えてください、教授」ジェイソンは懇願した。

　その言葉が聞こえたことを示すのは、ほんのかすかなうなずきだけだった。手のひらを頬に添えていなければ、その小さな動きには気づかなかっただろう。ジェイソンは何とか答えを聞き出そうとしたが、教授の視線は遠くに見える第二基地のほのかな光から、娘が無事に到着したと信じている場所から動かない。

　やがてため息をつくかのように息を吐き出すと、いくばくかの心の安らぎとともに、秘密を明かさないまま、ハリントン教授はこの世を去った。

　ジェイソンは悲しみと敗北感に打ちひしがれながら立ち上がった。

〈自分にできることはもう何もない……〉

31

四月三十日　アマゾン時間午後一時五十八分
ブラジル　ロライマ州

「前方に煙の柱を確認」ヴェイラーのコックピットからスアレスが報告した。「例の頂上付近から昇っています」

平坦な頂上を目指して飛行するティルトローターの機内で、ペインターは窓に顔を近づけた。やがてエンジンのナセルが回転し、前方への推進力が弱まる。操縦士は巧みな操作でヴェイラーをテプイ上空に移動させ、軽く旋回してから着陸態勢に入った。回転するローターが煙の帯を攪拌（かくはん）する。洞窟の入口の内部には趣あるフランスのノルマン様式の建物があり、煙はその建物の開け放たれた扉から流れ出ている。

〈あれがカッター・エルウェスの住居に違いない〉

頂上には丈の低い木々に囲まれた中に、穏やかな水面の池と巨大な陥没穴がある。機体がホバリングを続けるうちに何人もの男たちが頂上に走り出てきて、侵入者のヴェイラーに向かって発砲を始めた。

「アブラムソン！　ヘンケル！」スアレスが声をかけた。「彼らに海兵隊式の挨拶の仕方を教えてやれ」

ヴェイラーが高度を下げると同時に、ペインターの体が座席から浮き上がった。機体側面のハッチが開くと、エンジンの轟音とローターの巻き起こす強風が機内に飛び込んでくる。二人の上等兵はすでにロープをフックに通していた。頂上に向かってロープが投げ下ろされると同時に、二人が機体の外に飛び出す。ロープを握った二人が体を回転させながら発砲すると、数人の男たちが倒れ、残りは散り散りになって逃げていく。

その直後、ヴェイラーは頂上に着陸した。

「遅れを取るなよ」ドレイクはマルコムとシュミットに告げた。

海兵隊員たちの後を追い、シグ・ザウエルを手にしたペインターもテプイの頂上に降り立った。

スアレスが最後にヴェイラーから降りた。「部下と私が頂上を制圧します」軍曹は耳を指差した。「無線は空けておきます。助けが必要な時には連絡を入れてください」

ペインターは煙にかすんだ建物に目を向けた。まず捜索しなければならないのはあの内部だ。

ペインターはドレイクたちを率いて低い姿勢で走りながら、開け放たれた扉を目指した。

海兵隊員たちはライフルを構え、無精ひげの生えた頰を銃床に添えている。ペインターも拳銃を両腕で握り、いつでも応戦できるように備えた。

敵が一人、上層階の窓から発砲した。

ドレイクがペインターよりも早く反応した。ガラスが割れて男の体が落下し、石に叩きつけられる。ペインターたちは死体の脇を走り抜け、広々とした玄関に突入した。

誰もいない。

「エレベーターだ！」ペインターは錬鉄製の囲いを指差した。

室内を横切ったペインターたちは、玄関脇の小部屋の中で整った顔立ちの女性が一人、床にうずくまっているのを発見した。武器は持っておらず、取り乱した様子だ。抵抗するような様子は見られない。腫れぼったい目と涙に濡れた顔から察するに、この女性が心を痛めている理由は侵入者の到着とは関係がないらしい。

ペインターはプラスチックフィルムに挟んだ二枚の写真を取り出した。一枚はケンドール・ヘス、もう一枚はジェナ・ベック。ペインターは二枚の写真を女性の前に差し出した。

「この二人はここにいるか？」

女性は顔を上げ、ヘスの写真を、続いてエレベーターを指差した。

カリフォルニアで一時間以内に核が爆発するという状況下で、丁寧な応対をしている余裕はない。ペインターは女性を引きずるようにして立たせた。「案内しろ」

女性はふらつきながらエレベーターに向かい、さらに下の階のボタンを指差した。どうやらこの建物の下には何かがあるらしい。

ペインターは女性の手を離し、ドレイクとともにエレベーターに乗り込んだ。「マルコムとシュミット、二人はこの家の各フロアの捜索を頼む。ジェナを探してくれ。カッター・エルウェスもだ」

二人の隊員からうなずきが返ってくる。

ドレイクがエレベーターの扉を手で引っ張って閉め、ペインターがボタンを押した。エレベーターが降下を開始し、かたい岩盤の中をペインターの予想よりも長く、いつまでも通過していく。次第に煙が濃くなり、ようやくエレベーターは広大な研究室のあるフロアで停止した。

ところどころで火の手が上がっていて、空気中にはすすが舞っている。隣接する部屋のガラスがこちら側に向かって吹き飛ばされてしまったようだ。

ワークステーションの陰から床の上で格闘中の二人の男が姿を現した。抑えつけられている男の方が明らかに劣勢だ。腹部が血に染まっていて、首を太い手で締め上げられている。馬乗りになっている男がもう片方の腕を高く振りかざすと、その手には血の付着したガラスの破片が握られていた。大男の顔は黒焦げだが、ペインターはジェナの撮影した写真にあったのと同じ傷跡に気づいた。

ペインターはシグ・ザウエルの狙いを定め、引き金を二度引いた。二発とも男の額を貫通する。男の巨体が床に転がった。

ペインターは負傷したもう一人の男のもとに駆け寄った。男の着ている防護服は、フードの部分が引きちぎられている。そこにあるのはケンドール・ヘスの顔だ。

「ドクター・ヘス、私の名前はペインター・クロウ。我々の目的は――」

ヘスに対してそれ以上の説明の必要はなかった。背後に戦闘服姿の海兵隊員がいることに気づいたからかもしれない。手袋をはめた指がペインターの腕をつかんだ。

「カリフォルニアに連絡を入れなければならない。私の研究室から解き放たれたものを食い止めるための方法が判明した」

ここ数日間でペインターが初めて耳にしたいい知らせだ。

「ジェナ・ベックはどうなったんですか?」ドレイクが訊ねた。

海兵隊員の悲痛な問いかけに反応して、ヘスは顔を向けた。「彼女はここにいる……しかし、大変な危険にさらされている」

「どこにいるんですか?　危険とは何のことですか?」

ヘスは壁掛け時計に視線を移した。「まだ生きているとしても、あと三十分もすれば彼女は消えてしまう」

ドレイクの顔から血の気が引いた。「『消えてしまう』って、いったいどういう意味なんですか？」

午後二時四分

　ジェナは頭の中に広がりつつあるもやと必死に闘っていた。考えながらでないと体を動かすことができない。

〈……つるをつかむ〉

〈……足を掛ける〉

〈……次の枝に移る〉

　ジョリが何度も振り返り、そのたびに少年の表情が曇っていく。ジェナの動きがなぜこんなにも鈍くなったのか、理解できないのだろう。

「先に行って」ジェナは手を振りながら促した。舌までもがだるくて重く感じる。体を動かす時と同じように、強く意識しないと言葉が出てこない。

　動き続けるために、ジェナは心の中で呪文を繰り返そうとした。

〈私はジェナ・ベック。母は……父は……〉ジェナは頭を振ってもやを消そうとした。〈飼い犬の名前は……〉

自分のことをつつく黒くて冷たい鼻先を思い浮かべる。

〈ニッコ……〉

とがった耳。

〈ニッコ……〉

目は――片方が薄い青、もう片方が茶色。

〈ニッコ……〉

今はそれだけで十分だ。

ジェナは少年に意識を集中させ、その動作を目で追った。頭で考えるのではなく、動きを真似する。徐々に少年との距離が開いていく。ジェナは片腕を上げ、呼びかけようとした。だが、少年の名前が出てこない。ジェナはまばたきをした――その瞬間に思い出す。名前がもやの間から浮かび上がってくる。けれども、これ以上もやが濃くなったら、何一つ思い出せなくなってしまうのではないだろうか?

ジェナは口を開き、名前を呼ぼうとした。けれども、ジェナよりも先に前方から別の声がその名前を叫んだ。

「ジョリ！」

午後二時六分

カッターはかすれかけた声で再び呼びかけた。「ジョリ！」

数分前に爆発音を耳にした。奇妙な形の飛行機が陥没穴の上空を通過するのも見かけた。数発の銃声が陥没穴の内部にもこだました。カッターは自分の築き上げた世界が崩壊しつつあることを自覚していたが、今この瞬間、そうした一切のことは重要ではない。

「ジョリ！　どこにいるんだ？」

カッターたちは陥没穴を螺旋状に下る通路の終点まで達し、森の中を抜ける長い砂利道を歩いていた。先頭を歩くラヘイは、スタンガン機能を装備したライフルを構えている。カッターの左右および後方を、完全武装した五人の男たちが固める。カッターが手にしているのはこの陥没穴の地下に埋めた爆薬の起爆装置だ。この場所を消去する必要が生じた緊急事態に備えての仕掛けだが、今のカッターは復讐のための手段として考えていた。

〈あの化け物が息子に手を出すようなことがあれば……〉

「ジョリ！」

その時、砂利道の左側の森の中から、かすかな声が聞こえた。「パパ！」

「息子だ！　生きている！」

カッターはそれまで味わったことのないような喜びを感じた――その一方で、恐怖が治まることもない。息子の身に何かが起こるようなことだけはあってはならない。

ラヘイが数歩後ずさりし、森の中の声が聞こえた方角を指差した。ジョリを発見できるとしたらこの義理の妹しかいない。カッターの知る限り、ラヘイは最高のハンターの一人だ。森の中を足早に歩き始めたラヘイの後を全員で追う。後ろからついてくる者たちのために速度を緩めるなどという配慮は、彼女の頭の中に存在しない。カッターもペースを落とすように指示したりはしない。

「パパ！」

声が近くなった。

さらに一分後、前方に走り出したラヘイの腕の中に、木々の間からひょろっとした長い手足を持つ人影が落ちてきた。ラヘイはジョリを抱えたままぐるりと一回りすると、少年を地面に立たせてから、ぎゅっと抱き締めた。

カッターは片膝を突き、両腕を開いた。

ジョリが駆け寄り、胸の中に飛び込んできた。

「お父さんはおまえに怒っているんだぞ」そう言いながらも、カッターは息子をきつく抱き締め、額にキスをした。

同じ木を伝ってもう一人の人物が下りてきた。最後の二メートルは力尽きて落ちたかのように見えたが、それでも両足でしっかりと地面に立つ。

ラヘイがスタンガンを突きつけようとしたが、カッターは制止した。今回の騒ぎはジェナが引き起こしたわけではない。むしろ、この女性はジョリの命を救ってくれたのだ。カッターはジェナのもとに歩み寄り、優しく抱き締めた。腕の中でジェナの体がこわばるのを感じる。

「ありがとう」カッターは伝えた。

カッターの腕から離れると、ジェナは大きく息をのんだ。何かを言おうとしているようだ。赤く血走った目を落ち着きなく周囲の森に向けている。

この女性の存在は消えかけている。

〈すまない……〉

「彼女を一緒に連れていくぞ」カッターは指示した。ここで死なせるわけにはいかない。息子の命を救ってくれたのだから、そんな最期を迎えさせるわけにはいかない。「急げ。地上に抜ける秘密のトンネルを使おう。上で何が起きているのかわからないが、厄介な事態になったのは間違いない」

再びラヘイが先頭に立ち、速いペースで進む。

前方に砂利道が見えてきたが、そこまでたどり着く前に、カッターの左側を歩いていた男がばったりと倒れた。頭が後方に傾き、首は骨まで切り裂かれている。傷口から噴き出した血が木々の枝を赤く染める。

何かがカッターの背中にぶつかった。両足が地面から浮き上がり、体が宙を舞う。カッターは数メートル先のとげを持つ低木の茂みに突っ込んだ。自分のすぐ脇を、大きな毛むくじゃらの動物が通り過ぎる。脇腹を下にした姿勢になったカッターは、銃声が周囲にとどろくのを耳にして地面に伏せた。銃弾がシダを切り裂き、樹皮をはじき飛ばすが、すでに襲撃者の姿は見えない。

カッターは上半身を起こし、あたりを見回した。

〈いったい何が起きたんだ?〉

「ジョリが……」張り詰めた調子のジェナの声が聞こえる。「連れ去られた」

カッターははじかれたように立ち上がり、つむじ風のごとく体を回転させながら周囲を探した。

息子の姿がない。

近づいてきたラヘイの顔には、激しい怒りが浮かんでいる。

「どこだ?」カッターはジェナの方を見た。「どこに行った?」

ジェナは森のいちばん奥を指差した。古代のジャングルが陥没穴の壁面と接しているあたりだ。

「あいつらの洞窟……」カッターは理解した。

メガテリウムは太い鉤爪を使って洞窟や巣穴を掘り、その中で暮らす。

無言のまま、ラヘイは洞窟のある方向に走り出した。メガテリウムに対する憎しみが体中からにじみ出ている。ラヘイはハンターとしての優れた能力で問題を解決させるつもりなのだ。そのせいでメガテリウムが再び絶滅することになろうとも。

「行くぞ」カッターもその後を追おうとした。

ジェナがカッターの前に立ちはだかり、手のひらを向けて制止した。「だめ。それは……やり方が違う」

途切れ途切れではあるものの、ジェナは頭を振って言葉を絞り出しながら伝えた。

カッターはかまわず先に進もうとしたが、ジェナは訴えかけるような眼差しを向けながら行く手をふさいだ。

「あの子を殺さなかった」ジェナが再び説明を試みながら、死んだ男を指差した。「連れ去っただけ。ラヘイは……彼女のやり方……適者生存では、あの子が殺されてしまう」

「だったらどうしろというのだ？」

ジェナがカッターの顔を見つめる。その表情は、思うように出てこない言葉よりも雄弁に、彼女の真摯な思いを物語っていた。

「ほかのやり方」

太平洋夏時間午前十一時十四分
カリフォルニア州ハンボルト＝トワヤブ国立森林公園

リサは礼拝堂の窓際に立ち、隣接する飛行場を見つめていた。滑走路には戦車ほどの大きさをした無人ヘリコプターが駐機している。四角形をした機体の四隅に一つずつ、プロペラがある。模型店で販売されているクアッドコプターの大型版のようにも見えるが、目の前にあるのはラジコンのおもちゃではない。

ヘリコプターの貨物室内にあるのは、金属製のパレットに太いベルトで固定された核爆弾だ。数人の技師たちが今もその傍らで作業を行なっている。ほかにも数人のスタッフが滑走路上で話し込んでいた。その中にドクター・レイモンド・リンダールがいるのは間違いない。米軍開発試験コマンド技術局長のリンダールにはその場にいる資格があるが、リサは代わりにペインターがいてくれたならと思った。保守的な人間ではなく、もっと柔軟な考え方のできる人間でなくてはだめだ。

背後からよく通る声が聞こえた。「退避する時間だということはご承知のことと思いますが」サラ・ジェサップ伍長が伝えた。「爆破予定時刻は今から四十五分後です。もうあまり時間がありませんし、聞いた話では横風が強まっているために予定をさらに繰り上げる可能性もあるとか」

「あと二、三分だけ待って」リサは頼んだ。

〈ペインターは絶対に私の期待にこたえてくれるはず〉

その思いが通じたかのように、電話の呼び出し音が鳴った。この番号を知っているのは一握りの人間しかいない。リサはすぐさま電話の方を向き、受話器を手に取った。相手がペインターだと確認せずに切り出す。

「いい知らせをお願い」

かなり雑音が混じっているものの、懐かしい声が聞こえてきた。「磁力だ」

リサは聞き間違いではないかと思った。「磁力？」

ドクター・ヘスを発見した経緯と、彼が突き止めた解決策についてペインターから説明されたものの、その答えは現在進行中の災厄と同じように実に奇妙なものだった。

「ある程度の強さの磁力ならば効果があるはずだ」ペインターは締めくくった。「だが、実際に行なった検証結果によると、必要なのは——彼の言葉をそのまま引用すると、『静磁場で少なくとも〇・四六五テスラの磁力を生成すること』だ」

リサは情報を紙切れに書き留めた。

「磁力が生物を遺伝子レベルで粉砕するので、即座に効果が現れる。しかも、ほかの生物には危害を及ぼさない」

〈最高の知らせだけど……〉

いる。

リサは再び窓の外を見つめた。間もなくここで必要のない新たな災厄が起ころうとしている。

ペインターは別の情報を伝えた。「ドクター・ヘスの話では、核を爆発させてもこの生物には影響がないそうだ。いっそう広範囲にまで拡散させるだけらしい」

「何とかしてやめさせないと」

「できるだけのことを頼む。キャットもすでに核爆発を中止させるため各所に連絡を入れているが、ワシントンの指揮系統の反応については君もよくわかっているはずだ。びくともしない扉をこじ開けるための時間は四十五分も残されていない」

「任せて」リサは別れも告げずに電話を切った。ジェサップ伍長の顔を見る。「ニッコを移動させる必要があるわ。彼が私たちの唯一の希望よ」

32

四月三十日　グリニッジ標準時午後六時十五分
南極大陸　ドローニング・モード・ランド

狙いが外れたことを知り、ディラン・ライトは悪態をついた。

目の前の化け物を警戒しながら、もう一方の銃身の撃鉄を親指で起こす。ヴォリトクスのメスは水中からさらに体を乗り出し、光る球体を川岸の上で動かしながら、幼体を探し続けている。

さっきの銃声の正体は不明だが、すでに音は鳴りやんでいる。ディランはその疑問を頭の中から排し、目の前の任務に、真正面にある危険に、意識を集中させた。

何が起ころうとも、ハンターは獲物から目を離してはならない。

右手に置かれた携帯型ＬＲＡＤのパラボラアンテナが近くの巣に向かって衝撃波を発し続けており、その反響が伝わってくるが、ディランは音を意識の外に追いやった。ゆらゆらと揺れるヴォリトクスの球体が発する眠気を誘うような光も無視する。この巨大な化け物を目の前にして脳の奥深くから湧き上がる本能的な恐怖心も抑えつける。

ディランは拳銃を構え、触手の付け根に狙いを定めた。皮膚の下の神経節を撃ち抜けば、一発で仕留められる。

引き金を引く。

大口径の銃弾は太い触手の付け根のやや左側に命中した。一撃必殺とはいかなかったものの、致命傷を与えることはできたはずだ。

ヴォリトクスのメスは全身を震わせながら体を水面から持ち上げた。体の側面が生物発光の鮮やかな色で光り輝く。大きく開いた円形の口の中では、何千もの鉤状の歯がうごめいている。

その姿に怯えたライリーが飛びのき、クライストチャーチにぶつかった。そのはずみで、クライストチャーチの手からＬＲＡＤのパラボラアンテナが落ち、石の床にぶつかって電気の火花が散る。

ヴォリトクスは耳も聞こえず目も見えないが、電気や電流には敏感に反応する――それが一瞬の火花であっても。

飛び散った火花に反応して、ヴォリトクスが攻撃を仕掛けた。伸びた触手がクライストチャーチの首に触れる。触手が喉に巻き付き、ゼラチン状の高熱の球体が頬を焼き切る。焼かれた頬から煙を噴き出しながら、兵士は悲鳴をあげた。熱い酸が肺に吸い込まれ、息が詰まる。

クライストチャーチの体が宙に浮き、首の骨の折れる音が聞こえたかと思うと、川の中央へと投げ飛ばされた。

ライリーがディランの脇を走り抜け、暗闇の中に姿を消した。仲間のもとに逃げ帰ったのだろう。

〈臆病者め〉

ディランは恐怖に屈しなかった。自らの射撃の腕を信じ、その場にじっとととどまる。

ヴォリトクスが死を迎えるのを待つ。

ヴォリトクスのメスは今の攻撃で力を使い果たしたのか、岩に大きな頭を打ちつけながら川岸に倒れ込んだ。

ディランはそのままさらに一分間待ってから、ダガーナイフを手に用心深く近づいた。

バックパックからねじぶた式の金属製の水筒を取り出す。

カッター・エルウェスはこの生物の血液だけが必要だと言っていた。

〈楽勝だ〉

ディランはヴォリトクスの脇腹にダガーナイフを突き刺し、どす黒い血をアルミ製の容器に採集した。水筒がいっぱいになると、しっかりとふたを閉める。

〈任務完了〉

撤収の時間だ。

走る足音が聞こえたかと思うと、その音が近づいてくる。ディランはヴォリトクスの死体の陰で振り返った。こちらに戻ってくるライリーの姿が見える。

勇気を振り絞って戻ってきたのなら、兵士としての面目を失わずにすむ。

だが、ライリーは頭を失うことになった。

ライフルの銃声がとどろくと同時に、ライリーの顔の側面が血しぶきとなって爆発した。体が前のめりに倒れ、そのまま洞窟の床に叩きつけられる。

ディランはヴォリトクスの死体の陰に身を隠した。ホルスターに収めたハウダーに手を触れるが、すでに二発とも撃ってしまっている。洞窟の床に置いたアサルトライフルに目を向ける。あそこまでたどり着く前に、ライリーと同じ運命に見舞われるだろう。

ライリーを撃った人間は正確な射撃の腕の持ち主だ。

ディランはその人物の当たりがついた。あのアメリカ人の姿が浮かぶ。あいつに間違いない。

〈しぶとく生きていやがったのか〉

しかし、そろそろあいつの運も尽きる頃だろう。暗闇の中での戦いに関しては、自分ほどの経験がないはずだ。そこにつけ込まない手はない。

ディランは呼びかけた。「話をする時が来たようだな！」

午後六時十七分

「何についてだ？」グレイは叫び返した。

グレイがうずくまっているのはディラン・ライトが隠れている地点から三十メートルほど離れた岩陰だ。暗視ゴーグルを通して周囲の地形を確認する。二人の間には兵士の死体が横たわっている。少し前に、グレイは別の男の悲鳴と大きな水音を耳にしていた。その後、たった今撃ち殺した兵士が怯えた様子で走ってきたのだった。

計算が正しければ、残るのはあと一人、X中隊のリーダーだけだ。

グレイは川岸に横たわる死んだ生物の体にライフルの狙いを定め続けた。力なく垂れ下がる触手があるから、あれは生物発光で獲物をおびき寄せる肉食性のウナギだろう。

「取引だ」ライトが答えた。「俺の雇い主はとても気前のいい男だぞ」

「興味はない」

「それなら仕方ないな」

グレイの目の前の世界がいきなりまばゆい閃光に包まれ、視界が遮られた。あわてて暗視スコープを外す――懐中電灯のスイッチを切り、隠れ場所から飛び出すライトの姿が見える。暗闇に差した突然の明るい光が、暗視スコープによって増幅され、網膜に残像が残っている。

ライトの新たな隠れ場所の方角から銃声が聞こえた。

グレイはミスを悟りながら後退した。ライトは武器のある場所までたどり着くために暗闇を利用したのだ。しかも、武器はライフルだけではない。電源の入る音と短い作動音に続いて、悲鳴のような音が炸裂した。

ＬＲＡＤだ。

音が鼓膜に突き刺さり、頭蓋骨の継ぎ目を激しく揺さぶる。今回は身を守る術がない。たちまちめまいに襲われる。ライフルを構え、音の聞こえる方に向かって発砲するものの、大音響は鳴りやまない。

聴覚に負荷がかかるあまり、視界が狭まっていく。

グレイは気を失う寸前だった。

午後六時十八分

ディランは岩の上に設置したＬＲＡＤのパラボラアンテナをアメリカ人の隠れている場

所に向け続けた。アサルトライフルを構え、衝撃波を浴びないように注意しながら横に移動する。それでも、超低周波の反響で皮膚がうずき、両腕に鳥肌が立つ。

アメリカ人が味わっているはずの苦しみを想像し、ディランは笑みを浮かべた。

膠着（こうちゃく）状態にけりをつけようと、ディランはもう二歩、横に移動した。さっきまで隠れていたヴォリトクスの死体のすぐ近くまで戻ったことになる。だが、まだ獲物を直接狙える位置ではない。

さらに一歩、横に移動する――その時、何かが脚の裏側に深く食い込んだ。

ディランは太腿に手を伸ばし、ソーセージほどの大きさの幼体を引き抜いた。太腿の肉が食いちぎられている。指に嚙みつこうとした幼体の口からこぼれた酸が手のひらを焼く。不快感と恐怖に襲われ、ディランは幼体を川に投げ捨てた。

ディランは巣の方を振り返った。ＬＲＡＤのアンテナの向きが変わったため、あの骨のダムを築いた幼体が戻ってきたに違いない。けれども、今のところ特に動きは見えない。姿をくらました群れが戻ってきた気配はない。巣は空っぽのままのようだ。

いったいどこにいるんだ？

恐怖に駆られたディランの肩が、ヴォリトクスの死体に触れた。死んだはずのヴォリトクスが、突然生き返ったかのように震えている。

〈いや、そうではない……〉

不意に真実を悟り、ディランは震える足で死体から離れた。

うごめいているのはメスではない。

体内にいる何かだ。

その予想を裏付けるかのように、太い灰色の幼体がえらの隙間から這い出し、川岸に音を立てて落下した。戦慄を覚えながら死体から後ずさりするディランの目の前で、さらに多くの幼体がえらの隙間から這い出し、大きく開いた口の中から飛び出し、鼻孔からあふれ出す。

巣から避難した後、幼体は音の攻撃から身を守るため、母親を探してその体内に隠れたに違いない。ヴォリトクスの成体は音の攻撃に対する免疫を持っている。おそらく体内を流れる何らかのエネルギーが関係しているのだろう。そのエネルギーは危険にさらされた幼体を守ることもできたのだ。ある種の魚類やカエルが子供を口や体の中で守ることは、ディランも知っていた。だが、まさかヴォリトクスにそのような生態があろうとは、思いもよらなかった。

ディランは幼体が再び騒ぎ始めた理由も推測できた。

〈俺のせいだ……〉

肩越しに振り返るとＬＲＡＤが見える。最初に二人の部下とともにここを訪れた時、巣の中の幼体は大型のＬＲＡＤが発する超低周波の反響で興奮状態にあった。さっき小型の

ＬＲＡＤを作動させた際に、反響した超低周波が死んだメスの体内に隠れていた幼体の群れを刺激したのだろう。

　ディランはこれから何が起ころうとしているのかわかっていた。この動きがどこに向かおうとしているのかも。

　川に飛び込んだ幼体もいれば、川岸を這っている幼体もいる。そのうちの数匹が体をくねらせて岩の上を飛び跳ねながら、ディランの方に近づいてくる。ディランは身をかわしたりライフルの銃尻で幼体を払ったりしながら、ＬＲＡＤのところまで戻った。

　岩の上に置いたパラボラアンテナを手でつかむと、胸の前で盾のように構え、群れに向かって音の大砲を向ける――かろうじて間に合った。川の中から、岩の上から、メスの体内から、肉食性の幼体が復讐に燃える波となって押し寄せてくる。

　ディランはその場に踏みとどまり、胸の前に掲げた音の大砲を群れに向かって火炎放射器のように振り回した。幼体は身をよじらせ、うごめきながら逃げていく。死んだ母親の肉を食い破って再び体内に逃げ込もうとする幼体もいる。多くは川に飛び込み、大きな水音を立てながら衝撃波から逃れていく。

　ディランは安堵のため息を漏らした――だが、ほっとしていられたのも、トンネルの手前側から二発の銃声がとどろくまでだった。

　一発目の銃弾がＬＲＡＤの電源コードを切断する。

二発目の銃弾はディランの右膝を貫通した。

両腕で抱えたアンテナからの音が鳴りやむと同時に、ディランの体が傾き、地面に激しくぶつかった。体をひねると、岩陰の近くに立つアメリカ人の姿が見える。ライフルの銃口からは煙が噴き出している。

ディランは初めて敵の顔をまじまじと見た。

〈いや、初めてではない〉不意にディランは悟った。目の前にいるのは、ＤＡＲＰＡの本部でガラス越しに見たのと同じ男だ。

「今のはドクター・ルシウス・ラフェの分だ」男が告げた。

午後六時十九分

〈もうたくさんだ……〉

音による攻撃を受けて半ば朦朧とした状態で、耳もよく聞こえないまま、グレイは洞窟の床に血を流して倒れるライトに背を向けた。最後に目にしたのは、岩の上を飛び跳ねて近づいてきた何匹もの幼体が、男の胸と腹部に食い込む光景だ。

ライトは脇腹の数匹を手で払いのけたものの、腹部に貼り付いた幼体をつかもうとした時には両手はすでに血まみれで、酸に侵された皮膚は煙を噴いていた。ディランが手でつかむより早く、幼体は傷んだリンゴを食する虫のように、腹部を食い破って体内に潜り込んでいった。

ライトは岩の上で苦しそうに悶えながら悲鳴をあげた。

それを見届けてから、グレイはトンネルを走ってコロッセオまで戻った。しばらくの間はライトの悲鳴が聞こえていたが、それもやがて途絶える。コワルスキは大型のＣＡＴの運転席で待っていた。グレイは反対側のキャタピラによじ登り、助手席側の扉を開けて乗り込んだ。

「終わったのか？」訊ねながらコワルスキがギアを入れた。エンジン音が鳴り響く。

「今のところは」

「ここはずっと静かなもんだったぜ……暗闇のどこかから二回ほど悲鳴があがったことを除けば。俺たちの前から逃げ出した二人は、この世界が始末してくれたみたいだ」

〈ライトのことも〉

グレイは壁の上の方に見える光を指差した。ジェイソンたちはどうしたのだろうか？

これ以上は待っていられない。「裏口に向かうぞ」

午後六時二十二分

ジェイソンは第二基地の制御装置をのぞき込んでいた。すぐ後ろで両腕を組んで立つステラの目は、今にも涙があふれそうだ。その目が何度となく、コロッセオを見下ろす窓の方に向く。

梯子を上ってここまでたどり着いた後、ジェイソンは彼女に父親のことを、何が起きたのかを知らせた。それに対して、ステラはうなずいただけだった。覚悟はしていたとしても、すぐに受け入れられるものではない。それ以降、ステラは無言のままだ。

「このパスワードについて教えてほしい」ジェイソンはステラから言葉を引き出そうと声をかけた。この謎を解明するためには、彼女の協力が必要だ。「パスワードの文字数は決まっているのか？　大文字と小文字を区別しなければならないのか？」

ジェイソンは起爆装置にアクセスするための画面を見つめた。ハッキングによる突破を試みたものの、そのたびに高度なファイヤーウォールに跳ね返されてしまう。かなり堅牢なセキュリティシステムを採用していると思われる。シグマの暗号解読ソフトを使用しなければ勝ち目はない。

何とかしてパスワードを入手しないと。

ようやくステラが口を開いた。「基地のほかのシステムと同じならば、文字数の制限はないはず。でも、パスワードは大文字と小文字の両方を使用するほか、数字と記号も最低一つずつは含まれていないといけないの」

それならばどこにでもあるような決まりだ。

「お父さんが使用していたほかのパスワードを知らないか？」ジェイソンは訊ねた。面倒を省くために同じパスワードを使い回しする人は少なくない。

「いいえ」ステラが体を寄せてきた。「父はあなたにパスワードのヒントになりそうなことを伝えなかったの？」

ジェイソンは悲しみに沈むステラの顔を見た。「教授はそれよりも君のことを心配していた。君の安全を確認するまではと、懸命に頑張っていたんじゃないかと思う」

ステラの頬を初めて一筋の涙が流れ落ちた。だが、ステラはすぐに涙をぬぐった。「でも、私のことや、私が無事かどうかを知りたがっていたわけではないとしたら？」

「どういう意味だい？」

「パスワードが私に関係する何かだとしたら？　もしかしたら、父はそのことをあなたに伝えようとしていたのかもしれない」

ジェイソンは今の話を考慮した。自分の人生における大切な相手を選び、その誰かに関連したパスワードを選ぶ人も多い。教授が娘のことを愛していたのは間違いない。「試してみよう」

ジェイソンはStellaと入力してから、ほかに付け加える要素を考えた。しかし、数字と記号が最低でも一つずつ必要となると、その可能性は無限に近い。名前だけでは何の手がかりにもならない。

目を閉じ、意識を集中させる。

「君のお父さんについて教えてほしい」ジェイソンは言った。「どんなタイプの人だった？」

ステラの声からは、突然の奇妙な質問に対して戸惑っている様子がうかがえる。「父は……おしゃれで、犬が好きで、細かいことにうるさい人だったわ。整理整頓を心がけ、何でも決まった場所に置かないと気がすまなかったの。でも、何かが好きになると……人の場合も同じだけど、ありったけの愛情を注いでいた。誕生日や記念日を決して忘れず、必ずプレゼントをくれるの」

思い出話をするうちに、ステラの口調から徐々に冷たい悲しみが消えていく。

ジェイソンは顎の下に伸びかけたひげをさすった。「そういう性格の人ならば、パスワードに適当な文字や数字を選ばなかったはずだ。自分にとって大切な、意味のあるものを使っていたに違いない」ジェイソンはステラの顔を見た。「例えば、君の誕生日だ」

「そうかもしれない……」

ジェイソンはキーボードに指を置き、再びステラの方を振り返った。彼女が教えてくれた誕生日を、イギリス風の日付表記で入力する。

17January,1993

ジェイソンはエンターキーの上で指を止めた。「このパスワードには大文字と小文字が入っているし、数字と記号も含まれている」

ステラがジェイソンの手をつかみ、期待を込めて握り締めた。

ジェイソンはエンターキーを押した。

見慣れたエラーメッセージが表示された。

「違うみたいだな」ジェイソンはつぶやいた。

絶対にこれだと思ったのに。正しいはずだと思ったのに。

ジェイソンはアメリカ風の表記も試した。

January17,1993

再びアクセスが拒否される。

ステラの声に敗北感がにじみ始めた。「もうあきらめるしかないわ」

ジェイソンはその選択肢を考えた。下で目撃した光景が脳裏によみがえる。ライトのLRADの大音響から逃れようと、動物たちはいっせいに移動を開始した。パニックに襲われた動物たちは、今も押し寄せる波となって正面の基地を目指しているのだろう。

〈でも、そうではないかもしれない……一回の大音響でいつまでも逃げ続けるわけではないのかも〉

それにあの時以来、音の大砲は沈黙を守っている。

それがいいことなのは間違いない。

午後六時二十三分

ディラン・ライトは痛みに苦しみながらもほとんど身動きできないまま、血だまりの中に横たわっていた。体の中で幼体がうごめいているのを感じる。

〈俺がこいつらの巣になっちまったか〉

それ以外にも、脚や腕や顔に貼り付き、肉を食いちぎっている幼体がいる。服の下に潜り込み、皮膚の下に潜り込み、体中のありとあらゆる穴の中に潜り込んでいる。

右手に残った三本の指には、小さな装置が握られている。アメリカ人が立ち去った後で、ベルトから取り外した装置だ。二、三分ほど気を失っていたようだが、どうにか意識を取り戻した。

まだ死ぬわけにはいかない。

〈任務を全うするまでは〉

ディランは親指を動かし、ＬＲＡＤ４０００Ｘのリモコンのボタンを見つけた――親指でボタンを押す。

世界を揺るがす悲しい叫びが遠くから聞こえる。世界の破滅を告げる声だ。

〈俺がこんな形で最期を迎えるならば、世界は地獄とともに最期を迎えるがいい〉

午後六時二十五分

グレイは両手で耳をふさいで音の攻撃を遮りながら、後方を振り返った。

「引き返すんだ！」グレイは叫んだ。

コワルスキは爆破された橋からそれほど遠くない川岸でＣＡＡＴを停止させていた。第二基地まであと少しというところで、再びＬＲＡＤが作動したのだった。

〈いったい何が？〉

これだけ距離があるにもかかわらず、大音響が車両のすべてと中にいる人間を揺さぶる。

このCAATの車内に消音用の装備がないか探し、発見した耳栓はすぐにはめたものの、それだけしか見つからない。より効果的な消音ヘッドホンは、LRADを組み立てていた兵士たちが使用していたに違いない。

「もっとましな装備がなければあそこまで戻れやしないぜ」コワルスキが反論した。「たどり着く頃には耳から出血しているんじゃないのか。その前に脳がやられちまう」

コワルスキの意見ももっともだ。グレイは川の向こう側に見える裏口の光を見つめた。

〈ジェイソン、すべてはおまえ次第だ。この場所を密閉してくれ〉

「どうする?」コワルスキが訊ねた。

グレイはほかの手段を考えた。「消音のための道具を一つ忘れていた」

「何だ?」

グレイは座席から体をずらし、下にあった装置を取り出した。両腕でしっかりと抱える。

グレイが取り出したものを見て、コワルスキもうなずいた。「それならうまくいきそうだな」

〈ジェイソンもあきらめずにいてくれることを祈るしかない〉グレイは思った。

午後六時二十六分

　ＬＲＡＤからの大音響を浴びて、第二基地内でもガラスがガタガタと鳴り、床が小刻みに振動していた。ステラとジェイソンは窓の前に立ち、コロッセオの奥の壁の近くに見える光を見つめた。

〈グレイはライトを止められなかったのだろうか？〉

　少なくとも、何者かが大型ＬＲＡＤを再び作動させたのは明らかだ。

「ねえ、あそこを見て」ステラが指差した。「川の向こう岸にＣＡＡＴが停まっている」

　ジェイソンも二灯のヘッドライトが洞窟の床を照らしていることに気づいていた。

〈けれども、あれは味方なのか、それとも敵なのか？〉

　さしあたっては、その答えを考えるよりも、ここの全生物を地表に向かって追いやろうとしているサイレンのような音を止めることの方が重要だ――もっと重要なのは、反対側の出口を完全にふさぐこと。

　ジェイソンは制御装置の前に戻った。最後の入力文字――ステラの誕生日が、赤のエラーメッセージとともに画面上に表示されたままだ。ほかのパスワードはまだ試していない。ステラの誕生日がパスワードのはずだという、漠然とした確信があるからだ。

〈何を見落としているのだろうか？〉

ジェイソンはほかの表記方法でやってみようと考え、January を Jan と略したり、17 を 17th に変えたりした。ラテン語やギリシア語の表記や、教授が関心を抱いていた古代の言語でも試してみた。

〈だめだ、だめだ。全部だめだ〉

ジェイソンは制御盤に拳を叩きつけた。「君の誕生日に関して、僕たちが気づいていない何かがあるんじゃないのか?」

ステラは首を横に振った。「思い当たることはないわ」

ジェイソンは気持ちを集中させようとしたが、ＬＲＡＤの発する悲鳴に似た音が響いてくるので気が散ってしまう。

「さっきの君の話だと」ジェイソンは切り出した。「君のお父さんは細かいことにうるさい人で、空想にふけるようなタイプではなかったということだったね」

「ええ」ステラが答えた。「でも、この場所だけは、南極だけは例外だったみたい。世界のいちばん下に位置するここは、父にとっていつも神秘的な存在だったの」

〈娘と同じように愛していた場所……〉

その瞬間、ジェイソンは答えに行き着いた。

〈そういうことか〉

すぐに見破られそうなパスワードを複雑にするために、それでいて自分にとっての大切さや意味を保つために、多くの人が採用する簡単な方法がある。唯一のあこがれの場所が世界のいちばん下にある南極だった人物にとって、それは大いに愉快な方法だったに違いない。

ジェイソンは新しいパスワードを入力し、エンターキーを押した。

アクセスを許可する緑色のウィンドウが開く。

「うまくいったのね！」ステラが言った。

ジェイソンは正しいパスワードを見つめた。

3991,yraunaJ71

ステラの誕生日を逆から記した形。この大陸を正しく見るためには、地球儀の上下を逆にしなければならないのと同じだ。

ジェイソンはアクセス許可のウィンドウをクリックし、起爆装置の画面を呼び出した。新しく開いたウィンドウには、簡単な指示が記されている。その指示に従いながら慎重に作業を進めると、赤い警告画面とともに「爆破」と書かれたボタンが表示された。

ジェイソンは制御装置の前から離れ、代わるようステラに合図した。

「君が押すべきだ」

ステラはうなずき、手を伸ばし、ボタンを押した。

午後六時二十八分

グレイがＣＡＡＴの車体の上に立った時、大地が大きく震動し、キャタピラが地面から浮き上がった。それに続いて雷鳴のような轟音が響き渡る。グレイははるか彼方にある基地の方角に目を向けてから、裏口を見上げた。

〈うまくやったようだな、坊や〉

そう思いつつも、地中貫通爆弾がこの洞窟群の入口を完全にふさげなかった場合に備えて、グレイは即席の消音装置を持ち上げ、肩に担いだ。ディラン・ライトのお気に入りの武器が大型のＣＡＡＴの車内に置かれていたのは、当然と言えば当然だ。

グレイは長い筒状のロケットランチャーを構え、彼方にぼんやりと浮かぶ大型のＬＲＡＤに照準を定め、引き金を引いた。

発射されたロケット弾が生物たちの消えたコロッセオ内に煙の糸を引いた。奥の壁の近くにある目標に命中し、火の玉となって爆発すると同時に、鳴り響いていた音がやむ。

グレイは目を閉じ、満足感に浸った。

地獄に再び静寂が戻った。

33

四月三十日　アマゾン時間午後二時二十九分
ブラジル　ロライマ州

ジェナは両腕を組んでマホガニーの木の根元に立っていた。ジョリと一緒に移動した樹上のルートを地上からたどるのに、思っていた以上の時間がかかってしまった。どうにかここまでたどり着けたのは、聞き覚えのあるスズメバチの羽音のおかげ——小鳥を殺したハチたちが飛び立った巣の場所を発見できたからだ。

カッターがジェナの肩に手を触れ、場所を空けるように促した。「もう少し離れて」頭上の林冠から部族の男が二人、森の中に下りてきた。一人は鉈を手にしていて、もう一人は毛布にくるまれた物体を小脇に抱えている。

「急いで」ジェナは指示した。

地面に置かれた毛布を取り払うと、中からメガテリウムの子供が現れた。とげのあるつる植物が絡まったままの姿が痛々しい。

〈まだ生きているのかしら?〉

ジェナはつるを外してやろうと手を伸ばしかけたが、カッターが制止した。

「君は見ていなさい」

カッターは牛追い棒を差し出し、切断されたつるの先端部分の数カ所に電気ショックを与えた。つるが収縮したかと思うと、締め付けが緩まり、鉤状のとげが緑色の茎の中に戻っていく。カッターは牛追い棒を使って絡まったつるをほどき、子供を助けてやった。

ジェナは自由の身になった子供の脇にひざまずき、胸に手のひらを当てた。心臓の鼓動が感じられる。呼吸は浅いが、胸も上下している。全身には無数の小さな穴が開いていて、血がにじみ出ていた。

「ジョリは……毒があると言った」もやがかかった頭と思うように動かない舌と闘いながら、ジェナは言葉を絞り出した。

「メガテリウムは丈夫だ。私がそのように遺伝子を操作した。草食性ではなく雑食性にしたのもそのためだ。そうすれば幅広い栄養分を摂取できる」カッターはメガテリウムの子供を見ながらうなずいた。「それに彼らはこの毒に耐性ができつつある。身近な環境にこのつる植物が存在しているから、ゆっくりと適応しているのさ」

ジェナは体をかがめ、子供を両手で抱え上げた。小さな見た目にもかかわらず、予想していたよりも重い。体重は少なくとも二十キロはあるだろうか。ジェナは子供を片方の肩に担いだ。再びあの悲しげな鳴き声をあげながら、メガテリウムの子供は鼻先をジェナの首に近づけ、ため息をつくかのように息を漏らすと、ジェナにもたれかかった。

「洞窟」ジェナは言った。

「こっちだ」カッターは男たちとともに歩き始めた。

ジェナは男たちに囲まれて歩いた。危険な森を警戒して、前の男が歩いた場所に足を置くようにする。何度か左右に持ち替えながらも、子供のメガテリウムは体から離さない。

「代わりに持とうか?」カッターが申し出た。

「大丈夫」

理由は説明できないものの、ジェナは自分がこの役目を果たさなければならないと感じていた。メガテリウムは下等な動物ではない。通電ケージの前では、ジョリがケージによじ登るのを待ってから攻撃を仕掛けてきた。そして今度はジョリをさらった。言葉によらない脅迫で、侵入者を自分たちの縄張りから追い払おうと考えているのだ。ジョリの命を救おうと思ったら、その知性を尊重して相手をしなければならない。

森の木々が次第に高くなり、密度も増してきた。エメラルド色の光がほのかに差し込むだけの森の中では、幹に成長するキノコの色の鮮やかさが目につくようになる。さらに進むにつれて、高い木々で太陽光線が遮られているために、下草もまばらになってきた。

前方にぼんやりと見えていた影が、ようやく黒い岩から成る断崖だと見分けられるようになった。崖の表面をつるやランが覆っている。湿った皮や傷んだ肉のにおいが空気中に濃厚に漂う。いくつもの洞窟の入口が見える。自然のままの洞窟もあれば、鉤爪で削って広げられたと思われる入口もある。

カッターが歩く速度を落とした。

洞窟の住民の姿は見当たらない。

「これからどうするつもりだ？」カッターが訊ねた。

「私が行く」ジェナはつぶやいた。「一人で。ここで待っていて」

ジェナはカッターの前に出て、一人で洞窟に向かった。入口に近づくと、暗い洞窟の奥で動くさらに暗い影がいくつも見える。

〈私のことを見ている……〉

ジェナは肩に乗せたメガテリウムの子供を両手で持ち上げ、地面に腰を下ろしてから膝の上に抱きかかえた。子供は不服そうな鳴き声をあげ、鉤爪でジェナのことを軽くつついたものの、すぐに静かになった。

ジェナは座ったまま待った。

ふと気づくと、ジェナは子守唄を口ずさんでいた。歌詞は思い出せないが、メロディーは体の奥深くから浮かんでくる。

ようやく一頭のメガテリウムが前足の鉤爪で地面を踏みしめながら近づいてきた。胸の乳首の色が濃いから、メスだと思われる。メスは頭を上下させながら、息を吐き出すような鳴き声をあげた。

子供が反応し、音の方に頭を向けると、甘えるような声を二回発した。

〈母親とその子供〉

ジェナはゆっくりと子供を地面に置き、服従の意思を表すかのように頭を下げると、低い姿勢のまま後ずさりした。

メスが前に動き、片方の腕で子供をすくい上げ、鉤爪を使って優しく胸に抱き寄せた。背を向けると、巣穴の奥に戻っていく。

ジェナは再び座り、再び待った。顎を上に向け、母親の鳴き声を真似てみる。ここにいる群れは、ジョリと一緒に木の間を移動する自分の姿を見ているはずだ。自分とジョリが母子だと信じている。ジェナが子供のメガテリウムを自ら運んだ理由はそこにある。子供のにおいを体につけるため。自分も母であると、子育て中であると、メガテリウムに思わせるため。

しばらくすると、考えることがますます難しくなってきた。ほんの一瞬、自分がここにいる理由を忘れてしまう。思わず立ち上がろうとする。その時、再び動きがあった。小さな影が左手の洞窟の中から飛び出す。

勢いよく駆け寄ってきたジョリに抱きつかれ、ジェナはひっくり返ってしまった。

「気をつけて」ジェナはかすれた声でたしなめた。

ジョリに手を貸してもらいながら、ジェナは警戒を怠ることなく慎重に体を起こした。次の瞬間、巨大なオスのメガテリウムが洞窟から飛び出し、ジェナに向かって突進してきた。逃げたりしたら二人とも殺されると直感し、ジェナはジョリを自分の後ろに押しやった。一歩も引き下がらず、両腕を前に伸ばし、少年を守る。ただし、敵意がないことを示すために、メガテリウムの目は見ない。

メガテリウムのオスは立ち止まった。鼻先がジェナの顔のすぐ目の前にある。汗のにじんだ顔に吹きかかる息が、ジェナの顔の産毛をくすぐる。血と肉のにおいがする、野生の息遣いだ。さっき目にしたオスに違いない。ケージの置かれていた空き地まで、ジェナとジョリの後を追ってきたメガテリウムだ。

メガテリウムがジェナのにおいを嗅ぎ始めた。顔のにおいも、下半身のにおいも。オスは鼻先でジェナをつついた。鼻であしらっているわけではなく、挨拶代わりの動作だ。「俺もおまえのことを知っている」とでも言うかのような。

メガテリウムが顔をそむけ始めた。ジェナも一歩、後ずさりする。

ジャングルの静寂を一発の銃声が破った。

オスの片方の耳が血しぶきを上げて飛び散った。うなり声をあげながら体を反転させたオスに突き飛ばされ、ジェナの体が宙を舞う。

二発目の銃弾が脇腹に命中し、メガテリウムは負傷した側の手足をかすかに震わせた。

「逃げて、ジョリ」殴られて息ができない状態のまま、ジェナは伝えた。

少年は指示に従わず、ジェナを助けようとした。それを見たカッターが、息子を守ろうとして二人のもとに駆け寄る。

さらにもう一発、銃弾がメガテリウムの頭に当たったが、厚い頭蓋骨をかすめただけに終わった。ジェナは崖の近くの岩の上で腹這いになったラヘイの姿に気づいた。群れに気づかれないように森の中を移動し、あそこで待ち構えていたのだろう。

カッターがジョリの腕をつかみ、息子を連れ戻そうとする。

その動きに気づいたオスが、カッター目がけて突進した。

ジェナはジョリを地面に押さえつけ、少年の体に覆いかぶさった。だが、メガテリウムの怒りの矛先となったカッターは、体当たりをまともに食らって仰向けに倒れた。鉤爪がベストとシャツを破り、胸の皮膚を切り裂く。

カッターの後ろに控えていた男たちが、同時に発砲した。

まるで向かい風をこらえるかのような姿勢で、メガテリウムは一斉射撃を受け止めた。しかし、その巨体をもってしても、激しい銃弾の雨に長く耐えることはできない。体を震わせ、一歩後ずさりしたかと思うと、メガテリウムのオスは大きな音とともに地面に倒れた。カッターは危うくその下敷きになるところだった。

ジェナはジョリの手を取って走り、倒れたカッターを助け起こした。

ラヘイがガゼルのような敏捷な身のこなしで飛び跳ねながら、隠れていた場所から姿を現した。化け物を退治するのに一役買った喜びがうかがえる。それでも、洞窟には背中を向けず、警戒を緩めない。

洞窟の中から一頭の小ぶりなメガテリウムが飛び出してきた。殺されたオスとつがいのメスかもしれない。ラヘイは素早くライフルを構えて発砲したが、銃弾は肩をかすめただけだ。メガテリウムは急ブレーキをかけたかのように立ち止まると同時に、片方の前足を突き出しながら鉤爪を開いた。木の葉にくるまれた何かが手の中から飛び出す。宙を舞ううちに木の葉が開いて落ちていく。中にくるまれていたもの——小さな黒い物体が空中を回転し、ラヘイの頬に命中した。

ラヘイは銃弾を浴びたかのように後ずさりした。艶のある黒っぽい皮膚をした小さなカエルが頬に貼り付いている。ラヘイは悲鳴をあげながらライフルを離し、顔面を引っかいた。カエルを払い落としたものの、皮膚にはカエルの形に赤く焼けただれた跡がはっきりと残っている。ラヘイが地面に両膝を突いた。背中をそらし、口を開き、激しい痙攣を起こしたかのように全身を震わせる。

やがて地面に倒れたラヘイの体は、二度と動くことがなかった。優秀なハンターが、ちっぽけなカエルに倒されてしまったのだ。

〈カッターが生み出した有毒生物の一つに違いないわ〉

その死が合図になったかのように、悲鳴と血のにおいに引き寄せられて、殺された仲間の復讐に燃えて、何頭ものメガテリウムが洞窟から勢いよく飛び出してきた。

ジェナはほかの人たちとともに逃げた。メガテリウムの群れの発する雄叫びが、ジャングルの中を追いかけてくる。ジェナたちはライフルで応戦する余裕すらなく、ひたすら走った。

〈追いつかれてしまう……〉

その時、頭上の木の葉や枝が飛び散り、薄暗い世界にまばゆい太陽の光が差し込んだ。激しい風が森の中に吹きつける。上空からの轟音がメガテリウムの咆哮をかき消す。困惑と恐怖から群れが後ずさりを始めた。一頭、また一頭と、メガテリウムは暗い森の中に引き返し、姿を消す。

上空の飛行機からロープが垂らされたかと思うと、防弾チョッキ姿の武装した男たちがするすると森に降下してきた。

カッターの部下たちは瞬く間に制圧され、武器を押収された。

兵士の一人がジェナに近づいた。「君を見つけるのに苦労したよ」

ヘルメットを外すと、見覚えのある顔が現れる。もやがかかった状態ながらも、ジェナはこの男性が誰だかすぐにわかった——笑みがこぼれる。安心感に包まれると同時に、体の奥深くから熱い思いが湧き上がってくる。目の前の勇敢な男性に対するこのまだ新鮮な気持ちを、これから育んでいきたい。

「ドレイク……」

「少なくとも、俺のことは覚えてくれているな。それならたぶん大丈夫のはずだ」ドレイクは手を伸ばし、ジェナの首に注射器の針を刺し、プランジャーを押した。「ドクター・ヘスからのささやかな贈り物だよ」

午後二時三十九分

カッターは担架に乗せられたまま空中を揺られていた。暗いジャングルはすでに通過し、昼間の明るい光が照りつけている。カッターは自分の手による作品を、何層にも連なる庭園を、空に浮かぶガラパゴスを見回した。勝利と敗北の両方を心で振り返る。

周囲にあるのは進化のるつぼ。それを導くのはある単純な法則。

適者生存。

ジャングルの掟。

けれども、カッターの心の中にある一点の曇りもない庭園で、疑いが芽生え始めていた。

新たな可能性を示すその輝かしい種子をもたらしたのは、一人の小柄な女性。パークレンジャーの姿をした現代のイヴ。彼女は新しいエデンを指し示してくれた。今度はそれほど暗い(ダークな)エデンである必要はないのかもしれない。

今日、カッターは新しい何かを目の当たりにした。

生命や進化に必要なのはジャングルの掟だけではなく、他人を思いやる心や、あるいはモラルでさえも、等しい強さを持つ環境的な要因として働くのかもしれない。この世界をより力強く、より健全な存在へと突き動かす、変革のための風となるのかもしれない。

〈きっとそうだ……〉

新たなスタートを切るべき時だ。新しい庭園に種子をまかなくてはいけない。

しかし、そのためには古い庭園を壊し、更地にしなければならない。

〈それにあれは私の研究だ。まだ準備のできていない世界に、視野が狭くて私のようなものの見方ができない世界に、研究成果を提供する必要があろうか?〉

陥没穴の地下にある古い洞窟内の爆薬を思い浮かべながら、カッターはポケットに手を入れた。

起爆装置のボタンを押し、タイマーを作動させる。

神は天地を七日間で創造された。

私が創造した世界は七分後に破壊される。

太平洋夏時間午前十一時四十分
カリフォルニア州ハンボルト＝トワヤブ国立森林公園

　リサは海兵隊基地内を疾走するキャンパーシェル付きのダッジ・ラム２５００の後部座席にいた。隔離用のケースに密閉されたニッコを載せたストレッチャーが揺れないように、片手でしっかりと押さえる。前の助手席にはジェサップ伍長が座っている。その隣でハンドルを握るデニス・ヤングという名の若い司祭は彼女の恋人で、真っ赤な頰と広い心の持ち主だ。

　リサの依頼を受けて、司祭はアクセルをいっぱいに踏み込み、人気（ひとけ）のない基地内を高速で飛ばしていた。一時停止の標識や信号などを気にしている余裕はない。リサはニッコに視線を落とした。このままではあと二時間も持たないだろう。すでに多臓器不全の症状が現れている。

〈頑張って、ニッコ〉

　車は基地の小さな病院に併設されたがら空きの駐車場に飛び込んだ。この医療施設の放射線治療室にはＭＲＩの装置が導入されたばかりだ。病院の入口ではエドムンド・デントが待っていた。ニッコを移送するための準備の時間を利用して、リサは主なスタッフをここに招集しておいたのだ。

ダッジ・ラムは救急患者用の搬入口に向かい、エドムンドの前で急停車した。ウイルス学者が手を振り、最後のヘリコプターで退避する予定の同僚たちに合図した。全員でニッコを車から降ろし、ストレッチャーを押して放射線治療室に向かう。

エドムンドが息を切らしながらリサに伝えた。「スキャナーは電源を入れて準備ができている。技師が磁力を——」エドムンドは手の甲に書いた数字を確認した。「静磁場の〇・四六五テスラに合わせてある」

「例の人工生物のサンプルは？」

「ああ、ここにある」エドムンドはポケットに手を入れ、試験管を取り出した。栓をしたうえにガムテープが巻かれている。

〈手近なもので代用するしかなかったわけね〉

放射線治療室に入ると、核のチームの二人とドクター・リンダールが待っていた。

「全員の貴重な時間を無駄にすることにならなければいいのだがね」リサに気づくとリンダールが口を開いた。「あと言っておくが、この件が片付いたら君の行ないに対して正式な調査を要求するつもりだ。被験体を隠すような真似をしたのだからな」

「ニッコは被験体じゃないわ。捜索と救出の訓練を受けた優秀な犬が、私たちに協力している最中に具合が悪くなっただけよ」

「何とでも言いたまえ」リンダールは応じた。「早いところすませようじゃないか」

ニッコを収容した患者隔離用ケースをストレッチャーから持ち上げ、ＭＲＩの検査台に載せるのは四人がかりの作業だ。

だが、ケースを持ち上げようとしたところで、別室にいる技師が窓ガラスを叩いた。「金属はだめですよ！」

リサは小さな舌打ちをした。急いでいてそこまで頭が回らなかったのだ。金属製品はＭＲＩの装置に通すことができない。その中には患者隔離用ケースの部品も含まれる。

エドムンドがリサの顔を見た。

〈強引なやり方でいくしかないわ〉

リサは扉を指差した。「みんな、ここから出て」

「リサ……」エドムンドが不安げに声をかけた。リサが何をするつもりなのか、察したのだろう。「データが正しくなかったらどうするつもりだ？　あるいは、そもそも方法が間違っていたとしたら？」

「この山間部での核爆発を阻止するためなら、そのくらいの危険は冒さないといけない。それに考え方は合っているはずよ」リサは試験管を受け取ってから、エドムンドを扉の方に追いやった。「早く外に」

全員が部屋の外に出ると、リサはニッコの隔離用ケースに近づき、深呼吸をしてからケースを開けた。

〈ペインター、信じているからね〉

リサは慎重にニッコの体を持ち上げた。まるで体内から何かが抜けてしまったかのように、ずいぶんと軽く感じる。リサはニッコを検査台の上に置き、腹部にそっと手を添えた。手袋を通してではなく、じかに手で触れられるのがうれしい。リサはニッコの毛をさすってやった。

〈あと少しの辛抱だから〉

リサは試験管をニッコの隣に置いてから、技師に向かって親指を立てた。

数秒後、機械が大きな音を発し、ニッコの横たわった検査台が環状の磁石の中をゆっくりと通り抜けた。念のため、同じ工程をもう一度繰り返す。

その間ずっと、リサは親指の爪を嚙みながら、室内を落ち着きなく歩き回っていた。

〈結婚式の前にネイルサロンに行かないと〉

「終わりました」インターコムから技師の声が聞こえた。

リサはすぐにキャスター付きのプラスチック製のワゴンにあった注射器をつかみ、ニッコのカテーテルから血液サンプルを採取した。採取したサンプルを採血管に移し、エドムンドが用意した試験管と一緒に有害廃棄物用の袋に入れる。無菌手袋をはめて袋をつかみ、扉の近くに置いてから部屋の中央に戻る。

エドムンドが危険を承知で自ら袋を回収した。

「急いで」リサは促した。

エドムンドはうなずくと、格納庫内の自身の研究室に向かって走り去った。

リサの生涯で最も長いと感じた十分間が経過していく。その時間を利用して、ニッコに触れた際に感染していた場合に備えて、自らの体もＭＲＩにかける。その後は検査台に座り、ニッコの頭を膝の上に乗せて待った。

ようやく連絡が入り、インターコムを通して内容が聞こえてきた。

エドムンドの声は喜びに満ちていた。「死んでいる。遺伝子がぐちゃぐちゃの状態だ。元のサンプルも、ニッコの血液内のウイルスも」

リサは両目を閉じ、ニッコの体に頬を寄せた。

「あなたが頑張ってくれたおかげよ」そっとささやきかける。

リサは一呼吸置いて気持ちを落ち着かせてから電話を取り、エドムンドと話をした。「ここからの予定は？」

電話の向こうで言い争う声がする。声を荒らげているのはレイモンド・リンダールだ。

「まだ問題解決とはいかない」エドムンドが伝えた。「誰のせいなのかはわかると思うが」

リサは電話を切り、扉を見つめながらどうするべきかを考えた。

決断を下すより先に扉が勢いよく開き、サラが室内に飛び込んできた。「話は聞きました。すぐに行ってください。私が犬に付き添います。運転はデニスに任せて」

リサは笑みを浮かべ、伍長を抱き締めてから扉を走り抜けた。

格納庫までの五百メートルほどの距離を、デニスはアクセル全開で飛ばした。車が完全に停止するまで待たずに、リサは扉を開けて車外に飛び出した。格納庫内に走り込むと、リサに背を向けたリンダールが、核関係の主任技師と激しい議論の真っ最中だった。

「DCから正式な指示が届かない限り、当初の計画通りに進める」リンダールはわめいた。「この新たな検査結果は……単なる可能性にすぎん。私の判断ではまだ議論の余地がありそうだ」

「しかし、簡単に修正を——」

「何も変える必要はない。このまま進めたまえ」

リサはリンダールの背後から近づき、肩を叩いた。振り返ったリンダールがリサに気づいて驚きの表情を浮かべる。リサは腕を後ろに引き、その顔面に拳を叩き込んだ。頭を後方に傾けながら、リンダールはばったりと床に倒れた。

リサは顔をしかめて手を振りながら、主任技師に向かってうなずいた。「話が途中だったみたいだけど？」

「核爆弾のエネルギーを一キロトンにまで下げることが可能だと判明したところです。上空六・五キロの地点――無人ヘリが到達可能な高度でもありますが、そこで核爆弾を爆発させれば、少なくとも〇・五テスラの電磁パルスが発生します。危険区域の範囲を十分にカバーすることができますし、放射線量もごくわずかです。せいぜい歯のX線検査で浴びる程度の量ですね」

「そのために必要な時間は？」

「正午の予定時刻に間に合わせられます」

リサはうなずいた。「だったらお願い」

「DCは大丈夫ですか？」

「DCの方は私が何とかするから。あなたは核を空に運ぶことだけを考えて」

主任技師が走り去ると、リサは傷だらけになった手の甲を見た。

〈ネイルサロンだけじゃだめかも〉

午後二時四十五分
ブラジル　ロライマ州

頂上から飛び立って高度を上げるV-280ヴェイラーの機内で、ケンドールは遠ざかるテプイを見つめていた。カッターの仕掛けた爆薬が爆発し、合成生物学と遺伝子操作の忌まわしい実験が完全に破壊されるまでの残り時間は一分しかない。

〈やれやれだな〉

ケンドールは客室内に注意を戻した。大勢の人が乗り込んでいる。カッター個人が所有していたヘリコプターは、テプイにいた部族の作業者たちを爆発の危険が及ばない周囲の熱帯雨林に送り届けた後、アシュウとジョリを乗せて先に出発していた。

ケンドールとともに客室の後部にいるカッターは、ストレッチャーに固定され、片手は手錠で手すりにつながれている。手の甲にはカテーテルの管が通じていた。深い傷は縫合手術の必要があるが、給油のためボア・ヴィスタに着陸するまでの二時間は、厚く巻いた圧迫包帯でしのげるはずだ。

カッターは頭のそばにある窓から外を見つめていた。「十秒」

ケンドールはカッターの視線の先にある雲のかかった頂上を見つめた。頭の中でカウントダウンを続ける。数字がゼロになった時、頂上から大量の煙と岩が空高く噴き上げ、太陽の光を遮った。かすんだ太陽は血のような赤い色に見える。吹き飛んだ頂上付近から鳴り響く轟音は、多くの奇怪な動植物の死を嘆いているかのようにも聞こえる。やがてゆっくりと頂上に亀裂が入り、まるで氷河が崩壊するかのごとく、大きな岩の塊が落下していく。頂上にあった池の水が亀裂からあふれ、真っ赤な太陽の光を反射して流れ落ちる様は、岩の間を炎が伝っているかのようだ。

「美しい」カッターが小声でつぶやいた。

「ダークエデンにはお似合いの最後だな」ケンドールは付け加えた。

カッターの視線がジェナに向けられる。「だが、君はその一部を救い出した。彼女のために」

「世界のために、と言うべきかもしれない」ケンドールは研究室を破壊する前に容器を探した時のことを思い返した。「あの特効薬はほかの神経疾患に対しても有効かもしれない。研究を続ける価値は十分にあると思うがね。君の研究からいい成果が生まれる可能性もある」

「だが、ほかには何も持ち出さなかったのだろう？　遺伝子操作に関するものは」

「ああ。あれは永遠に失われてしまう方がいい」

「永遠に失われるものなど何もない。ちゃんとここに入っているのだから」カッターは指先で自分の頭を軽く叩いた。

「それもそう長くはないと思う」ケンドールはつぶやいた。

この男はあまりにも危険すぎる。

全員の目が窓の外の光景に向けられている隙に、ケンドールは研究室でこっそりポケットに入れておいたあるものを取り出した。息子の件で動揺したカッターが、不注意にもテーブルの上に置きっ放しにしてくれたおかげだ。ケンドールはカッターに体を寄せ、無針注射器を相手の首の横に押し当てた。ジェナに使用したのと同じ器具だ。容器の中にはカッターの作成したコードが、あと一回分の接種量だけ残っている。

恐怖に目を見開いたカッターの顔を見ながら、ケンドールは拳銃型の注射器の引き金を引いた。圧縮ガスが液体をカッターの首に注入する。

ケンドールはもう片方の手に握った注射器で、カッターのカテーテルの管に鎮静剤を入れた。

「我が友よ、君が目覚める頃には、すべて終わっているはずだ」

カッターは呆然とケンドールを見つめていた。

「今度こそ、カッター・エルウェスは死ぬ」ケンドールは断言した。「肉体は死ななくとも、人間としての死を迎える」

34

五月二十九日　太平洋夏時間午後十一時二十九分
カリフォルニア州ヨセミテ渓谷

「君の希望していたビーチでの結婚式とはちょっと違ったな」ペインターは片手でシングルモルトの入ったグラスを揺らし、もう片方の腕で生涯の伴侶(はんりょ)を抱きかかえながら口にした。

「でも、文句なしだったわ」リサが体を寄せる。

二人はフォーマルな服から着替え、アワニーホテルのグレートラウンジの巨大な暖炉前にあるふかふかの二人掛けソファーに座っていた。披露宴はお開きの時間になり、招待客たちは部屋に戻ったり帰途に就いたりしつつある。

結婚式は日没とともに広々とした芝生で行なわれた。美しく照らされた会場は花であふれ、用意されたキクは金の縁がある暗紅色の花びらというリサのお気に入りの色だ。ヨセミテ渓谷とその周辺を救ってくれた二人に対するささやかな感謝の印として、式の費用はすべてホテルが持ってくれた。気前のいいサービスをしてくれたのは、観光客がなかなか戻ってこないことも要因となっている。

〈生物テロに核爆発……〉

観光客の不安が払拭されるまでにはもうしばらく時間がかかりそうだが、直前の申し込みでも結婚式を執り行なうことができたのはそのおかげでもある。ジョッシュの体調が回復し、DARPAの最新技術の粋を集めた義足に慣れるのを待って、二人は式を挙行することにした。食事の席で同じテーブルに着いたジョッシュとモンクは、話が尽きなかったようだ。あれだけの目に遭ったにもかかわらず、リサの弟は立ち直りが早く、義足での登山という新たなチャレンジを心待ちにしているという。

ここを会場に選んだもう一つの理由は、除染および監視作業が続けられているモノ湖一帯から近いという点だ。リサはウイルス学者のドクター・エドムンド・デント率いるチームとともに、今も作業に携わっている。ペインターもそれを口実にワシントンのオフィスを離れ、リサと一緒の時間を過ごすことがあった。自分が不在の間の司令部の業務はキャットに任せておけばいいが、この週末だけは別だ。

キャットと夫のモンクは夕食が終わるとすぐ、二人の娘を抱きかかえ、明日の早朝発の帰りの飛行機に備えて部屋に戻った。家庭の事情でワシントンを離れられないグレイが、DCに残って留守を預かっている。

それ以外の出席者は……

コワルスキが近づいてきた。上着を脱いで片手で持ち、シャツのボタンを上から二つ外し、口には葉巻をくわえている。

「ここは確か禁煙じゃなかった？」リサが注意した。

コワルスキは葉巻を指でつまみ、じっと眺めた。「勘弁してくれよ、これはキューバ産だぜ。これ以上にフォーマルな葉巻なんてないじゃないか」

ジェナがリードにつながれたニッコとともにコワルスキの背後を通り過ぎた。「漏れそうだから急いでいるの！」そう言いながら、ジェナは駐車場の方に向かった。「私じゃなくて、ニッコの方だけど」

ジョッシュと同じく、シベリアンハスキーもすっかり回復し、その活躍をたたえて勲章を授与された。

一人と一頭の姿を目で追いながら、コワルスキが首を横に振った。「最初はケイン、今度はあの犬。そのうちシグマは専用の犬小屋を造らなければならないぜ」そう言いながら、葉巻の先端をペインターに向ける。「念のために言っておくけど、犬小屋の掃除係はごめんだからな」

「頭に入れておくよ」

コワルスキはうなずき、葉巻の煙を残して立ち去った。

ペインターはため息をつきながら手を差し出した。「我々も部屋に引き上げようか？」

「そうね」リサが手のひらを重ねた。「でも、今夜は眠れると思う？」

ペインターは優しくリサの体を引き寄せ、手を彼女の頭の後ろに回し、キスをした。唇を離し、答えを告げてから、再び唇を重ねる。「眠れるはずがないだろう。新しい家族を作らないといけないんだから」

五月三十日午前六時三十六分
カリフォルニア州リーヴァイニング

ジェナはカリフォルニア州公園管理局を示す星の印が描かれたばかりの新車のフォードF−150ピックアップトラックで、市街地を抜ける395号線を走っていた。車は一連の出来事を受けて公園管理局から贈られたものだ。内部はまだ新車特有のにおいがする。

〈このにおいが長く残るとは思えないけど〉

後部座席からニッコが身を乗り出し、ジェナの耳元ではあはあと息をしている。以前だったら注意しているところだが、ジェナは片手を後ろに伸ばし、鼻先をさすってやった。ニッコの体調は回復したものの、心のどこかにまだ影響が残っていることは見て取れる。

そばにくっついている時間が多くなったし、状況に応じたとっさの反応がわずかながら鈍くなったようにも思えるが、それも少しずつ元に戻りつつある。

〈私も同じだわ〉

ジェナは今も時々、自分の存在が消えてしまうような感覚や、もやが濃くなって頭の中を満たし、すべてを押し出してしまうような恐怖を思い出すことがある。

今でも体が震える。ふと気づくと、頭の中であれこれ確認している自分がいる。鍵を忘れたとしたら、それは後遺症なのだろうか？　言葉がすぐに出てこなかったり、住所や電話番号を思い出せなかったりしたら？　考えるだけで不安が募る。

そのため、ジェナは夜明けとともに起きるように心がけていた。昔から明け方の湖が好きだった。鏡のような湖面に反射した太陽の光が様々な色合いに輝き、しかも季節によって趣が異なる。通りにもほとんど人の姿がない。観光シーズンだったとしても、ようやく街が目を覚まし、あくびをしたり伸びをしたりしている時間帯だ。

朝の静けさは、昔からジェナに考えるための時間を、心を落ち着かせるための時間を与えてくれた。今のジェナが何よりも必要としているのは、そんな時間だった。

けれども、今のジェナにとって朝にはもう一つの意味がある。

ジェナは無線を手に取り、通信指令係に連絡を入れた。「ビル、ちょっと立ち寄って給油をしていくから」

「了解」

ジェナはナイスリー・レストランの黄色い看板の下にピックアップトラックを停めると、ニッコを連れて車から降りた。扉を開けると、ベルの音が鳴り響く。カウンターの奥では、この町でいちばんおいしいと評判の熱いブラックコーヒーを、バーバラがいつものようにすでに用意して待っていた。バーバラが投げた犬用ビスケットを、ニッコが口でキャッチする。何年も毎日のように続けているから慣れたものだ。

けれども、ジェナには最近新しい習慣ができた。

ボックス席に座っていた人物が、新聞から顔を上げずに声をかけた。「やあ、おはよう」

ジェナはコーヒーを受け取ってからボックス席に腰掛けた。「今日の予定は?」とドレイクに訊ねる。ドレイクは山岳戦訓練センターの常任訓練員の資格を取得していた。

「そうだな」ドレイクは答えた。「また地球を救わないといけないかもしれない」

ジェナはうなずき、コーヒーをすすり、あまりの熱さに顔をしかめた。

〈変わることのない毎日〉

ジェナはドレイクが差し出した新聞のスポーツ欄を手に取った。

普通の日々がいちばんだ。

グリニッジ標準時午後二時七分
南極大陸　ドローニング・モード・ランド

「あんた、何度もここを訪れるつもりなら、俺のところのマイレージサービスに加入したらどうだい？」

ジェイソンはイギリス人操縦士の肩を叩いてから、アノラックのジッパーをしっかりと締め、フードをかぶった。「考えておくよ、バーストウ」

ジェイソンはツイン・オッターの機内から氷の上に飛び降りた。「フェンリルの口」と呼ばれる黒い牙状の山々の陰に、おもちゃのブロックを転がしたかのような建物群が並んでいる。あたかも第二基地という植物の種が、地下の熱によって発芽し、そこから国際的な調査隊の施設が次々と成長しているかのようだ。

〈だいぶ変わったな〉

ジェイソンは一カ月前、グレイ、コワルスキ、ステラとともに、地獄岬からあの裏口を抜けて脱出した時のことを思い返した。ステラの言葉通り、地表のガレージには緊急用のCAATがあったため、それに乗って海岸まで戻り、ドクター・フォン・デル・ブリュッゲをはじめとするハリーⅥ研究基地の研究者たちと合流した。その頃には太陽嵐も収束していたので、アメリカのマクマード基地に救援を要請することができたのだった。

〈またここに戻ってきた〉

戻ってくるだけの理由がある。新しい施設の中でも最も大きな建物の内部から、一人の女性が姿を現した。建物の外壁はツイン・オッターと同じく、英国南極観測局の赤と黒に塗られている。女性のアノラックの胸元にも、英国南極観測局の略称ＢＡＳの文字がある。

女性はフードを下ろしたまま、極寒の南極の天候の中をまるで公園でも散歩しているかのような足取りで近づいてくる。冬のこの時期、南極大陸は太陽が一日中沈んだままの「極夜」を迎えるが、満天に輝く明るい星と銀色の月ばかりか、オーロラの帯が空を彩っているおかげで、十分な明るさがある。

「ジェイソン、また会えてうれしいわ」ステラがハグで出迎えた。歓迎の抱擁は思いのほか長かったが、ジェイソンには何の不満もなかった。

「見せてあげたいものがたくさんあるの」ステラは基地の方に案内しようとしたが、ジェイソンはその場を動かなかった。

「君の報告書は読ませてもらっているよ」ジェイソンは笑顔を浮かべながら返した。「ずいぶんと忙しそうだ。地獄岬の一部の地域を生物圏保護区として公開することは、いろいろと難しい試みだと思う。経験のある人を紹介すると前から話していたけれど、ようやくその約束を果たすことができるよ」

ジェイソンはツイン・オッターの後部座席に向かって手を振った。扉が開くと、着古した極地用の装備に身を包んだ二人が機外に出てきた。一人は女性で、アノラックのフードをかぶりながら、白いものがちらほらと見えるカールのかかった長い黒髪をフードの中に押し込んでいる。女性に手を貸しているのは背が高くがっしりとした体型の男性で、見た目からは年齢がまったく予想できない。身に着けている装備と同じように、二人はお互いに長い付き合いだ。

ジェイソンは二人を紹介した。「僕の母のアシュリー・カーターと、再婚相手のベンジャミン・ブラストだ」

ステラは二人と握手した。驚いた顔に浮かぶ笑みが、その美しさをいっそう際立たせる。「お会いできて光栄です。さあ、中に入って体を温めてください」

ステラは三人を裏口の第二基地に案内した。ここが氷の下の世界への新たな入口になっている。ステラが先頭に立って歩き始めると、ベンは立ち止まり、ジェイソンの脇腹を肘でつついた。

「おいおい、やるじゃないか」ベンのオーストラリア訛りが強くなる。人をからかう時はいつもそうだ。「おまえがわざわざここまで来て、自分で紹介したがっていた理由がわかったよ。可愛いコアラちゃんを見つけたわけだな」

二人の女性が振り返った。

ジェイソンはうつむき、小さく首を左右に振った。

ベンはアシュリーとステラの間に割り込み、二人の女性の肩に腕を回した。「あの坊やの話だと、君は氷の下に実に興味深い洞窟群を発見したとか」

「洞窟にはお詳しいんですか？」ステラが訊ねた。

「何度か迷い込んだことがあるくらいかな」

実際にはベンは洞窟探検のプロで、二十年以上の経験があり、その大半はこの南極大陸でのものだ。

「それなら、私たちがここの地下で発見したようなものは見たことがないと思いますよ」ステラが自慢げに言った。

「私たちがこれまでに見たものの話を聞いたら、あなたの方こそ驚くでしょうね」母が意味ありげな笑みを浮かべた。「いつかあなたを私たちのところに招待しないといけないわ」

ベンもうなずいた。「あそこならみんなでちょっとした冒険を楽しめるだろうな」そう言いながら、ジェイソンの方を振り返る。「おまえはどうする？　一緒にスリルを味わうかい？」

ジェイソンは小走りに三人の後を追った。

〈何だか変な雲行きになってきたぞ〉

東部夏時間午後八時二十三分
ヴァージニア州ロアノーク

ケンドール・ヘスはレンタカーのハンドルを握り、私立の精神科病院の入口に通じる並木道を走っていた。手入れの行き届いた広い芝生が道の両側に広がり、小さな噴水も見える。警備の厳重な敷地の中央にある病院の建物は、四棟が十字架のような形でつながっている。

この病院はどこにも記載されていないし、ヴァージニア州ロアノーク郊外のブルーリッジ・パークウェイに隣接する面積十五万平方メートル以上の施設の存在を知る人もほとんどいない。ここは国家の安全保障に関係のある特別な患者用だ。ケンドールはここの病室を手配するために、ＦＢＩのバイオテロリスク評価チームの知り合いに依頼しなければならなかった。

最後の検問所に達し、身分証明書を提示して通過してから、ケンドールは車を停めた。受付で指紋を押捺（おうなつ）した後、看護師に付き添われて病室に向かう。

「彼の容体は？」ケンドールは訊ねた。

「変化はありません。担当医とお話をされますか？」

「その必要はない」

看護師は穏やかな口調の生真面目そうな若い女性で、青い色の服を着用し、厚底の靴をはいている。看護師はケンドールの顔を見た。「お見舞いの方がいらしています」

〈いいことだ〉

二人は鎮静効果があるとされるパステルカラーで塗られた長い殺風景な廊下を歩いた。ようやくたどり着いた扉を開けるためには、特別な鍵が必要だ。扉の先は患者の病室の隣にある臨床評価室に通じている。二つの部屋はマジックミラーで仕切られていた。

ケンドールは病室内を見通せるミラーの前に立った。隣の病室の羽目板には木がふんだんに使用されていて、本物の炎の代わりにシルクが揺れる暖炉も備わっている。奥の壁には本棚があり、本がいっぱいに並んでいた。

今もなお本がカッターの心に安らぎをもたらしているという事実に、ケンドールは悲しさと同時にある種の安心感を覚えた。攻撃された大脳皮質の奥深くに、まだ一部の記憶が、知識欲が、残っているのだろうか。

病室の片隅にアシュウがいるが、カッターの妻はぼんやりと窓の外を眺めているだけだ。ケンドールは家族のためにもいろいろ手を尽くし、カッターのそばにいられるように家を用意したほか、いくばくかの収入も得られるように手配した。ジョリは地元のロアノークの学校に通っていて、子供ならではの適応の速さですっかり溶け込んでいるという。気がかりなのは妻の方だ。ケンドールはアシュウがいずれはジャングルに戻ることになるだろうと考えていた。ジョリの大学入学後がいい頃合いかもしれない。ジョリは成績優秀で、その点では間違いなく父親の血を引いている。

カッターはベッドの上に仰向けに横たわっていた。両手首はパッド付きの拘束具で固定されているが、他人に暴力を振るうわけではない。そうしておかないと、目を離した隙に自傷行為を働くことがあるためだ。カッターは毎日ここのスタッフと外を散歩しているが、本のそばにいる時と同じように、自然に囲まれた中にいる時の方が落ち着いているのだという。そのあたりにも過去の記憶がうかがえる。

「そろそろ寝かせようとしているところです」看護師が言った。「あの子は毎晩のように、本を読んであげているんですよ」

ケンドールは声を聞こうとインターコムのスイッチを入れた。ジョリはベッド脇の椅子に腰掛け、細い膝の上に本を立て、父親に読み聞かせている。

看護師は少年が手にしている本を見てうなずいた。「あの子の話だと、お父さんは毎晩あの本を読んでくれたそうなんです」

ケンドールは本のタイトルを見て、かすかな罪悪感を覚えた。

ラドヤード・キプリングの『ジャングル・ブック』だ。

ジョリの優しい声からは、物語への愛が、父との思い出への愛があふれている。

今こそ迎えん、誇りと力の時を
爪よ、牙よ、鉤爪よ
その声を聞け――よき獲物があらんことを
ジャングルの掟を守るすべての者よ

午後十一時四十八分
メリーランド州タコマパーク

グレイはポーチのブランコに座っていた。目の前の手すりには冷えたビールが置いてある。夜になっても気温は下がらず、まだ三十度以上あるうえに、湿度も高い。そのせいで、グレイの機嫌は決していいとは言えなかった――あるいは、介護付き高齢者施設を何カ所も訪問し、認知症患者に対応してくれるところを探すという長い一日だったためかもしれない。

冷たい手がグレイの指を包み込んだ。その手が触れただけで、体の中にたまった緊張感が緩んでいく。グレイは手を握り返し、感謝を伝えた。

隣に座っているのは香港から戻ってきたばかりのセイチャンだ。彼女はグレイの自宅アパートに荷物を置くとすぐ、バイクを飛ばして夕食前にここに到着した。セイチャンを前にした父は、終始上機嫌だった。

それも当然だ。

彼女を見ればわかる。

暗がりの中でも、セイチャンの姿は優美さと力強さ、荒々しさと優しさ、やわらかい曲線とかたい筋肉から成る彫刻のように美しい。瞳があらゆる光をとらえて反射する。唇は絹のような感触だ。グレイは片手を差し出し、指先でセイチャンの顎をなぞった。脈打つ喉元を、ひとしずくの汗が流れ落ちる。

〈父も久し振りに会えてうれしかったんだろうな〉

セイチャンの声がいつもよりも一オクターブ低くなり、官能的な艶を帯びる。「そろそろ家に帰らないと」

その誘い文句に、グレイの体がうずく。

「先に帰っていてくれ」グレイは答えた。「夜勤の看護師に必要なものが揃っているかを確認してから、俺も帰るよ」

セイチャンは立ち上がりかけたが、何かを察したのか再びブランコに腰を下ろした。「どうかしたの？」

顔をそむけたグレイは、ポーチの手すりの先の藪（やぶ）に舞うホタルの光に気づいた。年を追うごとにホタルの訪れが早まっているのは、気候変動の前触れだという説もある。地球を支配する大いなる力の前では、すべてが無意味でちっぽけな存在に思える。

グレイはため息をついた。不本意ながらも、自分が時にちっぽけな存在だと認めざるをえない。「世界を何度となく救うことはできる。それなのに、どうして彼を救えないんだろう」グレイは大きく肩をすくめた。「俺にできることは何もない」

セイチャンはグレイの両手をつかみ、左右の手のひらで挟み込んだ。「あんたって馬鹿ね、グレイ」

「それは否定しないけどな」グレイはかすかに笑みを浮かべている自分に気づいた。

「あんたのできることは必ず何かある。ずっとしてきたじゃない。彼を愛して、彼のことを思い出して、彼のために生きて、彼を気遣って、彼のために戦って。難しい決断を下すたびに、その愛を証明する……それがあんたのできること。何もないなんてことはない」

グレイは黙っていた。

ほかにも一つ、できることがある――けれども、そのためには一人きりの時間が必要だ。

「わかったよ、セイチャン」グレイはセイチャンの手をそっと戻した。「先に行ってくれ。すぐに追いつくから」

セイチャンは顔を近づけ、グレイの頬にキスをしてから、改めて唇を重ねた。「あまり待たせないでね」

〈もちろん〉

セイチャンがポーチの階段を下りて私道に向かうのを見届けてから、グレイは家の中に入り、ソファーに座っていた夜勤の看護師にうなずいた。「帰る前に様子を見てくる」

「もう眠っていらっしゃると思いますよ」看護師は言った。

〈ちょうどいい〉

グレイは階段を上り、廊下を歩いて父の寝室に向かった。扉が少しだけ開いている。グレイは音を立てずに室内に入り、ベッド脇に歩み寄った。

ポケットの中から容器と注射針を取り出す。

数日前、グレイはドクター・ケンドール・ヘスに対して、カッター・エルウェスの脅威への治療薬について問い合わせた。薬はそれ以外の脳神経系の疾患の改善にも役立つだろうとヘスが考えているという話を耳にしたからだ。直接ヘスに事情を説明したところ、翌日には自宅にサンプルが送られてきた。

注射器の中にはその液体が入っている。

かつて、もう何十年も前の出来事のように思えるが、グレイは同じような選択を迫られたことがあった。父のアルツハイマー病に有効かもしれないものを入手したことがあった。結局、あの時はそれを流しに捨ててしまった。避けられない事実を受け入れ、戦えないものとは戦わないことを学ぶのが先だと考えたからだ。

注射器を持ち上げると、針の先端に液体のしずくができる。

セイチャンの言葉が耳によみがえる。

〈過去の話だ〉

〈……彼のために戦う……〉

グレイはベッドの上に身を乗り出し、父の腕に針を刺し、プランジャーを押し込んだ。

グレイが針を引き抜くと、父のまぶたがぴくぴくと動きながら開いた。グレイがすぐそばにいることに気づき、父は大きく目を見開いた。

「グレイ、何をしているんだ?」

〈父さんのために戦っている……〉

グレイは顔を近づけ、父の額にキスをした。

「おやすみを言いにきただけだよ」

エピローグ

ジャングル

群れはジャングルの中を一列になってゆっくりと移動している。この長い旅路が始まった時と比べると、群れの数はかなり減ってしまっている。炎と岩と破壊のこだまが、今も聞こえる気がする。強い鉤爪で掘り続け、さらに古い洞窟を見つけ、そこをたどってこの果てしない森に出て、ようやく自由の身になれたことを思い返す。血と死を思い返す。裏切りと苦しみを思い返す。青い火花と鋼鉄の痛みを思い返す。

記憶は長く残る。

憎しみはもっと長く残る。

著者から読者へ：事実かフィクションか

メスを手に取ってこの小説を解剖し、事実とフィクションをより分ける時間となった。我々は今、この世界におけるいくつかの重要な岐路に立っている。地球上で六度目の大絶滅が進行中だという事実を疑う人はほとんどいないが、我々が種として、社会として、これからたどる道筋は、多くの異なる方向に枝分かれしている。この本の目標の一つは、そうした道筋のいくつかを実際に歩んでみて、どこに通じているのかを突き止めることにある。けれども、我々はそれらの道筋をすでにどの程度まで歩んでしまったのだろうか？確かめてみよう。

まず、この小説では今の環境保護運動において現実に存在する分裂を扱っている。昔ながらの環境保護論者と新世代の環境運動家、自然保護を訴える人々と合成生物学者、さらには差し迫った絶滅を阻止したいと考える人たちと歓迎する人たち、などの間に見られる対立である。以下の四書はこの小説のストーリーを構築するうえで不可欠の存在だったと同時に、本書で提起した問題に興味を抱いた読者にとって大きな情報源となるであろう。

ジョージ・M・チャーチ&エド・レジス著　*Regenesis: How Synthetic Biology Will Reinvent Nature and Ourselves*（New York: Basic Books, 2012）

エリザベス・コルバート著　*The Sixth Extinction: An Unnatural History*（New York: Henry Holt, 2014）（邦訳『6度目の大絶滅』（NHK出版））

クレイグ・チャイルズ著　*Apocalyptic Planet: Field Guide to the Future of the Earth*（New York: Vintage, 2013）

アラン・ワイズマン著　*Countdown: Our Last, Best Hope for a Future on Earth?*（New York: Back Bay Books, 2014）（邦訳『滅亡へのカウントダウン――人口大爆発とわれわれの未来』（早川書房））

では、もう少し具体的に見ていくとしよう。

科学

合成生物学

人工生命の合成に関しては、次々と画期的な成果が生まれており、この小説の執筆が追いつかないほどであった。以下に本書で扱った話題に関連する出来事の簡単な年表をあげておこう（ただし、これらはごく表面的な話にすぎない）。

二〇〇二年　最初の人工ウイルスが研究所内で合成される。
二〇一〇年　クレイグ・ヴェンターのチームが最初の生きた人工細胞を作り出す。
二〇一二年　ＸＮＡの合成に成功する。
二〇一三年　完全に機能する染色体がゼロから再構築される。
二〇一四年五月　スクリプス研究所が遺伝子のアルファベットに二つの新たな文字を加える。

XNA

複数の研究所がすでに様々なＸＮＡを合成している。ＸＮＡはより耐性があると証明されているほか、理論上はすべての生物のＤＮＡと置き換えることが可能である。また、かつて地球上の生物ではＸＮＡの方が優位を占めていたと信じられている。そうした生命の生き残りが今もどこかで、影の生物圏という形で人知れず存在しているのであろうか？　答えはいずれわかるはずである。

適応能力の促進

ドクター・ケンドール・ヘスの研究の目標——環境の変化に対する種の適応能力を高める方法の発見は、現実的な観点から各地の研究所で積極的に進められている。

カッター・エルウェスが作り出した動植物も、アレクサンドラ・デイジー・ギンズバーグによるインスタレーション"Designing for the Sixth Extinction"に基づいたものである。彼女は遺伝子操作した生物を野生に解き放つべきだと提唱している（しかも、自らが創造した生命体の特許まで取得している）。実に魅力的な内容である。彼女の作品はインターネットで見ることができる。

進化の機械

① 本書に登場したCRISPR／Cas9技術は実在する。すでに遺伝子研究や遺伝子操作の世界に革命的な変化をもたらしており、わずかな訓練さえ受ければ初心者でもこうした高度な作業を行なうことができる。その精密さに関しては、スペルミスを犯すことなく百科事典の内容を編集できるに等しい道具を研究者に提供したと形容されている。

② MAGEとCAGEは、イェール大学、マサチューセッツ工科大学、ハーヴァード大学の遺伝子工学者によって開発された。ゲノムの大規模な編集を可能にしたこの技術は、絶滅した種を復活させる大きな可能性を秘めている。

脱絶滅

世界各地の研究所が絶滅した種の復活を試みている。本書ではケナガマンモス（ゾウのＤＮＡから）、リョコウバト（どこにでもいるハトのＤＮＡから）、オーロックスという絶滅した牛（家畜の牛のＤＮＡから）の例を紹介した。しかし、ゲノム編集以外にも、種の復活には体細胞核移植をはじめとする多くの手法がある。なお、ケナガマンモスの保護区「更新世パーク」も、セルゲイ・ジモフというロシア人が実際にシベリアに建設中である。

極限環境生物

新たな化学物質や化合物への関心は、厳しい環境に生息する変わった生物の探索を、生物学におけるゴールドラッシュさながらのブームにまで押し上げた。その結果、海中の熱水噴出孔、厚い氷の下、有毒な荒れ地など、かつては生物が住めないと考えられていた多くの場所から生命が発見された。生態系が丸ごと発見されたこともあり、そこから「影の生物圏」との名称が生まれた。

不死身のウイルス

ドクター・ヘスが作り出した生命体は、実在する微生物を参考にした。「デイノコッカス・ラディオデュランス」と呼ばれる細菌は、放射線に耐性があることで知られるゴキブリの致死量の十五倍の放射線を浴びても死滅しない。また、低温、乾燥、高温、強い酸にも耐えることができる。真空状態に置かれても死なない。『ギネス世界記録』において世界で最も強い生物として認定されている。この細菌の遺伝子に対して不用意に手を出す人間が現れないことを祈りたい。

動く遺伝子（レトロトランスポゾン）

これもまた驚きかもしれないが、進化の強い原動力が「動く遺伝子」だということを遺伝子学者たちは受け入れている。この「動く」特徴は親から子供に伝わるだけでなく、「遺伝子の水平伝播」によって種の境界を越えて移動する。信じがたいことだが、畜牛のゲノムの四分の一はツノクサリヘビの種に由来することが判明している。今度ハンバーガーを食べる時には注意した方がいいかもしれない。

バイオハッキング、DIY生物学、バイオパンク

呼び方は様々だが、遺伝実験や新しい生物の特許取得を目的としたこのような活動が、ガレージ、地下室、地域センターを拠点として行なわれている。本書では光る雑草を合成するためのキックスターターでのクラウドファンディングに関して言及した。こうした技

術は「バイオブリック」の開発により、パソコンのプラグアンドプレイのように簡単に行なえるようになり、庭で日曜大工をするような手軽さで神の領域に踏み込むことが可能となっている。

合成生物学およびバイオハッキングにおける三つの大きな脅威が、バイオテロ、研究室での事故、合成生物の意図的な放出である。そこで本書では脅威の「三冠王」を目指し、その三つをまとめて一冊で扱うことにした。

磁場と微生物

磁場が細菌、ウイルス、菌類を殺せるのだろうか？　正しい静磁場または動磁場を作り出せば可能である。アメリカ食品医薬品局はこの問題に関して広く研究を行ない、特定の種を殺すために必要な磁力をすでに突き止めている。

パンスペルミア説

これは隕石の衝突によってこの惑星に運ばれてきた生命体の種から地球上の生命が誕生したのではないか、とする説である。本書で触れた南極大陸の巨大なウィルクスランド・クレーターのもとになった隕石は、地球上の全生物が危うく滅びるところだったペルム紀末の大絶滅を引き起こしたと考えられている。そのことを思うと、ふとこんな考えが浮かぶ。「もしその時の大絶滅で地球上のあらゆる環境から生命が消え、隕石によってもたらされた別の生命が何もない地球上に広まっていたとしたら、いったいどうなっていただろうか？」

南極の生物

現在ロシアは、五大湖の個々の湖と同じくらいの面積がありながら、何千年間にもわたって何千メートルもの氷の下に隔絶されていたヴォストーク湖の掘削を進めている。そこではどのような生物が見つかるのだろうか？　これまでにわかった範囲では、相当数の生物がいるらしい。一方で、世界最南端のこの大陸には奇妙な特徴を持つ生物が暮らしている。

・一九九九年、人間も動物もまったく免疫を持たないウイルスが氷上で発見された。
・二〇〇四年、南極で発見された千五百年前の苔が生き返った。同じような例として、シベリアでは三万年間も氷漬けになっていたウイルスが蘇生した。
・南極大陸の複数の場所で石化した大きな森が発見されている。

しかし、これまでのところは、文字通りの意味で表面的な部分しか見ていない。あの氷の下に何が存在するのかは、今後の発見を待たなければならない。これは非常に興味深い問題である。なぜなら……

南極の地質

南極大陸の地質の不思議さについては、最近になってようやく理解が進み始めたところである。南極大陸の表面は氷で覆われているが、地下深くは温暖で、湿地帯が広がっている。氷河の下には何百もの湖が存在し、その多くは川で結ばれていて、その中にはテムズ川ほどの大きな流れもある。上に流れる滝も存在する。複数の活火山も発見されており、数千メートルの氷の下をマグマが流れているところもある。二〇一四年初めには、科学者たちが南極大陸でグランド・キャニオンをもしのぐ規模の峡谷を発見した。こうした奇妙でこの世のものとは思えないような地形は、ほかにもまだ人知れず存在しているのだろうか？

ブレインハッキング

カッター・エルウェスはこの小説内で、自分の好きなように人間の知性を変える斬新な方法を発見した。そのようなことは可能なのだろうか？　実をいうと、彼の方法は斬新どころか時代遅れかもしれない。一九八〇年代および九〇年代のコンピューター・ハッカーに代わって、二十一世紀にはバイオハッカーが登場した。現在、化学信号を用いて感情や人の考えを制御するウイルスや細菌の研究が進められている。DNA操作の技術が加速度的に高まり、より早く、より安く、より正確になっている現状を考えると、近いうちに不可能なことなどなくなるのではないだろうか。

DARPAの生物工学研究室

DARPAは以前からロボット工学、義肢技術、人工知能において最先端の研究を行なっていたが、二〇一四年には「生物学と自然科学のさらなる劇的な交わりを探求する」ために、バイオテクノロジーに特化したこの新しい研究室が創設された。今後の活動に注目したい。

本書では研究者たちが現在進行中の六度目の大絶滅を回避するための、あるいはそれに向き合うための様々な道筋を提唱した。私は討論会に参加したり、本や論文を読み込んだりしながら、この複雑な問題の様々な側面を調べてきた。ここで少し話をしておきたいと思うのは……

様々な考え方

①保護、保全

ここには種を救おうと、あるいは絶滅に瀕した種を守るために環境を強化しようとする環境保護論者が該当する。また、すでに絶滅した種をよみがえらせようと試みる人々も含まれる。こうした取り組みを「時代遅れの環境保護」と見なすグループもある。

②合成生物学者

正しいことなのか間違ったことなのかの問題は置いておくとして、ここに含まれる若くて意欲にあふれた科学者たちは、遺伝子操作と人工生命体の作製によって世界を作り変えようと試みている。この道筋は言うまでもなくおごりと危険をはらんでいる一方で、大いなる可能性も秘めている。

③新世代の生態学者

『ニュー・サイエンティスト』誌でたまたま見つけた素晴らしいインタビュー記事の中で、生態学者のクレイグ・トーマスは絶滅に対する新たな達観した見方を提唱した。彼は絶滅を基本的に「好機」ととらえたのである。大絶滅は新たなわくわくするような生命体、進化への新しい道筋、さらには「ニューエデン」の創設にまでつながるのだという。進行中の六度目の大絶滅を別の角度からとらえた興味深い視点である。

④ダークマウンテン

この運動に関して限られた文字数で正しく伝えることは難しい。読者の皆さんには彼らのウェブサイト（http://dark-mountain.net）をチェックすることをお勧めしたい。サイトを訪れれば、ドゥガルド・ハインとポール・キングズノースによる*Uncivilisation: The Dark Mountain Manifesto*を読むことができる。これもまた、現在進行中の六度目の大絶滅に対する斬新な視点である。

カッター・エルウェスという登場人物においては、②、③、④の考え方を都合よく歪曲させた人物を作り出し、①と②を提唱するケンドール・ヘスと意見を戦わせた。実際に現在の科学界では、まさにそうした論争が進行中である。

＊　＊　＊

次の要素が少しは（あるいは、かなり）含まれていなければ、シグマフォース・シリーズとは呼べない。

歴史

ダーウィンとビーグル号の航海

チャールズ・ダーウィンは実際に南アメリカ大陸ティエラ・デル・フエゴのヤーガン族のもとを訪れた。ヤーガン族は優れた航海術の持ち主であり、自分たちが船で探検した土地の地図を所有していた可能性は十分にありうる。また、ダーウィンがあの有名な著作を出版したのが、ビーグル号の航海から二十年もの歳月を経た後であったのも事実である。そのことから、ある当然の疑問が生まれる。なぜだろうか？

地図

本書の中には、氷で覆われていない南極大陸を描いたものと思われる古代の地図が何枚も登場する。これらは実在する地図で、何世紀も前に作成されたものであるが、こうした地図に関する議論は今なお続いている。一つはっきりとわかっているのは、古代の人々は我々が考えているよりもはるかに以前から、世界各地の大洋を航海していたということである。人類の航海年表は毎年のように歴史をさかのぼり続けている。古代の知識の宝庫であった有名なアレクサンドリア図書館の破壊とともに、どれほどの量の真実が灰燼に帰してしまったのかは知る由もない。

南極大陸のドイツ人

ナチの南極探検や南極大陸への関心についてのすべての記述は、ニュルンベルク裁判でのカール・デーニッツ海軍総帥の謎めいた発言や、彼に対する判決が不思議なまでに軽かったことも含めて、すべて事実に基づいている。

南極大陸のアメリカ人

バード海軍少将が率いたハイジャンプ作戦は、五千人以上の隊員が参加した実在の作戦である。けれども、今もなお多くの謎に包まれている。バードのスノークルーザーも実在する車両で、南極大陸まで運ばれたものの、その後は歴史の闇に（あるいは氷の下に）埋もれてしまっている。アメリカ政府が南極大陸で原爆実験を行なったのも事実である。

南極大陸のイギリス人

英国南極観測局は、本書の中でも記したように途中でその名称を変更しつつ、ほかのどの国よりも長くこの世界最南端の大陸で積極的に活動を行なってきた。ハレーⅥ研究基地もイギリスの調査拠点として使用されている（本書で記したように海に滑り落ちていなければ、の話だが）。この基地は巨大なスキーを装着したムカデのような形をしている。

本書に登場する科学技術のほとんどはすでに「科学」のところで扱ったが、ここではほかの二つの「装置」について触れておきたい。

科学技術

フロート付き水陸両用車（CAAT）

この乗り物に関してはまだ試作段階だが、小型版に関しては十分に運用可能な車両が製作されている。本書に登場する小型のCAATはこうした試作品を参考にした（ちなみに、小型のCAATを「子ネコ」と書きたいという欲求を抑えつけるのには苦労した）。

音響兵器

長距離音響発生装置（LRAD）は世界各地の警察や軍で採用されていて、基本的には本書に記したような形で使用されている。

携帯用のスティック型指向性音響アンテナ（DSR）は、アメリカン・テクノロジー・コーポレーションが特許を取得している。私の知る限りでは大量生産はされていないものの、ほぼ本書で記述したように機能し、音声を増幅して伝えたり、指向性マイクとして遠くの音を拾ったりもできる。

もし南極大陸の地下の暗い洞窟に行く予定があるならば、在庫を押さえておいた方がいいかもしれない。

＊　＊　＊

最後にもう少し。

地理

テプイ
この世のものとは思えないこの奇妙な高原は、ガイアナ、ベネズエラ、ブラジルに分布している。その多くにはこれまでに人間が足を踏み入れたことがなく、頂上には不思議な隔絶された生態系がまったく手つかずの状態で残っている。本書中の神話のほか、奇妙な陥没穴、洞窟、地下通路の記述も正確を期したつもりである。アーサー・コナン・ドイルの小説『失われた世界』は、こうしたテプイの頂上を舞台にしている。カッター・エルウェスが人目を気にせずに研究を行なうには格好の場所であろう。

山岳戦訓練センター

カリフォルニア州ブリッジポート郊外にあるこの施設を訪問する機会があり、ほとんどの記述は事実に基づいているが、多少手を加えたところもある（今度ボディ・マイクスでバックリブをおごるから勘弁してほしい）。この基地には実際にV／STOL（ヴィエストール）の訓練用の飛行場があり、オスプレイも運用されている。「オスプレイの息子」と呼ばれるベルV－280ヴェイラーに関しては、現在開発が進められている。

モノ湖とゴーストタウン

モノ湖も何度か訪れたことがあり、場所と人々に関する記述は正確を期したつもりである。もしここを訪れる機会があれば、ゴーストタウンに寄ることをお勧めしたい。ただし、兵士の乗り込んだヘリコプターには気をつけること。

改めて歴史を振り返って

本書をお楽しみいただけたことと思う。これは二〇〇四年に発表した *Sandstorm*（邦訳『ウバールの悪魔』（竹書房））から数えて、シグマフォース・シリーズの十作目に当たる。せっかくの記念すべき作品なので、ちょっと過去を振り返る機会として利用させてもらうのも悪くないかと思った。私が初めて発表した小説 *Subterranean*（邦訳『地底世界サブテラニアン』（扶桑社））において、少年時代のジェイソン・カーターとともに大変な事態に巻き込まれた不屈の南極探検家アシュリー・カーターとベン・ブラストに再登場願ったのもそのためだ。また、この最新作において将来の展開も少し示したいと考え、この先に控える大きな変化をほのめかしておいた――シグマフォースの最大かつ最も大胆な冒険は、これから訪れることになるのだから。

その時にまた会えることを祈りつつ。

ジェームズ・ロリンズ

追伸：日焼け止めを忘れないように（できればいつもより多めの武器も）。

謝辞

本書のあちこちには多くの人たちの手が加わっている。全員の助力、批評、励ましをありがたく思う。第一に、最初の読者であり最初の編集者でもある、親友たちに感謝しなければならない。サリー・アン・バーンズ、クリス・クロウ、リー・ギャレット、ジェーン・オリヴァ、デニー・グレイソン、レオナルド・リトル、スコット・スミス、ジュディ・プレイ、ウィル・マレー、キャロライン・ウィリアムズ、ジョン・キース、クリスチャン・ライリー、トッド・トッド、クリス・スミス、エイミー・ロジャーズである。そしていつものように、美しい地図を作成してくれたスティーヴ・プレイには特に感謝したい……また、楽しい話の種をメールで送ってくれたチェレイ・マッカーターにも！　頼んだことは何もかもこなしてくれたばかりか、デジタルの分野でいつも私をしっかりと前に導いてくれたデヴィッド・シルヴィアンにも！　いつも私を応援してくれるハーパーコリンズ社の皆さん、中でもマイケル・モリソン、ライエイト・ステーリック、ダニエル・バートレット、ケイトリン・ケネディ、ジョッシュ・マーウェル、リン・グレイディ、リチャード・アクアン、トム・エグナー、ショーン・ニコルズ、アナ・マリア・アレッシを忘れるわけにはいかない。最後になったが、制作過程のすべてにおいて中心的な役割を果たしてくれた人たちの名前をあげておきたい。編集者のリサ・キューシュと同僚のレベッカ・ルカシュ、エージェントのラス・ガレンとダニー・バロール（およびお嬢さんのヘザー・バロール）である。そしていつものように、本書に記述した事実やデータに誤りがあった場合は、すべて私の責任であることをここに強調しておく。その数があまり多くないことを願いつつ。

訳者あとがき

本書『ダーウィンの警告』は、ジェームズ・ロリンズ著 *The 6th Extinction*（二〇一四）の翻訳である。「シグマフォース・シリーズ」⑨と銘打った作品だが、邦訳はシリーズ⓪から始まっているので、この作品がちょうど十作目ということになる（詳しくは後掲の作品リストを参照）。

「シグマフォース」（通称シグマ）とは、米国国防総省のＤＡＲＰＡ（国防高等研究計画局）傘下の秘密特殊部隊で、レンジャー部隊やグリーンベレーなどから集められた精鋭の隊員たちは、米国の安全保障に対して重要な科学技術の保護、入手、破壊を任務としている。主人公のグレイソン（グレイ）・ピアースをはじめ、モンク・コッカリス、キャット・ブライアント、ジョー・コワルスキらのシグマの隊員が、司令官のペインター・クロウの指揮のもとで、世界規模での危機、脅威、陰謀と戦う活躍を描くのが、この「シグマフォース・シリーズ」である。シグマフォースは作者の創作であるが、ＤＡＲＰＡは実在の組織である。軍事技術、ロボット工学、ナノテクノロジーなど、幅広い分野にまたがるＤＡＲＰＡの活動について興味のある方は、ウェブサイト（http://www.darpa.mil/）をご覧いただきたい。

本書の内容について簡単に触れておこう。原題の *The 6th Extinction* とは「六度目の大絶滅」の意味である。地球の歴史上、これまでに五度の大絶滅が起きていると言われ、その中には全生物の九十パーセント以上が死滅した約二億五千万年前のペルム紀末の大絶滅（三度目）や、恐竜が絶滅した約六千五百万年前の白亜紀の大絶滅（五度目）などがある。その原因としては、気候変動や火山噴火、巨大隕石の衝突などがあげられている。そして現在まさに進行中と言われているのが六度目の大絶滅で、今回の原因は我々人間にあるとされる。一時間に数種という前代未聞の速度で進んでいるこの大絶滅は、環境破壊や大気汚染によるものだという説が有力視されているのである。この六度目の大絶滅を食い止める方法はあるのだろうか？　人類までも絶滅してしまうのではないだろうか？　むしろ、人類の絶滅こそが地球にとっていいことなのではないだろうか？

こうした問題をテーマに据えて、本書のストーリーは展開していく。米軍の研究施設から流出した謎の物質が、カリフォルニア州の山間部に広がり、あらゆる動植物の命を奪っていく。その正体を突き止め、さらなる拡散を防ぐために、シグマの隊員が決死の任務に当たる。グレイたちは施設で行なわれていた研究内容の調査のために南極大陸を訪れるが、その地で信じられない光景を目撃する。一方、クロウ司令官たちは謎の物質の正体を探ると同時に、流出を裏で画策したと思われる人物の行方を追う。「ビーグル号」によるチャールズ・ダーウィンの冒険、南極大陸の謎の古地図、アメリカによる核実験やナチと氷の大陸との関係といった歴史的事実、最新の遺伝子工学やゲノム編集技術、合成生物学、およびそうした研究の環境保護への応用といった科学的事実を巧みに織り交ぜ、その展開はいつものようにスピード感とアクションにあふれている。ストーリーそのものはフィクションであるが、遺伝子関連の技術の進歩や環境保護運動の現状については、事実を踏まえて鋭い洞察で描かれている。謎の物質の拡散防止のために米軍が強行を試みる作戦のくだりなどを読むと、人類も絶滅に向かいつつあるのではないかと思わざるをえない。

その一方で、南極大陸の地下に生息する未知の生物圏や、遺伝子の改変によって生み出された動植物の描写には、獣医の資格を持つロリンズの専門知識と想像力がいかんなく発揮されている。南極大陸に関してはまだわかっていないことの方が多いし、地球温暖化の影響で氷床が融ければ、思わぬ事態が起きる可能性は否定できない。事実、ロシア北部では永久凍土が融けたことで炭疽（たんそ）菌に感染したトナカイの死骸が露出し、そこからほかの動物を経由して人間に感染、死者も出ているという。

遺伝子の改変による自然界への影響や農産物の安全性への懸念、そうした技術の人間への応用に対する倫理的問題に関しては、改めて説明するまでもないだろう。『USAトゥデイ』紙の調査では、アメリカ各地の研究所で、テロに応用可能なバクテリアの入った容器が紛失したり、致死性のウイルスに感染したハツカネズミが施設内から逃げ出したり、ワクチン実験用の牛が誤って食肉用に出荷されたり、存在していないはずの天然痘ウイルスの容器が施設内で発見されたり、死んだ炭疽菌の代わりに生きた炭疽菌を誤って十数カ所の研究所に送ったり（この事例は国防省の研究所で起きている）、といった事故が頻出しているという。本書にあるような研究所からの流出は、決して「ありえない」「想定外の」事故とは言えないのである。

余談になるが、本書に登場するジェナ・ベックは実在の人物である。ただし、ジェナ・ベックという名前のパークレンジャーがいて、殺されそうになったり拉致されたりしたという意味ではない。前作の *The Eye of God*（『チンギスの陵墓』）が発売された後、作者のロリンズは自身のブログ上で *The Eye of God* を読んでいるところを撮影した面白写真を募集した。優勝したのは女性と犬が並んで本を読んでいる写真で、ロリンズによると決め手は犬の表情だったそうだ（「『この本はくだらない内容だなあ』と言いたげな目で見ているから」とか）。その優勝者の女性がジェナ・ベックさんで、本書のヒロインとして名前が採用されたのである（ちなみに、本人の愛犬の名前も「ニッコ」とのこと）。

「改めて歴史を振り返って」のところにあるように、本書は「シグマフォース・シリーズ」の十作目に当たる。そこにも記されているが、物語の最後に登場したアシュリー・カーターとベンジャミン・ブラストの二人は、ロリンズの小説家としてのデビュー作 *Sub-*

terranean の主要登場人物でもある。アシュリーの息子がシグマの隊員のジェイソン・カーターで、*Subterranean* では子供時代のジェイソンが母親やベンジャミンとともに南極大陸で不思議な体験をしている。この作品は邦訳『地底世界 サブテラニアン』が扶桑社から刊行されているので、興味のある方はぜひ手に取っていただきたい。本書にまさるとも劣らぬスリリングな冒険を楽しめるはずだ。

ジェイソンは前々作の *Bloodline*（『ギルドの系譜』）で「シグマフォース・シリーズ」に初登場したが、その時にはこうした経緯については触れられていなかった。『ギルドの系譜』の「訳者あとがき」で、「過去の作品中の登場人物が立場を変えて（というか、大きく成長して）登場している」と書いたのは、ジェイソンのことだったのである。本書ではそのことが明らかになったものの、ジェイソンの南極での過去の体験について、グレイやモンクは知らされておらず、キャット（およびペインター？）だけが知っている様子なのは、シグマフォースにおけるキャットの位置づけを示していて興味深い。アシュリー、ベンジャミン、子供時代のジェイソンが目にしたものは、その後もアメリカによる研究が続いているという設定のようなので、今後の作品で再び南極が舞台になる場合には再登場することもあるかもしれない。

シグマフォース・シリーズの作品および日本でのシリーズ番号を、今後の予定も含めて記すと以下のようになる（【　】内の数字はアメリカでの刊行年）。

⓪ *Sandstorm*【二〇〇四：邦訳『ウバールの悪魔』（竹書房）】
① *Map of Bones*【二〇〇五：邦訳『マギの聖骨』（竹書房）】
② *Black Order*【二〇〇六：邦訳『ナチの亡霊』（竹書房）】
③ *The Judas Strain*【二〇〇七：邦訳『ユダの覚醒』（竹書房）】
④ *The Last Oracle*【二〇〇八：邦訳『ロマの血脈』（竹書房）】
⑤ *The Doomsday Key*【二〇〇九：邦訳『ケルトの封印』（竹書房）】
⑥ *The Devil Colony*【二〇一一：邦訳『ジェファーソンの密約』（竹書房）】
⑦ *Bloodline*【二〇一二：邦訳『ギルドの系譜』（竹書房）】
⑧ *The Eye of God*【二〇一三：邦訳『チンギスの陵墓』（竹書房）】
⑨ *The 6th Extinction*【二〇一四：邦訳『ダーウィンの警告』（竹書房）】
⑩ *The Bone Labyrinth*【二〇一五：邦訳『イヴの迷宮』（仮題）二〇一七年夏刊行予定】
⑪ *The Seventh Plague*【二〇一六】

アメリカではシリーズ第一作として *Map of Bones* が発表され、日本でもシグマフォース・シリーズ①『マギの聖骨』として邦訳が刊行された。シグマフォースが初めて登場したのはその前の *Sandstorm* だが、これは司令官に就任する前のペインター・クロウを主人公とする話で、グレイやモンクといったその後の作品で中心的な役割を果たす隊員たちは登場しない。ペインターが司令官に就任後、グレイやモンクたちを隊員としてスカウトし、*Map of Bones* につながるという流れになっている。当初、アメリカで *Sandstorm* はシグマフォース・シリーズに含まれていなかったが、今では作者のホームページにおいてもシリーズ最初の作品として扱われている。邦訳は①②③④の後で⓪に戻り、続いて⑤⑥⑦⑧⑨という刊行順になっている。

各作品のストーリーは独立しているので、順番通りに読まなくても楽しむことができるが、共通の、あるいは繰り返し登場する登場人物も多い。シリーズを通しての設定があったり、登場人物の人間関係の変化や各人の成長も描かれたりしているため、全体の流れや伏線などをより深く理解したい読者には、初期の作品を読むこともお勧めしたい。また、二〇一五年十月に竹書房から刊行された『Σ　FILES』は、このシリーズのガイドブックともいうべき作品で、登場人物のプロフィール、『ギルドの系譜』までの各作品の概略や解説などが記されている。未読の作品について知りたい方はもちろん、これまでに読んだ内容を改めて振り返りたい方にも楽しんでもらえるはずだ。それまで未発表だった短編三作品も収録されている。

作者のジェームズ・ロリンズは*Sandstorm*以前に、先ほど紹介した*Subterranean*のほか、*Deep Fathom*（ペインター・クロウに出会う前のリサ・カミングズが登場）、*Ice Hunt*（邦訳『アイス・ハント』〈扶桑社〉）。シグマに加わる前のジョー・コワルスキが登場）など、五つの作品を発表している。最近ではシグマフォース・シリーズ以外に、レベッカ・キャントレルとの共著による「血の騎士団」シリーズ三作品（マグノリアブックス）を著しているほか、*Bloodline*に登場したタッカー・ウェイン大尉と軍用犬のケインを主人公とした「シグマフォース外伝　タッカー&ケイン・シリーズ」が、グラント・ブラックウッドとの共著により進行中で、二〇一四年五月に一作目の*The Kill Switch*（邦訳『黙示録の種子』〈竹書房〉）が、二〇一六年四月に二作目の*War Hawk*が発売された。これにはペインター・クロウ司令官のほか、シグマの隊員（グレイやモンクではなく、新たな人物）も登場している。

シグマフォース・シリーズ⑩となる次作*The Bone Labyrinth*では、クロアチアの洞窟内で発見された遺跡から奪われたネアンデルタール人の骨を巡って、ネアンデルタール人と現生人類との「ハイブリッド」や、中国による極秘実験の謎を追いながら、グレイたちがイタリア、南米、中国で調査を進めていく。人類進化の歴史の研究は、我々の未来を変えることになるのだろうか？　本書では出番の少なかったモンクとセイチャンがフルに登場するほか、コワルスキがようやく主役級の活躍を見せる（「やっとだぜ」と本人は自慢しているに違いない）。コワルスキのファンの読者は楽しみにしていただきたい。邦訳『イヴの迷宮』（仮題）は、二〇一七年夏の刊行を予定している。また、シリーズ最新作（シリーズ⑪）*The Seventh Plague* も、二〇一六年十二月にアメリカで発売される予定である。

これも「ようやく」という話かもしれないが、映画化情報について触れておきたい。二〇一〇年頃に「シグマフォース・シリーズ」の映画化が決定し、小説とは別の独立したストーリーによる作品（タイトルは *Sigma Force*）が製作されるとの情報が伝わった。しかし、その後は具体的な進展のないまま五年以上が経過していたが、二〇一六年三月、ホラー映画『ソウ』シリーズや、アクション映画『ハンガー・ゲーム』シリーズなどを手がける映画製作・配給会社ライオンズゲートが、*Map of Bones* の映画化に取りかかると発表された。キャストや公開時期などについてまだ詳しい情報はないものの、脚本家はすでに決定しているようだ（マーベルコミックの *Black Panther* 実写版を手がけるジョー・ロバート・コール）。また、ロリンズ自身もSNS上で映画化が進行中であることを認めており、「セイチャンの役は誰がいい？」「ペインターの適役は？」といった質問をファンに投げかけていたので、今度は実現の可能性が高いと思われる。今後の展開を楽しみに待ちたいと思う。

最後になったが、本書の出版に当たっては、竹書房の富田利一氏、オフィス宮崎の小西道子氏、校正では白石実都子氏、中島香菜氏に大変お世話になった。この場を借りてお礼を申し上げたい。

二〇一六年九月

桑田　健

シグマフォース シリーズ9
ダーウィンの警告　下
The 6th Extinction:

２０１６年１１月３日　初版第一刷発行

著……………………………………… ジェームズ・ロリンズ
訳……………………………………………………………桑田 健
編集協力……………………………… 株式会社オフィス宮崎
ブックデザイン………………………橋元浩明（sowhat.Inc.）
本文組版……………………………………………………ＩＤＲ

発行人……………………………………………………後藤明信
発行所…………………………………………株式会社竹書房
〒102-0072　東京都千代田区飯田橋２－７－３
電話　03-3264-1576（代表）
03-3234-6208（編集）
http://www.takeshobo.co.jp
印刷・製本………………………………凸版印刷株式会社

ISBN978-4-8019-0891-8　C0197
Printed in JAPAN